2022 합격기준

NETclass
동형모의고사
#2 해설편

혜선 국어

엄선된 동형모의고사 **10회분** 문제 및 해설 수록
각 문제의 해설을 **QR코드**로 바로 확인 가능
2021년 국가직, 지방직 국어 기출문제 및 해설 수록

박혜선 편저

동영상강의 www.pmg.co.kr
동형모의고사로 국어 실력 키우기

QMG 박문각

  기존의 '동형모의고사'가 여러분들에게 와닿지 않았던 이유는 아이러니하게도 '적중'에 미친 모의고사였기 때문일 것입니다. 이미 수험생활을 여러 번 겪으신 분들이라면 적중에 미친 모의고사가 학생들에게 독이 든 사과가 된다는 것을 잘 알고 계실 겁니다.

  강사로서 정말 양심적으로 보면, 적중에 미친 모의고사는 강사에게 좋은 모의고사이지, 수험생에게 좋은 모의고사는 아닙니다. 어떤 강사는 적중에 미쳐 지엽적인 부분이나 중요도가 떨어지는 부분들을 동형모의고사에 냅니다. 그리고 그것이 적중하게 되면, 소위 "적중의 신"이라며 광고를 합니다. 하지만 여러분, 지엽적이고 중요도가 떨어지는 부분이 잠깐 나왔던 모의고사가 과연 여러분들의 것이 될 수 있을까요? 강사가 낸 수많은 동형 문제에서 딱 한 문제 지엽적으로 낸 것이 우연하게 나왔다면, 과연 여러분들은 시험장에서 득점하실 수 있을까요? 정답은 '아니요'입니다. 여러분들은 동형에 고작 한 번 출제된 지엽적인 문제를 긴장된 시험 환경에서 기억하실 수 없습니다. 적중에 미쳐 중요하지 않은 문제를 실은 그 동형모의고사 때문에 오히려 정말 필수적으로 공부해야 하는 "정수(正手)"를 놓쳐 원하시는 결과를 얻으실 수 없게 됩니다. 최근 시험은 지엽적인 부분보다 기출에 이미 여러 번 출제되거나 일반적으로 중요하다고 여겨지는 단원에서 출제가 되었기 때문입니다.

  그래서 적중에 미치지 않고 최근 경향을 최대한 구현해 내어, '수험생들의, 수험생들에 의한, 수험생들을 위한' 메타 인지 동형모의고사가 탄생하게 되었습니다. 오직 역공 수험생들만을 위해 지엽적인 부분은 과감히 제외하고 필수적으로 학습해야 하는 문제들로 담았습니다.

  여러분, 동형 시즌에 가서야 동형모의고사를 풀게 되면 늦습니다. 그 이유는 다음과 같습니다. 첫째, 올해 12월까지 이론 학습만 하다 보면 '내년 1월' 동형 시즌에 형편없는 점수를 얻었을 경우 초조함과 불안함이 가중됩니다. 두려움이 커지면 두려움을 수습하느라 무의미한 시간을 보낼 수 있고 심하면 학습하기를 은연중에 포기하게 될 수 있습니다. 둘째, 내가 취약한 부분, 모르는 부분이 무엇인지 동형모의고사를 통해 가려내고 그 부분을 누구보다 빠르게 보완해낼 수 있습니다. 취약한 부분을 모른 채로 눈으로만 이론을 보게 되면, 암기는 될 수 있을지 몰라도 문제에 이론을 적용하는 것은 어렵습니다. 셋째, '내년 1월' 동형 시즌에 실전 감각을 기르려고 하면 늦습니다. 실전 감각은 3-4개월로 훈련할 수 있는 단순한 것이 아니기 때문입니다. 정말 단기로 합격하시길 원하신다면 기출과 유사한 동형모의고사를 20분 내에 풀어보는 연습을 하루 빨리 하셔야 합니다.

2022 대비 고대 수석의 메타 동형모의고사는

❶ 틀린 문제나 헷갈리는 문제의 해설만 들을 수 있도록 각 동형 문제에 QR코드를 붙였습니다. 모르는 문제와 틀린 문제의 QR코드를 카메라에 대면 해당 문제들에 대한 해설을 들으실 수 있도록 하였습니다.

❷ "세상 어디에도 없는 해설"을 통해 문법 이론의 개념, 종류, 특징 등을 학습할 수 있습니다. 이 동형모의고사 하나만으로 시험에 필수적으로 나올 수 있는 이론을 충분히 대비할 수 있게 하였습니다. 이는 다른 모의고사에는 없는 형태입니다.

❸ 비전문적인 분들이 만든 문제가 아닙니다. 전문 문제 출제 위원과 함께 최근 경향에 맞는 동형모의고사를 구현하였습니다.

❹ 적중에 미치지 않은, 실제 시험과 동일한 유형의 문제로 수험생들만을 위한 모의고사를 제작하였습니다.

  2022 대비 고대 수석의 메타 동형모의고사를 통해 역공 수험생 여러분들의 단기 합격이 이루어질 수 있기를 간절히 빌고 끝날 때까지 응원하겠습니다!

편저자 박혜선

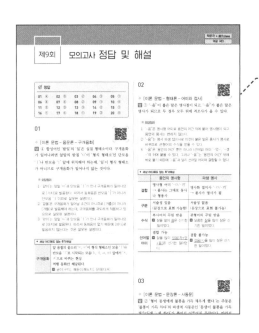

Part 03 각 문제의 QR코드 수록

틀린 문제나 헷갈리는 문제의 해설만 들을 수 있도록 각 동형 문제에 QR코드를 붙였습니다.

Part 04 세상 어디에도 없는 해설

해당 문제만 익히는 것이 아니라 관련 이론의 개념, 종류, 특징 등을 학습할 수 있습니다.

📑 문제편

Part 01
국어 동형모의고사

Part 02
국어 기출문제

목차 CONTENTS

📑 해설편

Part 03
국어 동형모의고사 정답 및 해설

Part 04
국어 기출문제 정답 및 해설

NETclass
동형모의고사
#2 해설편

혜선 국어

합격
기준 박문각
공무원

박혜선 혜선 국어

PART 03

국어
동형모의고사
해설편

■ 제1회~제10회 국어 모의고사 정답 및 해설

NETclass

정답 및 해설

제1회 | 모의고사 정답 및 해설

✅ 제1회 모의고사 정답

01	③	02	③	03	②	04	④	05	③
06	①	07	④	08	②	09	③	10	②
11	④	12	①	13	②	14	④	15	①
16	③	17	②	18	①	19	①	20	④

01

◇ [이론 문법 – 음운론 – 음운 변동]

답 ③ '깻잎[깬닙]'은 음절의 끝소리 규칙에 의해 앞말 받침 ㅅ이 ㄷ으로 발음된다. 표준발음법 제29항에 따라 뒷말의 'ㅣ' 모음 앞에 ㄴ첨가가 일어난다. 또한 앞말 받침 ㄷ이 첨가된 ㄴ에 동화되어 비음화가 일어나서 ㄴ으로 발음된다. 따라서 이 단어에서 일어나는 음운의 변동은 교체와 첨가이므로 표시가 잘못되어 있다.

⊠ 오답정리

② '숱하다[수타다]'는 음절의 끝소리 규칙에 의해 ㅌ이 ㄷ으로 발음된다. 이 ㄷ은 뒷말 초성의 ㅎ과 축약되어 거센소리 ㅌ으로 발음된다. 따라서 이 단어에서 일어나는 음운의 변동은 교체와 축약이다.

① '앓지[알치]'는 거센소리되기에 의해 앞말의 겹받침 중 ㅎ이 뒷말 초성 ㅈ과 축약되는 음운의 변동이 일어난다.

④ '닳았다[다라따]'는 겹받침 중 ㅎ이 탈락하고, 음절의 끝소리 규칙에 의해 ㅆ이 ㄷ으로 발음된다. 둘째 음절 받침이 평파열음 ㄷ으로 변동되어 뒤의 예사소리 ㄷ는 된소리되기에 의해 ㄸ으로 소리 난다. 따라서 이 단어에서 일어나는 음운의 변동은 탈락과 교체이다.

✦ 세상 어디에도 없는 추가해설

1. 음절의 끝소리 규칙(교체)

음절의 끝소리 규칙 표음화, 중화	받침이 음절 끝에 올 때에는 표기된 대로 발음되는 것이 아니라 대표음(ㄱ, ㄴ, ㄷ, ㄹ, ㅁ, ㅂ, ㅇ)으로 발음되는 현상		
	음절의 끝소리	대표음	예시
	ㄲ, ㅋ	ㄱ	예 밖[박], 키읔[키윽]
	ㅌ, ㅅ, ㅆ, ㅈ, ㅊ, ㅎ	ㄷ	예 낱[낟], 낫고[낟꼬], 났다[낟따], 낮[낟], 낯[낟], 히읗[히읃]
	ㅍ	ㅂ	예 앞[압]

2. 자음 축약(축약)

자음 축약 = 거센소리 되기 = 격음화	예사소리 'ㄱ, ㄷ, ㅂ, ㅈ'와 'ㅎ'이 결합되어 거센소리 'ㅍ,ㅋ,ㅊ,ㅌ'으로 소리나는 현상 예 쌓지[싸치], 잡히다[자피다], 좋던[조턴], 각하[가카], 법학[버팍]

3. 자음군 단순화(탈락)

자음군 단순화	음절의 끝에 겹받침이 올 때, 한 자음이 탈락되어 발음되는 현상			
	첫째 자음만 발음된다.	• ㄳ, ㄵ, ㄶ, ㄽ, ㄾ ㅀ, ㅄ 예 넋[넉], 앉다[안따], 곬[골], 핥다[할따], 값[갑]		
	둘째 자음만 발음된다.	• ㄻ, ㄺ, ㄿ 예 삶[삼ː], 닭[닥], 읊다[읍따]		
	불규칙하게 탈락된다.	ㄺ	일반	맑다[막따], 굵지[국찌]
			예외	맑고[말꼬], 굵게[굴께] 'ㄺ'이 용언의 어간 말음일 경우 'ㄱ' 앞에서 [ㄹ]로 발음한다.
		ㄼ	일반	여덟[여덜], 넓다[널따]
			예외	밟다[밥ː따], 넓둥글다[넙뚱글다], 넓죽하다[넙쭈카다], 넓적하다[넙쩌카다]
				'넓다'의 경우 [널]로 발음하여야 하나, 파생어나 합성어의 경우에 '넙'으로 표기된 것은 [넙]으로 발음한다.

4. 된소리되기(교체)

된소리되기	• '안울림소리 + 안울림소리'의 구조에서 뒷소리가 된소리로 발음되는 현상 예 역도[역또], 닫기[닫끼], 극비[극삐] • 어간 받침 'ㄴ(ㄵ), ㅁ(ㄻ), ㄼ, ㄾ' 뒤에 예사소리로 시작되는 활용 어미가 이어지면 된소리로 발음되는 현상 예 넘대[넘ː따], 안고[안ː꼬], 넓게[널께], 핥다[할따] • 용언의 관형형 '–ㄹ' 뒤에서 뒷소리가 된소리로 발음되는 현상 예 사랑할 사람[사랑할싸람] • 한자어의 'ㄹ' 받침 뒤의 'ㄷ, ㅅ, ㅈ'가 된소리로 발음되는 현상 예 발달[발딸], 발생[발쌩], 발전[발쩐], 몰상식[몰쌍식], 갈등[갈뜽], 불세출[불쎄출] 예외) 불법[불법 / 불뻡]

02

◇ [이론 문법 – 형태론 – 명사형 어미,
　명사 파생 접미사]

답 ③ '주기적으로 ㉠ 운동하기가 건강의 ㉡ 첫걸음이다.'에서 ㉠은 동사 어간 '운동하-'에 명사형 어미 '-기'가 결합한 활용형이며, 부사어의 수식을 받고 있다. 그리고 ㉡은 어근 '걷-'과 명사 파생 접미사 '-음'이 결합한 후에 관형사 '첫'이 결합한 단어이며, 관형어의 수식을 받고 있다. 따라서 ㉠과 ㉡ 각각의 품사는 동사와 명사이다.

한편, '전화로 결과를 ㉠ 묻기 전에 ㉡ 기쁨을 느꼈다.'에서 ㉠은 동사 어간 '묻-'과 명사형 어미 '-기'가 결합한 활용형이므로 품사는 동사이다. 그리고 ㉡은 어근 '기쁘-'에 명사 파생 접미사 '-ㅁ'이 결합한 명사이다. 따라서 제시된 문장의 ㉠, ㉡과 품사가 일치한다.

▦ 오답정리

① '㉠ 솔직함이 그의 ㉡ 장점은 아니다.'에서 ㉠은 형용사 어간 '솔직하-'와 명사형 어미 '-ㅁ'이 결합한 활용형이므로 품사는 형용사이다. 그리고 ㉡은 '좋거나 잘하거나 긍정적인 점'이라는 의미를 지닌 명사이다. 따라서 ㉠의 품사는 일치하지 않는다.

② '㉠ 줄넘기를 하다가 ㉡ 넘어지기 일쑤이다.'에서 ㉠은 동사 어간 '넘-'과 명사 파생 접미사 '-기'가 결합한 후에 명사 '줄'이 결합한 것이므로 품사는 명사이다. 그리고 ㉡은 동사 어간 '넘어지-'에 명사형 어미 '-기'가 결합한 활용형이므로 품사는 동사이다. 따라서 ㉠, ㉡의 품사는 모두 일치하지 않는다.

④ '최고의 ㉠ 즐거움은 고양이와 시간을 ㉡ 보내기이다.'에서 ㉠은 형용사 어간 '즐겁-'과 명사형 어미 '-ㅁ'이 결합한 활용형이므로 품사는 형용사이다. 그리고 ㉡은 동사 어간 '보내-'와 명사형 어미 '-기'가 결합한 활용형이므로 품사는 동사이다. 따라서 ㉠, ㉡의 품사는 모두 일치하지 않는다.

✦ 세상 어디에도 없는 추가해설

	용언의 명사형	파생 명사
결합	명사형 어미 '-ㅁ/-기' → 품사는 그대로 동사나 형용사	명사화 접미사 '-ㅁ/-기' → 품사가 명사가 됨
구분	서술성 있음 (문장으로 표현 가능함)	서술성 없음 (문장으로 표현 불가능)
수식	부사어의 꾸밈 받음 예 잠을 많이 잠은 신기한 일이었다.	관형어의 꾸밈 받음 예 달콤한 잠을 많이 잠은 신기한 일이었다.
선어말 어미	결합 가능 예 잠을 많이 잤음[자+았+음]은 신기한 일이었다.	결합 불가능 예 잤음(×)을 많이 잠은 신기한 일이었다.

03

◇ [이론 문법 – 통사론 – 피동과 사동]

답 ② '어머니는 아들에게 책을 읽혔다.'에서 밑줄 친 부분은 '읽-+-히-(사동 접미사)+-다'로서 사동사이기 때문에 ㉠의 예로 적절하다. 어머니가 아들에게 책을 읽는 동작을 하게 하는 것이다.

'그 책은 많은 사람들에게 읽혔다.'에서 밑줄 친 부분은 '읽-+-히-(피동 접미사)+-다'로서 피동사이기 때문에 ㉡의 예로 적절하다. 그 책이 남의 책을 읽는 행동을 입은(=당한) 것이다. 따라서 두 문장 모두 ㉠과 ㉡을 사용한 예문으로 적절하다.

▦ 오답정리

① '밀리다'는 피동사는 있지만 '사동사'는 존재하지 않는다. '시동이 꺼져서 동생에게 차를 밀렸다.'에서 밑줄 친 부분에는 의미상 '밀다'의 사동형이 들어가야 한다. 그러나 '밀다'를 사동사로 만들기 위해서는 사동 접사는 사용할 수 없고 연결 어미와 보조 동사를 사용해 '밀게 하다'는 형태로만 사동을 표현할 수 있다. '지하철에 사람이 너무 많아서 몸이 밀렸다.'에서 밑줄 친 부분의 기본형은 '밀리다'이다. 이는 '일정한 방향으로 움직이도록 반대쪽에서 힘이 가해지다.'라는 뜻으로 '밀다'의 어간에 피동 접미사 '-리-'가 결합한 피동사이다. 따라서 ㉡을 사용한 예문만 적절하다.

③ '하늘에서 떨어지던 낙엽이 손에 잡혔다.'에서 밑줄 친 부분의 기본형은 '잡히다'이다. 이는 '붙들리다.'라는 의미로 '잡다'의 어간에 피동 접미사 '-히-'가 결합한 피동사이다. '울고 있는 아이에게 겨우 연필을 잡혔다.'에서 밑줄 친 부분의 기본형은 '잡히다'이다. 이는 '손으로 움키고 놓지 않게 하다.'라는 의미로 '잡다'의 어간에 사동 접미사 '-히-'가 결합한 사동사이다. 이처럼 '잡다'는 접사 '-히-'를 이용해 사동사와 피동사를 표현할 수 있으나, ㉠과 ㉡의 예문이 서로 뒤바뀌었으므로 적절하지 않다.

④ '나는 리모컨을 찾기 위해 이불을 들췄다.'에서 밑줄 친 부분의 기본형은 '들추다'이다. 이는 '속이 드러나게 들어 올리다.'는 의미의 단일어이다. '들추다'는 형태상으로는 '들다'의 어간에 사동 접미사 '-추-'가 결합한 사동사로 보이지만, 이 문장에는 사동의 의미가 담겨 있지 않다. 만일, 장형 사동을 사용하면 '~에게 이불을 들게 했다.'와 같이 부사어가 추가되어야 하므로 해당 문장은 사동문이 아니다. '친구의 무릎을 치니 다리가 번쩍 들린다.'에서 밑줄 친 부분의 기본형은 '들리다'이다. 이는 '아래에 있는 것이 위로 올려지다.'라는 의미로 '들다'의 어간에 피동 접미사 '-리-'가 결합한 피동사이다. 따라서 ㉡을 사용한 예문만 적절하다.

✦ 세상 어디에도 없는 추가해설

• 사동(使動)이란 주어가 남에게 동작을 시키는 것을 말한다. (주어가 동작을 직접 하는 것을 주동(主動)이라고 함.)
　예 어머니가 아이에게 밥을 먹인다.

• 피동(被動)이란 주어가 다른 힘에 의해 움직이는 것을 말한다.
　예 도둑이 경찰에게 잡혔다(잡아졌다).

04

◇ [어문규정 – 표준 발음법]

답 ④ '함유'는 음운의 변동이 일어나지 않는 단어로, 연음만 일어나 앞말 받침이 뒷말 초성에서 이동해 [하뮤]로 발음하는 것이 적절하다.

▣ 오답정리

① '손재주'는 표준 발음법 제28항 '표기상으로는 사이시옷이 없더라도, 관형격 기능을 지니는 사이시옷이 있어야 할(휴지가 성립되는) 합성어의 경우에는, 뒤 단어의 첫소리 'ㄱ, ㄷ, ㅂ, ㅅ, ㅈ'을 된소리로 발음한다.'의 예시에 해당하므로 [손째주]로 발음하는 것이 적절하다.

② '띄어쓰기'의 첫째 음절은 표준 발음법 제5항 다만3 규정에 의해 자음을 첫소리로 가지고 있는 'ㅢ'에 해당하는 경우이므로 [ㅣ]로 발음해야 하므로 [띠]가 된다. 또 모음으로 끝난 어간에 모음으로 시작되는 어미가 결합될 때 나타나는 모음 충돌을 피하기 위해 'ㅣ'모음 순행 동화를 허용(표준 발음법 제22항)하여 [어]가 원칙이나 [여]로도 발음한다. 따라서 '띄어쓰기'는 [띠어쓰기]가 원칙이나 [띠여쓰기]로도 발음할 수 있다.

③ '일시적'은 표준 발음법 제26항 '한자어에서, 'ㄹ' 받침 뒤에 연결되는 'ㄷ, ㅅ, ㅈ'은 된소리로 발음한다.'의 예시에 해당하므로 [일씨적]으로 발음하는 것이 적절하다.

✦ 세상 어디에도 없는 추가해설

[제28항] 표기상으로는 사이시옷이 없더라도, 관형격 기능을 지니는 사이시옷이 있어야 할(휴지가 성립되는) 합성어의 경우에는, 뒤 단어의 첫소리 'ㄱ, ㄷ, ㅂ, ㅅ, ㅈ'을 된소리로 발음한다.

문-고리[문꼬리]	눈-동자[눈똥자]	신-바람[신빠람]
산-새[산쌔]	손-재주[손째주]	길-가[길까]
물-동이[물똥이]	발-바닥[발빠닥]	굴-속[굴 : 쏙]
술-잔[술짠]	바람-결[바람껼]	그믐-달[그믐딸]
아침-밥[아침빱]	잠-자리[잠짜리]	강-가[강까]
초승-달[초승딸]	등-불[등뿔]	창-살[창쌀]
강-줄기[강쭐기]		

[제5항] 'ㅑ ㅒ ㅕ ㅖ ㅘ ㅙ ㅛ ㅝ ㅞ ㅠ ㅢ'는 이중 모음으로 발음한다.

다만 3. 자음을 첫소리로 가지고 있는 음절의 'ㅢ'는 [ㅣ]로 발음한다.

늴리리[닐리리]	닁큼[닝큼]	무늬[무니]
틔어[티어]	희어[히어]	희떱다[히떱따]
띄어쓰기[띠어쓰기]	씌어[씨어]	
희망[히망]	유희[유히]	

➡ 자음을 초성으로 갖는 'ㅢ'는 표준 발음으로 [ㅣ]로만 발음된다. 하지만 이 규정은 '협의, 신의' 등과 같이 앞말의 받침이 뒷말의 초성으로 이동하여 'ㅢ' 앞에 자음이 오게 되는 경우에는 적용되지 않는다(다만 4 참조).

[제26항] 한자어에서 'ㄹ' 받침 뒤에 연결되는 'ㄷ, ㅅ, ㅈ'은 된소리로 발음한다.

갈등[갈뜽]	발동[발똥]	절도[절또]	말살[말쌀]
불소[불쏘](弗素)	일시[일씨]	갈증[갈쯩]	물질[물찔]
발전[발쩐]	몰상식[몰쌍식]	불세출[불쎄출]	

다만, 같은 한자가 겹쳐진 단어의 경우에는 된소리로 발음하지 않는다.

허허실실[허허실실](虛虛實實) 절절-하다[절절하다](切切--)

05

◇ [어문규정 – 한글맞춤법, 표준어규정]

답 ③ ㉠ '북엇국'은 한자어 '북어(北魚)'와 우리말 '국'의 합성어로 뒷말의 첫소리가 된소리로 발음되므로 한글 맞춤법 제30항에 따라 사이시옷을 첨가하여 적는다. 따라서 ㉠은 한글맞춤법에 맞게 쓰인 단어이다.

㉡ '담궈'는 기본형인 '담그다'를 잘못 활용한 경우이다. '담그다'는 용언의 규칙 활용 중 'ㅡ' 탈락이 적용되는 단어인데, 'ㅡ'가 'ㅓ/ㅏ'로 시작하는 어미 앞이나 모음 앞에서 탈락한다. 따라서 ㉡은 '담그다'의 어간 '담그-'에 연결 어미 '-아'가 결합한 '담가'로 고쳐 써야 한다.

㉢ '앉히고'의 기본형 '앉히다'는 '사람이나 동물이 윗몸을 바로 한 상태에서 엉덩이에 몸무게를 실어 다른 물건이나 바닥에 몸을 올려놓게 하다'라는 의미를 지닌 사동사이다. ㉢에는 '삶거나 찌거나 끓일 물건을 솥이나 시루에 넣다.'라는 의미를 지닌 '안치다'를 사용해야 하므로 단어의 쓰임이 적절하지 않다.

㉣ '졸임'의 기본형인 '졸이다'는 '졸다'의 사동형으로 '찌개, 국, 한약 따위의 물이 증발하여 분량이 적어지게 하다.'의 뜻을 가지고 있다. '간장이 햇볕에 졸았다.', '찌개가 바짝 졸았다.'와 같이 액체를 증발시키는 것이 목적이기 때문에 ㉣과 같이 졸이는 대상이 생선인 경우에는 '양념을 한 고기나 생선, 채소 따위를 국물에 넣고 바짝 끓여서 양념이 배어들게 하다.'라는 의미의 '조리다'를 사용해야 한다. 따라서 ㉣은 '조리다'의 어간 '조리-'에 명사 파생 접미사 '-ㅁ'을 결합하여 '조림'으로 고쳐 써야 한다.

㉤ '부치고'는 동사 '부치다'의 어간 '부치-'에 연결 어미 '-고'가 결합한 형태이다. '부치다'는 '번철이나 프라이팬 따위에 기름을 바르고 빈대떡, 저냐, 전병 따위의 음식을 익혀서 만들다.'라는 뜻이다. 따라서 ㉤은 한글맞춤법에 맞게 쓰인 단어이다.

㉥ '설거지'는 '설겆-'에서 파생된 것으로 보지 않으므로 표기도 '설겆이'로 적지 않는다. 이는 '설겆어라, 설겆으니, 설겆

더니'와 같은 활용형이 안 쓰여 어간 '설겆-'을 추출해 낼 길이 없기 때문이다. 표준어규정 제20항에서 이와 같이 사어(死語)가 되어 쓰이지 않게 된 단어는 고어로 처리하고 현재 널리 사용되는 단어를 표준어로 쓰도록 규정하고 있다. 따라서 ⓗ은 표준어 규정에 맞게 쓰인 단어이다.

종합하면, 어문 규정에 맞게 쓰인 것은 ㉠, ㉢, ⓗ이다.

✦ 세상 어디에도 없는 추가해설

[제30항] 사이시옷이 붙은 단어는 다음과 같이 발음한다.

1. 'ㄱ, ㄷ, ㅂ, ㅅ, ㅈ'으로 시작하는 단어 앞에 사이시옷이 올 때에는 이들 자음만을 된소리로 발음하는 것을 원칙으로 하되, 사이시옷을 [ㄷ]으로 발음하는 것도 허용한다.

냇가[내 : 까/낻 : 까]	샛길[새 : 낄/샏 : 낄]
빨랫돌[빨래똘/빨랟똘]	콧등[코뜽/콛뜽]
깃발[기빨/긷빨]	대팻밥[대 : 패빱/대 : 팯빱]
햇살[해쌀/핻쌀]	뱃속[배쏙/밷쏙]
뱃전[배쩐/밷쩐]	고갯짓[고개찓/고갣찓]

2. 사이시옷 뒤에 'ㄴ, ㅁ'이 결합되는 경우에는 [ㄴ]으로 발음한다.

콧날[콛날 → 콘날]	아랫니[아랟니 → 아랜니]
툇마루[퇻 : 마루 → 퇸 : 마루]	뱃머리[밷머리 → 밴머리]

3. 사이시옷 뒤에 '이' 음이 결합되는 경우에는 [ㄴㄴ]으로 발음한다.

베갯잇[베갣닏 → 베갠닏]	깻잎[깯닙 → 깬닙]
나뭇잎[나묻닙 → 나문닙]	도리깻열[도리깯녈 → 도리깬녈]
뒷윷[뒫 : 뉻 → 뒨 : 뉻]	

[제57항] 다음 말들은 각각 구별하여 적는다.

안치다 : 밥을 <u>안친다</u>.
앉히다 : 윗자리에 <u>앉힌다</u>.

➜ '안치다'는 '음식을 만들기 위하여 그 재료를 솥이나 냄비 따위에 넣고 불 위에 올리다.'라는 뜻을 나타내며, '앉히다'는 '앉다'의 사동으로 쓰이거나, '문서에 줄거리를 따로 적어 놓다.', '버릇을 가르치다.'라는 뜻을 나타내기도 한다.

예 솥에 고구마를 <u>안쳐서</u> 찐다. 시루에 떡을 안치다./ 아이를 무릎에 <u>앉혔다</u>. 그는 책을 읽다가 중요한 것을 여백에 <u>앉히는</u> 습관이 있다. 선생님은 아이들에게 인사하는 버릇을 <u>앉혀</u> 주셨다.

조리다 : 생선을 <u>조린다</u>. / 통조림, 병조림
졸이다 : 마음을 <u>졸인다</u>.

➜ '조리다'는 '양념을 한 고기나 생선, 채소 따위를 국물에 넣고 바짝 끓여서 양념이 배어들게 하다.'라는 뜻을 나타내고, '졸이다'는 '속을 태우다시피 초조해하다.'라는 뜻을 나타낸다.

부치다 : 힘이 <u>부치는</u> 일이다. 편지를 <u>부친다</u>. 논밭을 <u>부친다</u>. 빈대떡을 <u>부친다</u>. 식목일에 <u>부치는</u> 글. 회의에 <u>부치는</u> 안건. 인쇄에 <u>부치는</u> 원고. 삼촌 집에 숙식을 <u>부친다</u>.
붙이다 : 우표를 <u>붙인다</u>. 책상을 벽에 <u>붙였다</u>. 흥정을 <u>붙인다</u>. 불을 <u>붙인다</u>. 감시원을 <u>붙인다</u>. 조건을 <u>붙인다</u>. 취미를 <u>붙인다</u>. 별명을 <u>붙인다</u>.

➜ '붙이다'에는 '붙게 하다'의 의미가 있는 반면, '부치다'에는 그런 의미가 없다.
'부치다'에는 다음과 같은 의미가 있다.

① 모자라거나 미치지 못하다.
　예 그 일은 이제 기력이 <u>부쳐</u> 할 수 없다.
② 편지나 물건 따위를 상대에게 보내다.
　예 아들에게 학비와 용돈을 <u>부치다</u>.
③ 논밭을 이용하여 농사를 짓다.
　예 <u>부쳐</u> 먹을 내 땅 한 평 없다.
④ 프라이팬 따위에 기름을 바르고 빈대떡 따위의 음식을 만들다. **예** 전을 <u>부치다</u>.
⑤ 어떤 행사나 특별한 날에 즈음하여 어떤 의견을 나타내다.
　예 젊은 세대에 <u>부치는</u> 서(書) 식목일에 <u>부치는</u> 글
⑥ 어떤 문제를 다른 곳이나 다른 기회로 넘기어 맡기다.
　예 안건을 회의에 <u>부치다</u>.
⑦ 원고를 인쇄에 넘기다.
　예 접수된 원고를 편집하여 인쇄에 <u>부쳤다</u>.
⑧ 먹고 자는 일을 제집이 아닌 다른 곳에서 하다.
　예 삼촌 집에 숙식을 <u>부치다</u>.

'붙이다'에는 다음과 같은 의미가 있다.
① 맞닿아 떨어지지 아니하게 하다. **예** 우표를 <u>붙이다</u>.
② 물체와 물체 따위를 서로 바짝 가깝게 놓다.
　예 가구를 벽에 <u>붙이다</u>.
③ 겨루는 일 따위가 서로 어울려 시작되게 하다.
　예 싸움을 <u>붙이다</u>.
④ 불을 옮겨 타게 하다. **예** 연탄에 불을 <u>붙이다</u>.
⑤ 사람 등을 딸려 붙게 하다.
　예 아이에게 가정 교사를 <u>붙여</u> 주다.
⑥ 조건, 이유, 구실 따위를 달다. **예** 계약에 조건을 <u>붙이다</u>.
⑦ 어떤 감정이나 감각이 생겨나게 하다.
　예 공부에 흥미를 <u>붙이다</u>. 아이와 정을 <u>붙이다</u>.
⑧ 이름 따위를 만들어 주다. **예** 별명을 <u>붙이다</u>.

06

◇ [독해(화법) – 지시 표현, 대용 표현]

답 ① 이 문장에서 '거기'에 대한 말이나 내용은 앞뒤에서 찾아볼 수 없기 때문에 이는 대용 표현이 아니다. '우리 같이 놀러 갔던'이나 '한 3년 전쯤'은 '거기'에 대한 설명이지만, 정확하게 '거기'가 무엇을 의미하는지는 알 수 없다. 따라서 '거기'는 화자와 청자가 공유하고 있는 사전 지식 내에서 파악할 수 있는 지시 표현이다.

> ⊞ **오답정리**
> ② '그렇게'는 바로 앞에 제시된 '천천히 가. 천천히.'라는 말을 대신 사용한 대용 표현이다.
> ③ '그것'은 앞 문장에 제시된 '체크무늬 넥타이'를 대신하여 사용한 대용 표현이다.
> ④ '그'는 다음 문장에서 '내게 큰 도움을 주었던 은인'이라고 다시 설명해주고 있다. 따라서 '그'는 대용 표현으로서 뒤에서 언급한 내용 대신에 사용되는 표현으로 쓰였다는 것을 알 수 있다.

07

◇ [독해(작문) – 기사문 작성 계획]

답 ④ 본문은 기사의 구체적인 내용을 서술하는 것이다. ㉣에서는 참가자인 마을 주민의 인터뷰를 인용하고 있으나, '이끼 필터의 작용 원리'가 제시되고 있지 않으므로 적절하지 않은 설명이다.

> ⊞ **오답정리**
> ① 표제는 기사 내용 전체를 간결하게 나타내는 제목이다. ㉠에서 '학교에서 배운 지식, 이웃과 함께 나눠요.'라고 작성함으로써 ○○동아리의 활동 목적을 드러내고, 비격식체를 사용하여 친근감 있게 표현하였으므로 적절한 설명이다.
> ② 부제는 표제의 내용을 보충하는 역할을 한다. 표제에 제시되지 않았던 ○○동아리의 활동 내용을 ㉡에서 구체화하여 작성하고 있으므로 적절한 설명이다.
> ③ 전문은 본문에 앞서 그 내용을 육하원칙에 따라 요약한 것이다. ㉢에서는 본문에서 다룰 ○○동아리의 활동 내용을 '누가, 언제, 어디서, 무엇을, 어떻게, 왜'라는 육하원칙에 따라 요약적으로 제시하고 있으므로 적절한 설명이다.

08

◇ [독해(작문) – 고쳐 쓰기]

답 ② ㉡은 '다르다'의 어간 '다르-'에 부사파생 접미사 '-이'가 결합한 파생어이다. '다르게'는 '다르다'의 어간 '다르-'에 부사형 전성어미 '-게'가 붙은 것이다. 부사 '달리'와 용언의 활용형인 '다르게'는 모두 부사어 자리에 쓰일 수 있다. 따라서 ㉡이 '부사어가 들어갈 자리'이기 때문에 '다르게'로 수정한다는 것은 적절하지 않다.

> ⊞ **오답정리**
> ① ㉠이 포함된 문장의 주어는 '시적 의미가'이므로 서술어는 피동의 의미를 나타내는 '형성된다.'로 수정하는 것이 적절하다.
> ③ ㉢의 앞 문장에서는 '눈'이 지닌 긍정적인 의미를 설명하였다. 또한 ㉢으로 시작하는 문장은 이와 반대되는 내용을 담고 있으므로 앞 문장과는 역접의 관계이다. 따라서 이를 드러내기 위해 역접의 의미를 지니는 접속어 '그러나'로 수정하는 것은 적절하다.
> ④ ㉣의 바로 뒤에 '차갑고 혹독하다.'라는 의미를 지닌 '냉혹한'이 쓰였다. 따라서 '차갑다'는 의미가 중복되고 있으므로 '차갑고'를 삭제하는 것이 적절하다.

09

◇ [독해(문학) – 현대 운문의 내용 이해]

답 ③ ㉢으로 인해 화자는 순이에게 '떠나기 전에 일러둘 말'을 담은 편지를 보내지 못한다. 또한 순이의 '발자욱을 눈이 자꾸 나려 덮여 따라갈 수도 없다.' 하지만 '눈이 녹으면' '꽃 사이로 발자욱을 찾아 나서'겠다고 하는 것을 통해 화자가 체념하는 것이 아님을 알 수 있다.

> ⊞ **오답정리**
> ① ㉠에는 '순이가 떠난다'는 이별의 상황으로 인한 화자의 정서가 나타난다. '말 못할 마음'이라는 것은 심적으로 충격을 받은 상태를 뜻하며, 함박눈이 '슬픈 것처럼' 덮인다는 것에서 화자의 슬픔이 나타나고 있으므로 적절한 설명이다.
> ② ㉡은 방 안에도 눈이 내리는 것처럼 느끼는 화자의 심정을 보여주는 시구이다. '아무도 없'는 방 안에 화자의 슬픔이 투영된 '함박눈'이 내리는 것처럼 느껴지는 것을 통해 화자가 '순이'와 이별한 후에 외로움을 느끼고 있음을 알 수 있다.
> ④ ㉣은 순이를 떠나보낸 슬픔이 오랫동안 지속될 것이라는 의미를 나타낸다. 이는 순이를 잊지 못할 것이라는 의미를 함축하는 표현으로 볼 수 있다.

✦ 작품정리 윤동주, 〈눈 오는 지도〉

- **해제** : 이 작품은 윤동주의 온화한 내면과 유연한 감수성을 발견할 수 있는 시이다. 이 시의 중심 소재는 순이와의 이별이다. 이별의 아침, 마치 자신의 막막한 심정을 대변하듯이 함박눈이 내린다. 눈에서 꽃으로 꽃에서 다시 눈으로 변주되는 화자의 순결한 내면의 이미지는 이별의 안타까움을 환기하며 사랑의 아름다움과 지속성을 일깨운다. 화자의 눈길은 순이의 발자국을 좇아 눈이 내리는 지도를 더듬어 간다. 지도와 편지는 함께 연결되는데 편지 봉투에 어느 거리, 어느 마을, 어느 지붕 밑인지를 적어야 편지가 순이에게 도착할 수 있기 때문에, 그 과정이 지도로 나타나게 된다. 그런데 화자는 순이가 가는 곳을 모르므로 그녀에게 부칠 편지는 화자의 마음속에만 남아 있게 된다. 결국 순이에게 일러 둘 말이 적힌 편지는 순이가 사는 지붕 밑으로 가지 못한다. 현실적으로 순이를 찾아갈 방도를 찾지 못한 시적 화자는 상상력의 세계를 통해 순이의 발자국을 좇아간다.
- **주제** : 이별의 안타까움과 그리움
- **구성**
  '순이가 떠난다는~덮인다.' – 순이가 떠남으로 인해 생긴 화자의 슬픔
  '방(房) 안을~천정(天井)이 하얗다.' – 화자가 외로움을 느낌.
  '방 안에까지~따라갈 수도 없다.' – 순이가 떠난 상황에 절망함.
  '눈이 녹으면~눈이 나리리라.' – 순이와의 재회에 대한 기대
- **특징**
  – 같은 종결 표현(~다, ~냐)을 반복하여 운율 형성
  – 눈의 속성(흰색, 세상을 덮음)을 통해 슬픔과 안타까움의 정서를 심화
  – 순이라는 '청자'를 설정하여 말을 건네는 방식을 활용
  – 의문형과 영탄적 어조를 사용하여 안타까움과 그리움을 표현

10

◇ [독해(문학) – 한자성어]

답 ② '螳螂拒轍(당랑거철)'은 사마귀가 앞발을 들고 수레를 멈추려 했다는 고사에서 유래한 말로, 자기 분수도 모르고 무모하게 덤빔을 비유적으로 이르는 말이다. 이 작품에서는 일제강점기와 함께 유입된 근대 자본주의가 전통적인 경제 기반을 무너뜨려서 농촌의 소지주조차 삶의 기반을 잃게 되는 상황을 보여주고 있다. 박 진사는 본인의 가산을 빼앗는 거대한 세력(=일제)에 마지막 반항을 하고 있다. 박 진사 일가의 대가족 공동체 붕괴와 경제적 파산을 통해 '당랑거철(螳螂拒轍)'의 상징적 의미를 보여주고 있는 것이다.

螳 사마귀 당, 螂 사마귀 랑, 拒 막을 거, 轍 바퀴 자국 철

▣ 오답정리

① '左顧右眄(좌고우면)'은 왼쪽을 돌아보고 오른쪽을 곁눈질한다는 뜻으로, 어떤 일에 앞뒤를 재고 결단을 망설이는 태도를 비유하는 말이다. 이 한자성어는 이들이 처한 상황과는 관계가 없다.

左 왼 좌, 顧 돌아볼 고, 右 오른쪽 우, 眄 곁눈질할 면

③ '夏爐冬扇(하로동선)'은 여름의 화로와 겨울의 부채라는 뜻으로, 격(格)이나 철에 맞지 아니 함을 이르는 말이므로 인물들이 처한 상황과는 관계가 없다.

夏: 여름 하, 爐: 화로 로(노),
冬: 겨울 동/북소리 동, 扇: 부채 선

④ '斑衣之戱(반의지희)'는 울긋불긋한 때때옷을 입고서 하는 놀이라는 뜻으로, 늙어서도 부모에게 효도함을 이르는 말이므로 인물들이 처한 상황과는 관계가 없다.

斑 아롱질 반, 衣 옷 의, 之 갈 지, 戱 희롱할 희

✦ 작품정리 채만식, 〈당랑의 전설〉

- **해제** : 이 작품은 일제의 식민 통치에 의해 자립농인 중소 지주들이 땅을 빼앗기고 몰락할 수밖에 없었던 1920년대 초의 농촌 현실을 보여 주고 있다. 이 작품에서 일제의 식민지적 착취의 표상으로 기능하고 있는 것은 '미두취인소(米豆取引所)'이다. 박 진사 일가는 근대 자본주의 체제하에서 전통적인 대가족제도를 유지하다가 쇠락할 수밖에 없었다. '미두취인소'는 이러한 박 진사 일가의 대가족 공동체 붕괴와 경제적 파산을 가속화하고 있다. 작가는 이러한 이야기를 통해 '당랑거철(螳螂拒轍)'의 상징적 의미를 극화함으로써 당대의 비극적 현실을 효과적으로 형상화하고 있다.
- **주제** : 일제강점기 중소 지주의 경제적 몰락과 대가족의 공동체 붕괴
- **줄거리** : 중소 지주인 박 진사 일가는 20여 명의 대가족이 한 집에 모여 대가족 공동체를 이루며 살고 있다. 대가족이 자본주의 경제하에서 많은 소비를 하면서 박 진사 집은 가세가 점점 기운다. 큰아들 원석은 이를 막아 보고자 어장, 금광 등에 손을 대지만 모두 망하고 만다. 결국에는 일제가 쌀을 수탈하기 위해 만든 '미두취인소(米豆取引所)'에 가서 투기를 하다가 모든 재산을 잃는다. 이에 박 진사 집의 압류 재산에 대한 경매가 이루어진다. 이 일로 박 진사는 분을 못 이겨 절규하며 도끼로 자기 집 베틀을 내리치며 절규한다. 박 진사의 절규는 당대에 일제의 식민 정책에 의해 삶의 기반을 상실하고 몰락했던 자립농의 절망 어린 절규이다.

11

◇ [독해(비문학) – 서술 방식]
답 ④ '후설의 현상학'을 구성하는 핵심 개념인 '의미 현상'을 첫째 및 둘째 문단에서 설명하고, '의식의 지향성'을 셋째 문단에서 설명하고 있다. 따라서 이 글이 이론을 구성하는 핵심 개념을 중심으로 설명하고 있다는 것은 적절하다.

⊞ 오답정리
① '후설의 현상학'에 대해서만 설명하고 있을 뿐, 기존 이론과 비교하고 있지 않았다.
② '후설의 현상학'이 '의미 현상'을 탐구의 출발점으로 삼고 있다고 하였을 뿐, 이 이론이 발전해 온 역사적 흐름은 나타나지 않는다.
③ '후설의 현상학'의 핵심 개념들에 대해 설명하고 있으나, 다른 이론에 미친 영향력은 설명하고 있지 않다.

12

◇ [독해(문학) – 고전 산문의 내용 이해]
답 ① 이 글을 쓰게 된 계기는 "오늘 함께 나눈 말씀으로 '떠 있는 집'에 대한 글을 써서 선생의 장수를 축원하고자 합니다."에서 직접적으로 드러나고 있다.

⊞ 오답정리
② '~잘못이 아닐까요?', '안 될 게 무어 있겠습니까?', '생각하겠습니까?' 등에서 설의법을 사용하여 '떠 있음'에 대한 자신의 생각을 강조하고 있다.
③ '선생께서는 떠 있음을 홀로 상심하시어 자신의 이름과 집에 그런 뜻을 드러내셨는데요, 떠 있음을 슬프게 생각하는 것은 잘못이 아닐까요?'라는 부분에서 '떠 있음'에 대한 두 인물의 인식 차이가 나타난다. '나산 처사'는 '떠 있음'을 상심하고, 슬프게 생각하고 있으나 정약용은 이에 동의하지 않는다. '생각해 보면 떠다닌다는 게 아름답지 않습니까?'라고 하며 이를 긍정적으로 인식하고 있음을 알 수 있다.
④ '떠 있는 것이 슬픈 건 아닙니다.'라는 말의 근거로 어부와 장사꾼을 비롯하여 범려, 서불, 장지화, 예원진, 그리고 공자까지 구체적 사례를 열거하고 있다.

♦ 작품정리 　정약용, 〈떠 있는 삶〉

• 해제: 이 글은 정약용이 다산 초당에서 머물고 있을 무렵 지은 글로 이 작품에는 다산의 인생관이 잘 드러나 있다. 나산 처사와의 대화를 통해 삶이라는 것은 세상이라는 물결에 휩쓸릴 수밖에 없는 덧없는 것이지만 그래도 긍정적으로 바라보고 꾸려가야 한다는 생각이 나타난다. 이 작품은 그 덧없음을 슬퍼하지 말고 순순히 받아들이며 삶을 즐길 것을 제안하고 있다. 존재의 무상성을 통찰함으로써 오히려 근원적인 긍정에 도달하는 것이다.
• 주제: 떠 있는 삶에 대한 긍정적 인식
• 줄거리: 신선의 풍모를 지닌 나산 처사가 다산에 있는 암자로 찾아와서 '나'에게 곧 귀양살이가 끝나는데 왜 이곳에 오래 살 것처럼 귀양지를 가꾸는지 질문을 한다. 또한 처사는 자신의 삶을 떠 있는 삶이라고 인식하여 대충 깎은 나무와 낡은 밧줄로 암자를 세워 살고 있으며, 자신의 호와 집의 이름을 '떠 있다'는 의미가 드러나게 지었다고 하며 '나'가 이해되지 않는다고 말한다. '나'는 나산 처사에게 경의를 표하면서, 천하에 많은 것들이 떠 있으므로 그 덧없음을 슬퍼하는 것이 아니라 오히려 즐기고자 한다는 자신의 생각을 밝힌다. 그러면서 나산 처사의 장수를 기원하며 '떠 있는 집'에 관한 글을 써서 남기겠다고 하였다.
• 특징
　– 비유, 묘사를 통해 인물을 소개함.
　– 작가의 체험을 바탕으로 이야기를 전개함.
　– 열거법, 대구법, 설의적 표현을 통해 의미를 강조함.
　– 문답법을 통해 자신의 생각을 드러냄.
　– 인물과의 대화를 직접 인용함.

13

◇ [독해(비문학) – 배치]
답 ② ②의 다음 문장은 '이때 두 태그의 값이 일치하는~'으로 시작하고 있다. 여기서의 '두 태그의 값'이라는 것은 제시된 문장에서 언급된 '그 라인의 태그와 요청 주소의 태그'를 의미하므로 ②의 위치에 해당 문장을 삽입하는 것이 적절하다.

⊞ 오답정리
① ①의 앞 문장에서는 직접 매핑 방식에서 캐싱이 이루어지는 과정을 요약하고 있다. 이때 '주기억장치의 데이터 주소를 활용'한다고 하였는데, 그다음 문장이 '이 주소'라는 대용 표현을 하여 시작하고 있으므로 제시된 문장이 들어갈 수 없다.
③ ③의 앞 문장에서는 '캐시 히트'의 경우를 설명하고, ③의 다음 문장에서는 이와 반대되는 '캐시 미스'의 경우를 설명하고 있다. 제시된 문장의 '해당 라인에 데이터가 저장되어 있으면'이라는 전제와 ③의 다음 문장에 나오는 '해당 라인이 비어 있어서'라는 내용이 일치하지 않는다. 따라서 이 위치에는 제시된 문장이 들어갈 수 없다.
④ ④의 다음 문장에서 '이를 '캐시 미스'라고 하며~'라고 시작하여 앞 문장의 상황을 가리키는 개념을 제시하고 있으므로 제시된 문장이 들어갈 수 없다.

14

◇ [독해(화법) – 강연자의 말하기 방식]
답 ④ 이 강연은 <승정원일기>의 날씨 기록에 관해 설명하고 있으나, 이와 관련하여 '청중과 공유하는 경험'은 나오고 있지 않다.

⊞ 오답정리
① 첫째 문단에서 <승정원일기>의 개념을 설명하면서 '비서실처럼 기능했던 승정원'이라는 표현을 사용하고 있다. 낯선 개념인 '승정원'을 익숙한 대상인 '비서실'에 빗대어 설명하고 있으므로 적절한 내용이다.
② 셋째 문단에서 <승정원일기>가 '이상 기후를 예측할 수 있는 중요한 단서'가 될 수 있다고 하였다. 또한 '우리의 기록 유산이자 현재의 삶과도 관련된 <승정원일기>의 가치를 되새겨 보면 어떨까?'라 하며 그 가치를 강조하며 마무리하고 있으므로 적절한 설명이다.
③ 둘째 문단에 나오는 <승정원일기>의 앞부분 사진, 현대 기상 자료와 <승정원일기>를 비교한 표와 같이 다양한 시각 자료를 활용하여 청중의 이해를 돕고 있으므로 적절한 설명이다.

15

◇ [독해(비문학) – 중심 화제]
답 ① 첫째 문단에서는 원자력 발전의 원리를 간략히 설명하고, 이때 필요한 기술 두 가지를 소개하고 있다. 둘째 문단에서는 감속재를 사용하여 고속 중성자를 감속하는 기술에 대해 설명하고, 셋째 문단에서는 제어봉을 사용하여 핵분열의 출력을 제어하는 기술을 설명하고 있다. 따라서 이 글의 중심 내용을 '원자력 발전의 핵심 기술인 감속재와 제어봉의 역할'로 요약할 수 있다.

⊞ 오답정리
② 핵분열 연쇄 반응이 일어나면 핵분열이 한 번 일어날 때보다 방출되는 에너지의 양이 훨씬 많아진다는 장점이 있다. 그러나 이로 인해 '원자로의 임계가 초과되는 상태가 지속'되면 원자로가 터질 위험성이 있다는 것을 둘째, 셋째 문단에서 확인할 수 있다. 다만, 이 글에서는 핵분열 연쇄 반응의 장·단점과 관련한 두 가지 기술을 설명하는 것에 중점을 두고 있으므로 이는 중심 내용으로 적절하지 않다.
③ '임계 초과된 원자로의 위험성과 제어 방법'은 셋째 문단에만 해당하는 내용이므로 글 전체의 중심 내용으로는 적절하지 않다.
④ 둘째 문단에 나오는 감속재는 중수소와 산소의 결합으로 만들어져 일반 물에 비해 끓는점과 어는점이 높은 물인 '중수'를 사용한다. 셋째 문단에 나오는 제어봉은 '카드뮴, 인듐, 은, 붕소 등과 같이 중성자를 잘 흡수하는 물질을 활용해 만든다.'고 하였다. 이처럼 감속재와 제어봉을 구성하는 물질의 특성은 알 수 있으나, 이는 글의 일부에 해당하므로 중심 내용으로 적절하지 않다.

16

◇ [독해(비문학) – 일반 추론 긍정 발문]
답 ③ 빈칸에 들어갈 말은 케인즈학파가 주장하는 '경기 변동을 조절하기 위한 정부의 역할'이다. 빈칸의 앞 문장에서 이들은 '총수요 변동이 유발한 불균형 상태가 가격 경직성으로 인해 오래 지속될 수 있다'고 보았다. 또한 빈칸의 다음 문장에서 '거시 계량 모형을 활용함에 따라 정책을 통해 경기 변동을 제거'할 수 있을 것으로 보았다. 따라서 케인즈학파는 정부가 '정책'을 사용해 '총수요를 관리'하는 역할을 담당해야 한다고 주장할 것이다.

⊞ 오답정리
① '보이지 않는 손'은 첫째 문단에 나오는 고전학파의 용어로, 시장의 자기 조정 능력을 최대한 보장한다는 것은 케인즈학파의 이론에 부합하지 않는다.
② 셋째 문단에서 신고전학파는 케인즈학파를 비판하면서 '경제 주체의 합리적 선택에 대한 미시적 분석'을 강조했다. 따라서 '다양한 경제 주체들의 합리적 선택을 신뢰'한다는 것은 신고전학파의 주장에 해당하므로 적절하지 않다.
④ 거시 계량 모형은 '경기 예측과 정책 효과 분석에 활용'하는 도구에 해당한다. 그러나 셋째 문단에서 신고전학파는 '거시 계량 모형은 거시 경제 변수 간의 관계를 임의로 가정하고 과거 자료로 이 관계를 추정한다고 비판'하였다. 또한 '경제 주체의 합리적 선택에 대한 미시적 분석이 필요하다'고 주장했다. 이러한 점에서 '미시적 분석으로 거시 계량 모형의 상수를 추정'한다는 것은 케인즈학파의 주장과 거리가 멀다.

17

◇ [독해(문학) – 고전 운문의 내용 이해]

🔲 ② ㉠의 '물가'는 화자가 바라보는 소나무가 서 있는 자연적 배경이다.

㉡의 '소나무'는 '외롭지만 씩씩하다'는 긍정적인 의미가 부여된 자연물로 화자 자신을 표상한다고 할 수 있다.

㉢의 '배'는 출항해서 귀항하기까지의 과정을 보여주는 후렴구에 쓰인 소재로 화자가 자연을 즐길 수 있게 하는 수단이다.

㉣의 '구름'은 고전 시가에서 부정적인 의미로 자주 사용된다. 하지만 이 시에서는 인간 세상을 가리고 막아서 번잡한 세상과 시적 화자를 차단하는 긍정적인 대상으로, 인간 세상으로부터 자신을 격리하고자 하는 작가의 의식을 형상화한 소재이다.

㉤의 '세상'은 화자가 멀리하려는 속세를 의미한다. 이와 마찬가지로 ㉥의 '진훤'도 먼지와 시끄러움이라는 뜻으로 속세를 의미한다.

㉦의 '파랑성'은 물결 소리라는 뜻으로 ㉥을 막아준다고 하였다. 따라서 ㉣과 ㉦은 모두 속세로부터 화자를 차단해 주는 긍정적인 의미를 지닌다는 점에서 함축적 의미가 유사한 시어이다.

✦ 작품정리   윤선도, 〈어부사시사〉

- 해제 : 이 작품은 고려 때부터 전하여 온 '어부사(漁父詞)'를 조선 중종 때 이현보가 9장으로 개작하였고, 이를 다시 고산이 후렴구를 넣어 창작한 것으로, 연장체 형식의 연시조이다. 이때, 각 수에 나타난 여음·후렴구를 빼고 보면 각기 초장, 중장, 종장 형태의 3장 6구 평시조 형식을 지니게 된다. 작가가 65세 때 전남 보길도에 은거하며 지은 이 작품은 계절마다 펼쳐지는 어촌의 아름다운 경치와 어부 생활의 흥취를 담아 한 계절당 10수씩 읊고 마지막에 '어부사시사 여음'이라고 하여 만흥[漫興: '산중신곡(山中新曲)'중 6째 수] 1수를 덧붙였다. 각 계절의 10수는 출항에서 귀항까지 어부의 하루 일과를 시간 순서로 읊은 것인데, 세속을 벗어나 자연과의 합일을 추구하는 삶의 경지를 격조 높고 아름답게 표현하고 있다. 우리말의 아름다움과 대구법, 원근법, 시간의 추이에 따른 시상 전개의 조화 등 표현 기교도 매우 뛰어나서 우리 시조 문학사에서 높은 평가를 받는 작품이다.
- 주제 : 자연 속에서 한가롭게 살아가는 어부 생활의 여유와 흥취
- 구성
  춘사 – 봄에 고기잡이를 떠나는 광경을 동양화처럼 그림.
  하사 – 소박한 어옹(고기잡이 노인)의 생활
  추사 – 속세를 떠나 자연과 동화된 생활
  동사 – 은유를 써서 정계에 대한 작가의 근심하는 마음
- 특징
  – 대구법, 반복법, 의성법, 원근법 등의 다양한 표현법을 사용함.
  – 우리말의 묘미를 잘 살림.
  – 선명한 색채 대비를 통해 자연의 모습을 그려냄.

✦ 현대어 풀이

물가의 외로운 소나무 어이 홀로 씩씩하게 서 있는가.
배를 매어라, 배를 매어라.
험한 구름을 원망하지 마라, 인간 세상을 가려 준다.
찌그덩 찌그덩 어여차
파도 소리 꺼리지 마라, 속세의 더러움과 소음을 막아 준다.

18

◇ [독해(비문학) – 어휘 한자]

🔲 ① ㉠은 문맥상 '어떤 상황이나 자극에 대한 해석, 판단, 표현 따위에 심리 상태나 성격을 반영하다.'라는 의미를 지니는 '투영(投影)하다'가 쓰여야 한다. 예문 역시 이러한 의미로 사용되고 있으므로 한자 표기와 예문의 쓰임이 모두 적절하다.

投 던질 투, 影 그림자 영

🔠 오답정리

② ㉡은 문맥상 '사람에게 권리·명예·임무 따위를 지니도록 해 주거나, 사물이나 일에 가치·의의 따위를 붙여 주다.'라는 의미를 지니는 '부여(附與)하다'가 쓰이는 것이 적절하다. 그러나 한자 표기와 예문이 '나누어 주다'라는 의미의 '부여(賦與)하다'가 쓰였으므로 모두 적절하지 않다.

附 붙을 부, 與 더불 여 / 賦 구실 부, 與 더불 여

③ ㉢은 문맥상 '두 가지의 차이를 밝히기 위하여 서로 맞대어 비교하다.'라는 의미의 '대비(對比)하다'가 쓰이는 것이 적절하다. 예문은 이 단어를 사용하여 적절하게 제시되고 있다. 그러나 한자 표기가 '앞으로 일어날지도 모르는 어떠한 일에 대응하기 위하여 미리 준비하다.'라는 의미의 '대비(對備)하다'가 쓰였으므로 적절하지 않다.

對 대답할 대, 比 견줄 비 / 對 대답할 대, 備 갖출 비

④ ㉣은 문맥상 '지내는 사이가 두텁지 아니하고 거리가 있어서 서먹서먹하다.'라는 의미의 '소원(疏遠)하다'가 쓰여야 한다. 예문은 이 단어를 사용하여 적절하게 제시되었다. 그러나 한자 표기가 '어떤 일이 이루어지기를 바라다.'라는 의미의 '소원(所願)하다'가 쓰였으므로 적절하지 않다.

疏 트일 소, 遠 멀 원 / 所 바 소, 願 바랄 원

19

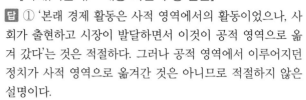

◇ [독해(비문학) – 내용 확인 부정 발문]

답 ① '본래 경제 활동은 사적 영역에서의 활동이었으나, 사회가 출현하고 시장이 발달하면서 이것이 공적 영역으로 옮겨 갔다'는 것은 적절하다. 그러나 공적 영역에서 이루어지던 정치가 사적 영역으로 옮겨간 것은 아니므로 적절하지 않은 설명이다.

⊞ 오답정리

② 둘째 문단에서 고대 그리스인들이 공적 영역에서 '행위'를 통해 자유를 실현한 것처럼, 정치의 본질은 자유의 실현이라고 생각했다는 것을 확인할 수 있다.

③ 둘째 문단에서 '사회의 등장으로 사람들은 타인과 힘께 공동의 문제를 위해 '행위'하지 않고 자신의 경제적 이익의 극대화를 위해 '행동'하는 것이 문제라고 보았다.'라는 부분에서 확인할 수 있다.

④ 첫째 문단에서 '노동'은 자기 보존의 수단이고, '작업'은 편의를 위해 결과물을 만드는 활동으로 사적인 것이라고 하였다. 또한 '행위'는 타인의 현존을 전제로 공동 관심사에 대해 소통을 하는 것이므로 공적인 것이라고 하였으므로 적절한 설명이다.

20

◇ [독해(비문학) – 전제 추론]

답 ④ 대출을 통해 이루어지는 예금창조로 재화와 서비스를 구입할 수 있는 능력이 커지기는 하지만, 이는 누군가가 빌려서 생긴 빚이기 때문에 갚아야 할 빚도 그만큼 늘어난 상황으로 볼 수 있다는 내용을 둘째 문단에서 확인할 수 있다.

⊞ 오답정리

① 은행이 돈을 대출해 준만큼 '예금통화라는 화폐를 창출'하게 된다고 하였으므로 통화량이 줄어든다는 것은 잘못된 설명이다.

② 사람들이 대출금으로 재화와 서비스를 구입할 능력이 커진다고는 하였으나, 투자로 인해 손실이 발생할 수 있다는 것은 알 수 없으므로 ㉠의 이유로 볼 수 없다.

③ 유통되는 화폐의 양이 늘어나는 것은 은행의 금융 중개 기능으로 인해 예금통화라는 화폐가 창출되었기 때문이다. 통화량의 증가는 은행의 금융 중개 기능을 약화시킨다는 것은 잘못된 설명이다.

제2회 모의고사 정답 및 해설

✓ 제2회 모의고사 정답

01	④	02	①	03	③	04	②	05	③
06	①	07	②	08	④	09	③	10	③
11	②	12	②	13	②	14	④	15	①
16	④	17	③	18	④	19	①	20	①

01

◇ [이론 문법 – 음운론 – 음운의 변동]

답 ④ 어간 '안기-'와 어미 '-어서'가 결합해 [안겨서]로 발음되는 것은 어간의 단모음 'ㅣ'가 어미의 'ㅓ'와 결합할 때, 반모음 'j'로 교체되는 것을 확인할 수 있다.

⊞ 오답정리

① 어간 '아니-'와 어미 '-어요'가 결합하면 [아녀요]가 아니라 [아녜요]로 발음되므로 이는 발음이 잘못 표시된 경우이다. [아녜요]는 어간의 단모음 'ㅣ'가 어미의 'ㅓ'와 결합할 때, 반모음 'j'로 교체되는 것을 확인할 수 있다. 그러나 [아녜요]는 어간 '아니-'와 어미 '-에요'가 결합한 경우이므로 빈칸에 들어갈 수 있는 예시가 아니다.

② 어간 '되-'와 어미 '-어'가 결합해 [되여]로 발음되는 것은 어간의 단모음 'ㅚ'와 어미의 'ㅓ'가 결합하면서 반모음 'j'가 첨가되는 경우이므로 빈칸에 들어갈 수 있는 예시가 아니다.

③ 어간 '착하-'와 어미 '-아서'가 결합해 [착해서]로 발음되는 것은 '여' 불규칙 활용과 관련이 있다. 한글맞춤법 제34항의 붙임 2에 따라 '하다'는 '여' 불규칙 용언이므로, '하아'로 되지 않고 '하여'로 된다. 이 '하여'가 한 음절로 줄어진 형태는 '해'로 적는 것이다. 따라서 이 역시 빈칸에 들어갈 수 있는 예시가 아니다.

✦ 세상 어디에도 없는 추가해설

1. 모음 축약(=반모음화)

모음 축약 = 이중 모음 되기 = 반모음화	단모음과 단모음이 결합되어 하나의 이중 모음으로 축약되는 현상(표기에 반영되기도 한다.)
	예 되어 → 돼, 싸이어 → 쌔어/싸여, 보이어 → 뵈어/보여, 보아서 → 봐서, 주어서 → 줘서, 누이어 → 뉘어/누여, 뜨이어 → 띄어/뜨여
	예 '띄어쓰기, 띄어 쓰다, 띄어 놓다' 따위는 관용상 '뜨여쓰기, 뜨여 쓰다, 뜨여 놓다' 같은 형태가 사용되지 않는다.

➜ 반모음을 음운으로 인정하는 관점으로 보게 되면, 모음 축약이 아니라 '반모음화'로 볼 수 있다.

2. '하다' 불규칙 용언

'여' 불규칙	• '하-' 뒤에 오는 어미 '-아'가 '-여'로 변함. 예 공부하 + 애[→여] → 공부하여
	• '하다'와 '-하다'가 붙는 모든 용언에서 일어난다. 예 착하 + 아세[→여서] → 착해서
	• '하여'를 줄인 말이 '해'이다.

02

◇ [이론 문법 – 통사론 – 품사]

답 ① '농구를 하다가 오른쪽 손가락을 삐었다.'에서 '오른쪽'은 '북쪽을 향하였을 때의 동쪽과 같은 쪽'이라는 의미이며, 품사는 관형사가 아닌 명사이다.

⊞ 오답정리

② '그는 뭇 닭 속의 봉황이요 새 중의 학 두루미다.'에서 '뭇'은 '수효가 매우 많은'이라는 의미의 성상 관형사이다.

③ '신문은 총 16면이었는데 좋은 기사가 많이 실려 있었다.'에서 '총'은 수사나 단위성 의존 명사 앞에 쓰여 '모두 합하여 몇임을 나타내는 말'로 수관형사이다. 한편, '좋은'은 형용사 '좋다'의 어간에 관형사형 전성어미 '-은'이 붙은 형태로 품사는 그대로 형용사이다.

④ '마음이 따뜻한 친구를 만나 이런저런 이야기를 나누었다.'에서 '이런저런'은 '이러하고 저러한'이라는 의미의 지시관형사이다. 한편, '따뜻한'은 형용사 '따뜻하다'의 어간에 관형사형 전성어미 '-ㄴ'이 붙은 형태로 품사는 그대로 형용사이다.

◆ 세상 어디에도 없는 추가해설

관형사(冠形詞) : 체언(주로 명사)을 수식

1. 특징
   형태가 변하지 않는 불변어 / 뒤의 명사를 꾸밈(수사는 못
   꾸밈) / 조사와 결합 ×
   '지시-수-성상 관형사'의 순으로 배열된다.
   예 (모든, 이, 몹쓸) 병이 문제다. → 이 모든 몹쓸 병이 문제다.

2. 분류

종류	내용	예
지시 관형사	특정한 대상을 지시하여 가리키는 관형사	이 사람, 그 사람, 저 어린이
수 관형사	사물의 수나 양을 나타내는 관형사	한 사람, 세 근, 셋째 구역
성상 관형사	사람이나 사물의 모양, 상태, 성질을 나타내는 관형사. '새, 헌, 순(純)' 등	순 살코기, 새 책, 옛 모습

03

◇ [어문규정 – 한글맞춤법 – 띄어쓰기]

답 ③ 한글 맞춤법 제47항 다만의 규정에 따라 '인정해 준
다.'는 앞말이 복합어인 경우이므로 뒤에 오는 보조 용언은
띄어 쓴다. '인정하다'는 '확실히 그렇다고 여기다.'는 의미의
파생어로 사전 등재되어 있다. 따라서 뒤에 오는 보조 용언
인 '준다'와는 띄어 써야 한다.

▣ 오답정리

① '되어 가는 듯하다.'에서 '가는'은 진행상을 나타내는 보조 용
  언이고, '듯하다'는 의존 명사 '듯'에 접사 '-하다'가 붙어 만들
  어진 보조 용언이다. 한글 맞춤법 제47항의 규정에 따라 본용
  언과 보조 용언은 띄어 쓰는 것이 원칙이다. 다만, 보조 용언
  이 거듭되는 경우는 앞의 보조 용언만을 붙여 쓸 수 있다는
  규정이 적용되어 '되어 가는 듯하다'가 원칙이고, '되어가는
  듯하다'가 허용된다.
② '그에게만이라도'에서 조사는 '에게', '만', '이라도'이다. 한글
  맞춤법 제41항의 규정에 따라 조사는 그 앞말에 붙여 쓴다.
  이때 조사가 둘 이상 겹쳐져도 모두 붙여 써야 한다.
④ 한자 기원의 접두사와 접미사는 붙여 쓴다는 개정 사항에 따
  라 접사 '-상(上)'과 '-하(下)'는 앞말과 붙여 쓴다. 이 문장에
  서 접사 '-상(上)'은 '추상적인 공간에서의 한 위치'를 뜻하는
  말로 '인터넷상, 전설상, 통신상'과 같이 쓰인다.

◆ 세상 어디에도 없는 추가해설

본용언과 보조 용언의 띄어쓰기

1. 보조 용언을 붙여 쓰는 것이 허용되는 경우
   (1) '본용언+-아/-어+보조 용언' 구성
       예 (사과를) 먹어 보았다. / 먹어보았다.
   (2) '관형사형+보조 용언(의존 명사+-하다/싶다)' 구성
       예 아는 체하다. / 아는체하다.
   (3) '명사형+보조 용언' 구성
       예 먹었음 직하다. / 먹었음직하다.

2. 위와 같은 경우가 아니라면 보조 용언은 앞말과 무조건 띄어
   써야 한다.

3. '도와드리다'는 합성어이므로 항상 붙여 쓰면 된다.
   예 건네주다-건네드리다, 놓아주다-놓아드리다, 도와주다
     -도와드리다, 돌려주다-돌려드리다, 밀어주다-밀어드
     리다, 빌려주다-빌려드리다, 알아주다-알아드리다

4. 아래와 같이 '-아/-어 지다'와 '-아/-어 하다'가 붙는 경우는
   보조 용언을 앞말에 붙여 쓴다.
   예 낙서를 지운다. → 낙서가 지워진다.
     아기가 예쁘다. → 아기를 예뻐한다.
   다만, '-아/-어 하다'가 구(句)에 결합하는 경우에는 띄어 쓴다.
   예 먹고 싶어 하다.(○) / 먹고 싶어하다.(×),
     마음에 들어 하다.(○) / 마음에 들어하다.(×),
     내키지 않아 하다.(○) / 내키지 않아하다.(×)

5. 본용언에 조사가 붙을 때에는 보조 용언을 앞말에 붙여 쓰지
   않는다.
   예 직접 먹어도 보았다.(○) / 직접 먹어도보았다.(×)
     읽어는 보았다.(○) / 읽어는보았다.(×)
   본용언이 복합어인 경우는 보조 용언을 앞말에 붙여 쓰지
   않는다.
   예 쫓아내 버렸다.(○) / 쫓아내버렸다.(×)
     매달아 놓는다.(○) / 매달아놓는다.(×)
     집어넣어 둔다.(○) / 집어넣어둔다.(×)
     파고들어 본다.(○) / 파고들어본다.(×)
     공부해 보아라.(○) / 공부해보아라.(×)
   또한 의존 명사 뒤에 조사가 붙을 때에도 붙여 쓰지 않는다.
   예 읽은 체를 한다.(○) / 읽은체를한다.(×)
     비가 올 듯도 하다.(○) / 비가 올듯도하다.(×)
     겨울 만은 하다.(○) / 겨울만은하다.(×)

6. 아래와 같이 보조 용언이 거듭 나타나는 경우는 앞의 보조
   용언만을 붙여 쓸 수 있다.
   예 적어 둘 만하다. / 적어둘 만하다.
     읽어 볼 만하다. / 읽어볼 만하다.
     되어 가는 듯하다. / 되어가는 듯하다.

04

◇ [독해(비문학) – 배열]

답 ② ㉠은 붙임표가 쓰이는 경우에 대해 설명하는 문단이다. 언제나 다른 말과 결합해야 하는 접사와 어미 같은 경우에 붙임표가 쓰이는데, 조사와 용언 어간은 예외적이라고 하였다. ㉡은 붙임표가 쓰이지 않는 경우에 대해 설명하는 문단이다. 그런데 '이처럼'이라는 표지로 시작하고 있으므로 이 문단의 앞에는 '소리대로 적는 단어'에 관한 문단이 와야 함을 알 수 있다.
㉢은 붙임표가 쓰이는 경우에 대해 설명하는 문단이다. '그리고'라는 순접의 접속어로 시작하고 있으므로 이 문단은 붙임표가 쓰이는 경우를 다룬 ㉠ 문단의 뒤에 오는 것이 적절하다.
㉣은 이 글의 화제인 붙임표의 역할과 그것이 쓰이는 경우에 대해 설명하는 문단이다. 따라서 맨 앞에 오는 것이 적절하다.
㉤은 붙임표가 쓰이지 않는 경우에 대해 설명하는 문단이다. '한편'이라는 전환의 접속어로 시작하고 있으므로 이 문단은 붙임표가 쓰이는 경우를 다룬 내용(㉠과 ㉢)이 마무리된 후에 오는 것이 적절하다.
종합하면, 붙임표의 역할(㉣) – 붙임표가 쓰이는 경우(㉠ – ㉢) – 붙임표가 쓰이지 않는 경우(㉤ – ㉡)의 순으로 배열해야 한다.

05

◇ [독해(인터뷰) – 말하기 방식]

답 ③ ㉠이 산림 치유 프로그램과 관련해 ㉡에게 참여자 연령층, 프로그램의 장점, 신청 방법 등에 대해 추가 질문을 하고 있다. 그러나 과거의 경험을 언급하지 않았으므로 이는 적절하지 않은 설명이다.

▣ **오답정리**
① 최근에는 청소년 대상 프로그램의 인기가 높다는 ㉡의 답변을 듣고 ㉠은 '아마도 학업 스트레스가 누적되어 그런 것 같네요.'라고 하며 자신의 의견을 덧붙이고 있으므로 적절한 설명이다.
② ㉠이 치유 프로그램에 대한 소개 요청과 장점에 대한 질문을 하였고, ㉡은 보조 자료로 '숲 명상 영상'과 '스트레스가 감소했음을 나타내는 표'를 보조 자료를 활용하여 답변하고 있으므로 적절한 설명이다.
④ ㉡은 '진행자께서도 참여하시면 스트레스가 줄어들고 마음이 좀 편해지실 겁니다. 꼭 한번 참여해 보세요.'라며 프로그램의 장점을 언급하고, ㉠의 참여를 권유하고 있다는 점에서 적절한 설명이다.

06

◇ [독해(작문) – 고쳐 쓰기]

답 ① ㉠이 외래에 표기법에 맞지 않으므로 '바이타민'으로 수정한다는 것은 잘못된 설명이다. 외래어인 'vitamin'을 한글로 표기할 때, 과거에는 '비타민'만을 올바른 표기로 보았으나, '바이타민'도 학계에서 두루 쓰이고 있으므로 이 역시 올바른 표기로 추가되었다. 현재 표준국어대사전에 두 단어가 모두 등재되어 있고, 외래어 표기 용례집에는 '바이타민'의 표기가 아직 추가되지 않은 상태이다.

▣ **오답정리**
② ㉡이 포함된 문장을 살펴보면 비타민이 지닌 특징을 대조적으로 설명하고 있다. 따라서 의미를 더해 주는 보조사인 '도'가 아니라, 강조나 대조의 의미를 더해 주는 보조사인 '은'으로 수정하는 것이 적절하다.
③ ㉢으로 시작하는 문장은 앞 문장과 반대되는 내용을 담고 있으므로 역접의 의미를 나타내는 접속어 '그러나'로 수정하는 것이 적절하다.
④ ㉣의 기본형인 '공급하다'는 '요구나 필요에 따라 물품 따위를 제공하다.'라는 의미로 필수적 부사어와 목적어가 필요한 세 자리 서술어이다. 따라서 '우리 몸에 비타민을'이라는 누락된 문장 성분을 추가하는 것이 적절하다.

07

◇ [어휘 – 관용 표현]

답 ② '어깨가 올라가다'는 '칭찬을 받거나 하여 기분이 으쓱해지다.'라는 의미의 관용 표현이다. 따라서 앞서 나온 '중요한 업무를 끝내게 되어'와는 어울리지 않는다. 이 경우에는 '무거운 책임에서 벗어나거나 그 책임을 덜어 마음이 홀가분하다.'라는 의미를 지닌 '어깨가 가볍다'라는 관용 표현을 사용하는 것이 적절하다.

▣ **오답정리**
① '어깨를 견주다'는 '서로 비슷한 힘이나 지위를 가지다.'라는 뜻을 지닌 관용 표현으로 '이 분야에서 나와 비슷한 힘이나 지위를 가진 사람이 없다.'는 의미로 적절하게 쓰이고 있다.
③ '어깨를 겯다'는 '같은 목적을 위하여 행동을 서로 같이하다.'라는 뜻을 지닌 관용 표현으로 앞뒤에 나온 '혼자서가 아닌'과 '함께'라는 말과 어울려 적절하게 쓰이고 있다.
④ '어깨에 걸머지다'는 '무거운 책임 따위를 맡게 되다.'라는 뜻을 지닌 관용 표현으로 '기업이라는 무거운 책임을 맡게 된다.'는 의미로 적절하게 쓰이고 있다.

08

◇ [독해(비문학) – 일반 추론 긍정 발문]

답 ④ ㉠에서는 인식의 대상이 되는 세계는 고유한 질서와 법칙 위에 기초해 있으며, 절대적이며 보편적인 지식이 존재한다고 보았다. 이와 달리 ㉡은 '언어의 임의성에 의해 세계에 대한 우리의 지식이 구성된다'고 하였으므로 지식을 구성하는 데에 언어의 임의성이 영향을 준다고 본다는 설명은 적절하다.

오답정리

① ㉡은 지식이 '개인 정신의 실천을 통한 창조의 결과'라고 하며 개인 정신의 실천을 중시하였다. 그러나 ㉠은 '정신 그 자체는 공허한 것'이라고 보고 있으므로 적절하지 않은 설명이다.

② ㉠은 인간이 고유한 질서와 법칙 위에 기초해 있는 세계를 인식함으로써 '절대적이며 보편적인 지식'을 얻을 수 있다고 본다. 그러나 ㉡은 언어의 임의성에 의해 지식이 구성되기 때문에 '절대적인 불변의 진리를 부정한다.'고 하였으므로 적절하지 않은 설명이다.

③ ㉠은 고유한 질서와 법칙을 '인식'함으로써 지식을 얻을 수 있다고 하였으나, 이를 '창조'해야 한다고 보지는 않으므로 적절하지 않은 설명이다.

09

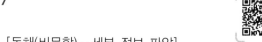

◇ [독해(비문학) – 세부 정보 파악]

답 ③ 첫째 문단에서 '행정 규제(㉢)는 국민의 권리 제한이나 의무 부과와 관련'된다고 하였으므로, ㉡과 달리 일반 국민이 직접 적용받게 된다.

오답정리

① 둘째 문단에서 '행정규칙(㉠)은 원래 행정부의 직제나 사무 처리 절차(㉡)에 관한 것'이라고 하였고, '행정 규제 사항(㉢)에 관하여 행정규칙이 제정되는 예외적인 경우도 있다'고 설명하고 있으므로 이는 적절한 설명이다.

② 둘째 문단에서 행정부의 직제나 사무 처리 절차(㉡)에 관한 행정규칙(㉠)은 '일반 국민에게는 직접 적용되지 않으므로 법률로부터 위임받지 않아도 유효하게 제정될 수 있다'고 하였으므로 적절한 설명이다.

④ 둘째 문단 마지막 부분에서 행정 규제 사항(㉢)에 관해 행정규칙(㉠)을 규정할 때, '위임명령과 달리, 입법예고, 공포 등을 거치지 않고 제정된다'고 했으므로 적절한 설명이다.

10

◇ [독해(비문학) – 서술상의 특징]

답 ③ 예술 작품의 비평에 대한 다양한 관점들이 제시되고 있다. 각 관점에서 중시하는 요소에 대한 구체적인 내용을 설명하고 있지만 이를 평가하여 종합적인 결론을 도출하지는 않았다.

오답정리

① 첫째 문장에서 예술 작품에 대한 비평에는 '맥락주의, 형식주의, 인상주의 비평'이 있다고 열거하면서 글을 시작하고 있다.

② 둘째 문단에서 인상주의 비평에 대해 설명하면서 "훌륭한 비평가는 대작들과 자기 자신의 영혼의 모험들을 관련시킨다."라는 비평가 '프링스'가 한 말을 직접 인용하고 있다.

④ '맥락주의'가 '작품의 외적 요소에 치중해 작품 본질을 훼손할 우려'가 있다고 문제점을 제시하면서 대안적 관점으로 형식주의 비평과 인상주의 비평을 소개하고 있다.

11

◇ [독해(문학) – 한자성어]

답 ② '各自圖生(각자도생)'은 제각기 살아 나갈 방법을 꾀한다는 의미의 한자성어로 어려운 상황에서 스스로 살아남아야 한다는 절박함을 드러내는 표현이다. 그러나 누이의 죽음을 슬퍼하면서 인간의 삶이 덧없음을 느끼다가 사후 세계인 '미타찰'에서 누이와의 재회를 바라는 이 작품과는 거리가 먼 한자성어이다.

各 각각 각, 自 스스로 자, 圖 그림 도, 生 살 생

오답정리

① '割半之痛(할반지통)'은 몸의 반쪽을 베어 내는 고통이라는 뜻으로, 형제자매가 죽었을 때의 슬픔을 비유적으로 이르는 말이다. 이 작품은 누이가 '나는 간다는 말도 / 몯다 이르고' 생을 마감한 것을 안타까워하며 지은 것이므로 이 작품과 관련이 있는 한자성어이다.

割 벨 할, 半 반 반, 之 갈 지, 痛 아플 통

③ '輪廻生死(윤회생사)'는 수레바퀴가 끊임없이 구르는 것과 같이, 중생이 번뇌와 업에 의하여 생사 세계를 돌고 도는 일이라는 뜻을 지니고 있다. 화자와 누이가 '한 가지'에서 나듯이 한 부모에게서 태어나 누이는 '어느 가을 이른 바람에 / 이에 저에 떨어질 잎처럼' 생을 마감하였으나, 다시 '미타찰'에서 만날 수 있으리라 기대하고 있으므로 이 작품과 관련이 있는 한자성어이다.

輪 바퀴 륜, 廻 돌 회, 生 살 생, 死 죽을 사

④ '草露人生(초로인생)'은 풀잎에 맺힌 이슬과 같은 인생이라는 뜻으로, 허무하고 덧없는 인생을 비유적으로 이르는 말이다. 화자는 누이의 죽음을 가을바람에 떨어지는 나뭇잎에 비유하며, 무상한 인생이라는 삶의 허무감을 드러내고 있으므로 이 작품과 관련이 있는 한자성어이다.

草 풀 초, 露 이슬 로, 人 사람 인, 生 살 생

✦ 작품정리 월명사, 〈제망매가〉

• 해제 : 월명사(월명 스님)가 죽은 누이동생을 추모하여 지은 10구체 향가로, '위망매영재가(爲亡妹營齋歌)'라고도 한다. 〈삼국유사〉의 기록에 따르면, 월명사가 재를 올리며 이 노래를 불렀더니 갑자기 회오리바람이 일어 지전(紙錢 : 종이 돈)이 서쪽으로 날아갔다고 한다. 배경 설화에는 이러한 주술적인 요소가 있지만, 이 노래의 근본적 지향은 혈육의 죽음으로 인한 정서의 표출이므로 순수 서정시의 단계에 이른 작품으로 볼 수 있다. 이 시는 단순히 죽음을 감상적으로 표현하는 데 그치지 않고, 삶과 죽음의 문제를 깊이 성찰하고, 뛰어난 비유로 그려 낸 작품으로 향가 가운데서도 특히 뛰어난 문학성과 고도의 서정성을 지니고 있다는 평가를 받고 있다.
• 주제 : 죽은 누이에 대한 추모
• 구성
기(1~4구) – 죽음에 대한 두려움과 안타까움, 혈육의 정서(5~8구) – 혈육의 죽음에서 느껴지는 인생무상결(9~10구) – 불교적 믿음을 통한 재회 다짐(슬픔의 종교적 승화)
• 특징
  – 신라 시대의 승려 월명사가 누이를 추모하기 위해 지은 노래임.
  – 참신한 비유를 적절히 구사하여 죽음으로 인한 삶의 무상감과 극복 의지를 잘 보여주고 있음.
  – 불교의 윤회사상이 잘 나타남.

12

◇ [어문 규정 – 한글맞춤법]
🔲 ② ㉡은 '-거리다'가 붙을 수 있는 어근에 접미사가 붙은 말이다.
그러나 '부스러기'는 '잘게 부스러진 물건', '쓸 만한 것을 골라내고 남은 물건'을 뜻하는 말로 동사 '부스럭하다', '부스럭거리다'와 같이 소리를 나타내는 말과는 의미상 직접적 관련이 있다고 보기 어렵다. 따라서 '-거리다'가 붙을 수 있는 어근에 접미사가 붙으면 원형을 밝히어 적는다는 한글 맞춤법 제23항의 규정에 해당하지 않는다.

🔲 오답정리
① ㉠의 어근인 '얼룩'은 '얼룩하다, 얼룩거리다'가 나타나지 않으므로 '얼룩얼룩한 점', '얼룩얼룩한 점이 있는 동물'의 의미를 지닌 말은 '얼룩이'가 아닌 '얼루기'로 적는다. 이는 제23항의 붙임에 근거하여 원형을 밝혀 적지 않은 것이다.
③ ㉢의 어근인 '깔쭉'은 '깔쭉깔쭉하다, 깔쭉거리다'가 나타나므로 '가장자리를 톱니처럼 파 깔쭉깔쭉하게 만든 주화'의 의미를 지닌 말은 '깔쭈기'가 아닌 '깔쭉이'로 적는다. 이는 제23항에 근거하여 원형을 밝혀 적은 것이다.
④ ㉣의 어근 중 하나인 '불뚝'은 '불뚝하다, 불뚝거리다'가 나타나므로 '배가 불뚝하게 나온 사람', '배가 불룩하게 나온 사물'을 이르는 말은 '배불뚜기'가 아닌 '배불뚝이'로 적는다. 이는 제23항에 근거하여 원형을 밝혀 적은 것이다.

✦ 세상 어디에도 없는 추가해설

[제28항] '-하다'나 '-거리다'가 붙는 어근에 '-이'가 붙어서 명사가 된 것은 그 원형을 밝히어 적는다.(ㄱ을 취하고, ㄴ을 버림.)

ㄱ(취함)	ㄴ(버림)	ㄱ(취함)	ㄴ(버림)
깔쭉이	깔쭈기	살살이	살사리
꿀꿀이	꿀꾸리	쌕쌕이	쌕쌔기
눈깜짝이	눈깜짜기	오뚝이	오뚜기
더펄이*	더퍼리	코납작이	코납자기
배불뚝이	배불뚜기	푸석이*	푸서기
삐죽이	삐주기	홀쭉이	홀쭈기

* 더펄이 : 성미가 침착하지 못하고 덜렁대는 사람 / 성미가 스스럼이 없고 붙임성이 있어 꽁하지 않는 사람
* 푸석이 : 거칠고 단단하지 못하여 부스러지기 쉬운 물건

[붙임] '-하다'나 '-거리다'가 붙을 수 없는 어근에 '-이'나 또는 다른 모음으로 시작되는 접미사가 붙어서 명사가 된 것은 그 원형을 밝히어 적지 아니한다.

개구리	귀뚜라미	기러기	깍두기
꽹과리	날라리	누더기	동그라미
두드러기	딱따구리	매미	부스러기
뻐꾸기	얼루기	칼싹두기	

13

◇ [독해(화법) – 발표]

답 ② 둘째 문단에서 자료 화면에 해당하는 '감의 단면 사진'을 제시하고는 있으나, 복잡한 내용을 간단하게 그림으로 나타내는 도식화를 한 것은 아니므로 잘못된 설명이다.

▣ 오답정리

① 첫째 문단에서 '떫은맛'이라는 화제를 제시하면서, 혀 점막 단백질과 특정 성분이 결합하여 생기는 물질로 인해 입안에서 느껴지는 텁텁한 느낌이라고 정의한다.

③ 첫째 문단에서 '떫은맛은 어떤 감각에 속하는지 기억나시나요?'라고 떫은맛과 관련한 배경지식을 환기하는 질문을 하였다.

④ 셋째 문단에서 '연구에 따르면 떫은맛을 내는 타닌이 든 감과 녹차는 당뇨와 고혈압 등을 개선하는 기능이 있다고 합니다.'라는 부분에서 인체에 미치는 영향을 확인할 수 있다.

14

◇ [독해(문학) – 고전 산문의 내용 이해]

답 ④ 왕이 최일경의 요청을 받아들여 김응서 장수를 부르기 위해 '차사를 용강으로' 보냈다. 그 후 반가운 소식이 있을 것으로 예상되던 '사시'에 천여 군병과 함께 일원 대장이 찾아왔으므로 이는 김응서가 아니라 다른 지원군임을 알 수 있다.

▣ 오답정리

① 최일경은 귀양지에서 '비록 왕명은 없으나 본국 신민이 되어 국사에 죽어도 어찌 한이 있으리오.'라고 생각한 뒤 '경성'으로 올라갔다. 또한 임금을 만나서 '불충신 최일경은 중죄를 입사옵고 어명 없이 왔사오니~'라는 부분을 통해서도 그가 왕명 없이 귀양지를 이탈하여 임금을 찾아갔음을 알 수 있다.

② 왕은 최일경이 통곡성으로 찾아오자 '과인이 불명하여 경을 천 리 밖에 보내고 이같이 대환을 당하니 누구를 원망하리오.'라고 하며 그를 멀리 유배 보냈던 것에 대해 후회하는 마음을 표현하고 있다.

③ 최일경은 장졸이 없음을 걱정하며, 임금에게 '오늘 사시에 반가운 소식이 있을 듯하오나 어찌 믿사오리까.'라고 하며 '평안도 용강 땅에 김응서라 하는 장수'를 부르기를 요청하였다. 이는 지원군이 오지 않을 경우를 대비하는 것이라고 할 수 있다.

✦ 작품정리 작자 미상, 〈임진록〉

• **해제** : 이 작품은 임진왜란이라는 국란을 배경으로 역사적 사실에 허구적 요소를 가미한 역사소설이다. 작자 연대 미상의 고소설로 목판본, 한글본, 필사본 등 다양한 이본이 전한다. 임진왜란이 사실상 참담한 패배로 끝난 것이지만 당시 전란을 체험했던 민중들이나 그 의식을 계승한 후손들이 밖으로는 왜적의 침략을 자초했던 뼈아픈 참회가 담겨 있다. 유성룡이 이여송 군을 청병해 올 때 압록강 가에서 재주 겨룸을 한다든가, 이여송이 조선 산천의 지맥을 끊으려다 태백산신의 질책을 받고 본국으로 도주한다든가 하는 장면은 명나라 원군의 횡포에 대한 조선인의 의식과 배일사상은 물론 배명 사상까지 보여주는 것이다. 특히 종전 후 이여송이 조선 산천의 맥을 끊으려다 노인의 인도로 태백산에 들어가 청의동자를 만나고 크게 질책 당하는 사건은 민중 속에 배명 의식의 뿌리가 깊음을 말해준다. 사명대사가 일본국에 가서 항복을 받는 설화, 김응서, 강홍립이 일본 정벌에 나서는 설화, 이여송 군의 원병에 따르는 설화, 관운장이 조선군을 도와주는 설화, 최일경의 꿈 풀이의 충고 설화 등과 함께 민족적 분노와 반성의 역사의식을 표출해 내고 있다. 다양한 영웅들을 통해 민중들이 민족적 영웅의 출현을 갈망하였음을 알 수 있다. 이는 그 후에 일어난 병자호란 이후의 의식과도 이어져 군담소설의 출현을 낳았다.

• **주제** : 임진왜란 패배에 대한 정신적 보상과 승리

• **줄거리** : 하루는 선조가 꿈을 꾸었는데, 우의정 최일경이 왜군이 쳐들어올 징조라고 해몽한다. 이에 선조는 태평성대에 말도 안 되는 요사스러운 말을 하였다고 최일경을 동래로 귀양을 보낸다. 최일경은 동래에서 왜군의 침략을 목격하고 이 사실을 조정에 알린다. 임진년 3월에 왜장 청정, 소서, 평수길 등이 군사를 이끌고 조선을 침략하자, 왜군이 침략할 것을 예측하고 거북선을 만들었던 이순신은 수군을 지휘하여 싸우다 전사한다. 왜군이 평양을 점령하자 선조는 유성룡을 명나라에 보내 원군을 요청한다. 한편 김덕령은 의병을 일으켜 왜장 청정을 곤욕을 치르게 만들고, 조헌, 곽재우 등도 의병을 일으켜 왜군을 물리친다. 명나라가 군대를 파견해 달라는 조선의 요청을 거절하자, '삼국지'의 관운장이 명나라 천자의 꿈에 나타나 조선에 군사를 파병하게 된다. 또 이여송의 꿈에도 관운장이 나타나 이여송이 청정의 목을 벨 수 있게 해 준다. 대장을 잃은 왜군은 대패하여 귀국하게 되는데, 조정에서는 김응서와 강홍립을 대장으로 삼아 왜국의 항복 문서를 받게 한다. 임진왜란이 끝난 지 13년 만에 왜군이 재침하려고 하자, 사명당이 일본으로 건너가 왜왕을 굴복시키고 항복 문서를 받아 온다.

• **특징**
– 역사적 사실을 바탕으로 설화와 혼용하여 소설로 창작됨.
– 영웅적 인물들이 활약하는 삽화(挿話)들을 연결하여 전개함.
– 민족적 자부심과 응전 의지 고취

15

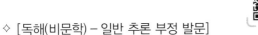

◇ [독해(비문학) – 일반 추론 부정 발문]

답 ① 첫째 문단에서 '그의 성명분리론은 빈부와 귀천에 이르는 행운과 불행이 궁극적으로 인간의 성과 무관하다'고 하였다. 앞서 '행실에 선악이 있는 것은 성 때문'이라고 하였으므로 선악이 빈부귀천을 결정한다고 보는 것은 적절하지 않다.

⊞ 오답정리

② 첫째 문단에서 왕충이 '천인감응설에 반대하면서 천재지변이 자연적 현상일 뿐이며, 임금의 부덕과는 상관이 없다고 보았다'는 부분이 제시되고 있다. 또한 '하늘과 인간의 관계를 정쟁의 도구로 삼았던 당대의 학문적 풍토를 비판했다'는 부분을 통해 그가 정치와 자연 현상을 분리하여 생각하고 있음을 알 수 있다.

③ 둘째 문단에서 '기일원론'에 대해 설명하면서 '만물의 발생과 소멸은 모두 기의 무위적 작용에 의한 것'이라고 하였다. 또한 '인간의 삶과 죽음도 각각 기가 모이고 흩어지는 것에 지나지 않는다'는 부분에서 인간의 삶과 죽음을 기의 무위적 작용으로 본다는 점을 확인할 수 있다.

④ 둘째 문단에서 인간의 본성을 '하늘에서 부여받는 기의 정조 후박에 따라 사람마다 모두 차이가 난다'고 보며, '특정한 이에게 의도적으로' 좋고 나쁜 본성을 주는 것은 아니라고 하였다. 이는 성인(聖人)이 하늘로부터 후한 기를 받은 사람이기는 하지만, 의도적으로 선택된 존재는 아니라는 생각을 확인할 수 있다.

16

◇ [독해(문학) – 고전 운문의 내용 이해]

답 ④ 자연을 빗댄 표현으로 (가)의 초장에 '강산(江山)'이 나오고, (나)의 종장에 '임천(林泉)'이 나온다. 따라서 두 작품 모두 자연을 비유하는 표현이 나오고 있으므로 적절하지 않은 설명이다.

⊞ 오답정리

① (가)의 초장에서는 '삼공이 귀하다고 한들 이 강산과 바꾸겠느냐'라고 하며 삼정승보다 자연을 중시하고, (나)의 초장에서도 '(자연이) 삼공보다 낫다하더니 임금의 자리인들 이만하다 하겠는가?'라고 하며 자연의 가치를 삼정승보다 더욱 높이 사고 있다.

② (가)의 중장에는 조각배에 달빛을 싣고 낚시하는 모습이 나타나고, (나)의 종장에는 자연 속에서 즐기는 한가로운 흥취를 나타내고 있으므로 모두 풍류와 관련이 있다.

③ (가)와 달리 (나)의 중장에서는 '소부허유'의 고사를 인용하고 있다. 소부와 허유는 중국의 요 임금 시대의 인물들로 천자의 자리를 사양하고 세속을 피하여 기산 영수에 숨어서 살았다고 알려져 있다. 이러한 삶을 산 인물들을 현명하다고 평가하는 것을 통해 화자가 자연 속에서 즐기는 삶을 추구하고 있음을 알 수 있다.

◆ 작품정리 　김광욱, 〈율리유곡〉

• 해제 : 이 작품은 17세기 조선 선조 때 서인 정권에서 우참찬의 지위에까지 올랐던 문신 김광욱이 자연 속 소박한 삶에서 정신적 풍요를 누리는 만족감을 노래한 17수의 연시조이다. 화자는 속세를 떠나 부귀공명에 대한 욕심을 버린 자신에 대한 긍정적 인식, 자연과 벗하며 사는 즐거움을 다른 무엇과도 바꾸지 않겠다는 만족감, 관직 생활에서 물러난 해방감 등을 표출하고 있다.

• 주제 : 세속적 가치를 초월한 유유자적한 삶에 대한 지향

• 특징
－ 공간의 대비를 통해 현재의 삶에 대해 만족하는 태도를 보임.
－ 일상의 어휘를 사용하여 사실성을 높임.

• 현대어 풀이
세상에서 영의정, 좌의정, 우의정 같은 높은 벼슬이 귀하다고 한들 어찌 이 자연과 바꿀 수 있겠는가?
조각배에 달빛을 가득 싣고 낚싯대를 던질 때에
내가 맛보는 이 맑은 흥취야말로 만호의 식읍(食邑)을 갖는 제후의 부귀영화를 부러워하겠는가.

◆ 작품정리 　윤선도, 〈만흥〉

• 해제 : 이 작품은 조선 인조 때 윤선도가 지은 6수의 연시조이다. 귀양살이에서 풀려나 금쇄동으로 돌아가 자연에 묻혀 살던 때의 것으로, 어지러운 현실사회를 떠나서 자연의 품에 안긴 채 그 자연을 사랑하며 살아가는 모습을 잘 나타내고 있다. 우리말을 잘 살려서 산중생활을 만족스럽게 즐기는 심정을 표현한 뛰어난 작품이다. 특히 이 수에서는 삼공 같은 높은 지위에 있으면서 남에게 증오를 받고, 남을 원망하면서 사는 것보다는 거짓이 없는 자연을 상대하고 사는 것이 즐거운 것이라는 뜻이 잘 나타나고 있다. 중국의 요 임금 시대에 천자의 자리를 사양하고 세속을 피하여 기산 영수에 숨어서 산, 소부 허유야말로 정말 현명하며 즐거움을 아는 사람이었다고 생각한다는 점에서도 잘 나타난다.

• 주제 : 자연 속에서 사는 즐거움, 안분지족, 안빈낙도

• 구성
제1수 － 분수를 지키며 자연 속에서 사는 삶
제2수 － 벼슬길을 떠나 자연에서 풍류를 즐기는 즐거움
제3수 － 산(자연)과 함께 살아가는 기쁨
제4수 － 자연을 즐기는 삶의 자부심
제5수 － 자연과 함께 하는 일을 천성으로 여김.
제6수 － 임금의 은혜에 감사함.

• 특징
－ 안분지족, 물아일체의 자연 친화적 태도가 잘 드러남.
－ 세속적인 것과 자연을 대비시켜 주제를 드러냄.
－ 인간사에 대한 비판과 현실 도피적 태도를 드러냄.
－ 중국의 고사를 인용하여 화자의 정서를 강조함.
－ 자연에서도 임금을 생각하는 모습을 보여줌.

• 현대어 풀이
누가 강산이 삼정승보다 낫다고 하더니 임금의 자리인들 이만하겠는가?
이제 와서 헤아려 생각해 보니, 옛날의 은사소부(隱士巢父)와 허유(許由)가 현명함을 알겠구나.
아마도 자연 속에 노니는 흥취를 견줄 곳이 없구나.

17

◇ [독해(비문학) – 중심 내용]

답 ③ 항미생물 화학제의 개념과 종류, 작용 기제에 대해 설명하고 있으나, 이것의 제조 방법에 관한 정보는 찾을 수 없다.

⊞ 오답정리

① 첫째 문단에서 '항(抗)미생물 화학제는 세균, 진균, 바이러스 등 병원체의 수를 억제하고 전염병을 예방하기 위한 목적으로 사용하는 방역용 화학 물질이다.'라고 개념을 밝히고 있다.

② 첫째 문단의 마지막 문장에서 '항미생물 화학제는 포자의 파괴 여부에 따라 멸균제와 감염방지제로 분류'된다고 하며 그 종류를 설명하고 있다.

④ 둘째 문단의 첫 번째 문장에서 항미생물 화학제의 작용 원리(기제)가 '병원체의 표면을 손상시키는 방식과 병원체 내부에서 대사 기능을 저해하는 방식'으로 나누어진다고 하며 구체적인 설명을 이어가고 있다.

18

◇ [독해(작문) – 예상 독자를 고려하여 글 쓰기]

답 ④ 셋째 문단에서 '좋은 인포그래픽은 정보를 한눈에 파악하게 하는지, 단순한 형태와 색으로 구성됐는지, 최소한의 요소로 정보의 관계를 나타냈는지, 재미와 즐거움을 주는지 등을 기준으로 판단해 봐야 한다.'고 하였다. 이는 좋은 인포그래픽을 판단할 수 있는 기준을 열거한 것이지 인포그래픽의 다양한 유형을 나누는 기준은 아니므로 적절하지 않은 설명이다.

⊞ 오답정리

① 첫째 문단에서 '정보가 넘쳐나고 정보에 주의 집중하는 시간이 점차 짧아짐에 따라 인포그래픽에 대한 관심이 높아졌다. 특히 소셜 미디어의 등장으로 정보 공유가 용이한 인포그래픽의 쓰임이 더욱 확대되고 있다.'라며 인포그래픽이 널리 쓰이게 된 배경을 밝히고 있다.

② 둘째 문단에서 인포그래픽을 사용했을 때의 장점과 셋째 문단에서 인포그래픽을 적극 활용하면 '빅데이터 시대에 정보를 처리하는데 큰 도움이 될 것이다.'라며 예상 독자가 얻을 수 있는 효용이 드러나도록 하였다.

③ 둘째 문단에서 '글은 문자로 된 정보를 모두 읽어야 내용을 파악할 수 있지만, 인포그래픽은 시각 이미지로 한눈에 정보를 파악할 수 있다.'라며 일반적인 글과 비교해 인포그래픽이 지닌 장점을 밝히고 있다.

19

◇ [독해(문학) – 현대 운문의 형식 이해]

답 ① 이 작품은 부정적인 현실 속에서 고통스럽게 살아가는 민중들의 삶이 형상화되어 있다. '겨울'은 부조리한 시대를, '파도'는 시련의 상황을 상징적으로 나타내며, 그 속에서도 굴하지 않고 인간다운 삶을 살고자 하는 민중의 강인한 생명력과 의지를 드러내고 있다. 따라서 이 작품의 시상 전개 방식은 공간의 이동에 따른 것이 아니라 상징과 이미지를 중심으로 이루어지고 있다.

⊞ 오답정리

② 작품의 마지막 행인 '사라졌다 솟구치는 우리들의 생(生).'에서 명사로 시행을 끝맺어 시적 여운을 준다.

③ '가라앉을수록 눈사람으로 솟아오르며', '파도를 탄다', '사라졌다 솟구치는' 등에서 역동적 이미지를 활용하여 생동감 있게 표현하고 있다.

④ '쓰러질수록 파도에 몸을 던지며 / 가라앉을수록 눈사람으로 솟아오르며'와 '살아갈수록 눈 내리는 파도를 탄다. / 괴로울수록 홀로 넘칠 파도를 탄다.', 그리고 '솟구쳤다 사라지는 우리들의 발. / 사라졌다 솟구치는 우리들의 생(生).'에서 유사한 통사 구조를 반복하여 운율을 형성하고 있다.

✦ 작품정리 정호승, 〈파도타기〉

• 해제 : 이 작품은 부정적인 현실 속에서 고통스럽게 살아가는 민중들의 삶을 형상화하는 한편, 민중의 강한 생명력과 의지를 드러내고 있다. '눈 내리는 겨울밤'은 냉혹하고 억압적인 현실을, '파도'는 현실 속의 고통과 시련, 세파(世波)를 상징한다. 이 작품에서는 부정적 현실에 적극적으로 저항했던 이들이 희생당한 상황에서도, 긍정적 미래에 대한 믿음을 갖고 살아가는 민중들의 태도에 주목하고 있는데, 이러한 민중들의 생명력과 의지는 상승적이고 역동적인 이미지에 의해 강화되고 있다.

• 주제 : 민중의 생명력과 의지

• 구성
1~2행 – 혹독한 현실에 처함.
3~7행 – 고통의 현실에서 발견한 희망
8~10행 – 희망을 기다리며 살아감.
11~15행 – 현실 극복에 대한 강렬한 의지
16~19행 – 치열하게 살아가는 현실의 삶

• 특징
– 평서형 종결어미를 통해 담담하고 의지적인 태도를 드러냄.
– 상징적 단어를 통해 주제를 암시적으로 드러냄.

20

◇ [독해(문학) – 현대 산문의 형식 이해]

🔲 ① 안승학의 가난했던 형편과 그의 가족사, '이 동리'로 터전을 옮긴 이유 등과 같은 인물의 내력을 요약적으로 서술하고 있다. 이를 통해 안승학에 대한 정보를 개괄적으로 제시하고 있으므로 적절한 설명이다.

⊞ **오답정리**

② 안승학의 가족을 중심으로 그의 내력을 서술하고 있을 뿐, 인물의 외양 따위를 서술하는 묘사적 서술은 나타나고 있지 않다.
③ 안승학이 부모를 잃게 된 이야기, '이 동리'로 터전을 옮겨 살게 된 내력을 시간의 흐름에 따라 제시하고 있다. 또한 '안승학의 근본을 아는 사람은 누구나 놀랄 만한 일이었다.'는 부분에서 그에 대한 평가가 다양하게 나타나는 것이 아님을 알 수 있다.
④ 안승학의 과거 내력이 나타나고는 있으나, 반성적 태도는 나타나고 있지 않다.

✦ **작품정리**　　**이기영, 〈고향〉**

• **해제**: 이 작품은 일제 강점기 부조리한 농촌 현실에서 고통을 받는 농민들의 모습을 사실적으로 묘사한 경향 소설의 대표적인 작품이다. 1930년대, 식민지 자본주의가 침투한 농촌에서는 소작농으로 전락한 농민들이 궁핍한 삶을 살아야 했다. 농민들은 궁핍한 삶에서 벗어나기 위해 부조리한 현실에 맞서 소작 쟁의를 일으키거나 고향을 떠나 유랑을 하였는데, 이 작품에서는 이러한 농촌의 현실을 일본 유학을 마치고 귀향한 '김희준'의 시선을 통해 제시하는 한편, '두레'와 같은 자발적·주체적 공동체를 통해 농촌 문제의 해결을 모색하고 있는데, 이런 점에서 사회주의 경향 소설의 한계를 벗어났다는 평가를 받고 있다.
• **주제**: 일제 강점기 농촌의 구조적 모순과 이를 극복해 나가는 농민들의 의식 성장
• **줄거리**: 1920년대 말 원터 마을, 동경 유학생이던 김희준이 학자금 난으로 학업을 포기하고 고향으로 돌아온다. 그는 소작인으로 농사를 짓는 한편, 농민 봉사, 계몽 활동을 통하여 농민 지도자로서 위치를 굳힌다. 그를 중심으로 한 소작인들은 동네 마름인 안승학과 대결해 나간다. 마름 안승학은 그의 본부인을 서울로 보내 자식들을 교육시키도록 하고, 자신은 첩 숙자와 함께 산다. 안승학과 숙자는 딸 갑숙이를 이씨 문중으로 시집 보내려 하다가, 갑숙과 경호와의 관계를 알고 앓아 눕는다. 왜냐하면, 경호는 읍내의 상인인 권상필의 아들로 알려졌으나 사실은 구장집 머슴 곽 첨지의 아들이었던 것이다. 갑숙이는 가출하여 공장의 직공으로 취직한다. 그녀는 옥희라는 가명을 쓴다. 풍년이 들었으나 소작료와 빚진 것을 제하면 농민에게 돌아오는 것이 거의 없다. 갑숙이와 친했던 경호는 집을 나와 생부를 찾고 역시 공장에 취직한다. 수재가 나서 집이 무너지고 농사를 망친다. 희준이를 중심으로 소작인들은 마름 안승학에게 소작료를 감면해 줄 것을 요구하나, 안승학은 이를 거절한다. 이때 공장에서도 갑숙(옥희)을 지도자로 한 노동 쟁의가 벌어지며, 희준은 이를 돕는다. 갑숙이는 소작인을 괴롭히는 아버지에 반

대하여 희준과 힘을 합친다. 희준이를 비롯한 농민들은 끝내 안승학의 양보를 얻어 낸다. 그리고 희준과 갑숙이는 이성 간의 애정을 초월하여 동지로서의 사랑을 확인한다.
• **특징**
– 농민 중심의 대표적 농민 소설로 노동 쟁의, 소작 쟁의 등 경제 투쟁과 농민 운동을 강조함.
– 사회주의적 리얼리즘으로 쓰인 최고의 소설로 평가받음.
– 사실적 묘사와 생활 감각을 중시함.

제3회 | 모의고사 정답 및 해설

✓ 제3회 모의고사 정답

01 ②	02 ①	03 ④	04 ②	05 ④
06 ③	07 ④	08 ①	09 ③	10 ①
11 ④	12 ③	13 ②	14 ②	15 ③
16 ③	17 ④	18 ①	19 ①	20 ②

01

◇ [이론 문법 – 음운론 – 음운의 변동]

답 ② 이중 모음 'ㅘ'는 반모음 'w'와 단모음 'ㅏ'로 이루어져 있고 ㅗ가 'w'로 바뀐다는 점에서, 해당 현상을 교체로 설명하는 것은 반모음 'w'가 단모음 'ㅗ'처럼 하나의 음운으로서의 자격을 지닌다는 점에 주목한 것이다.

🔲 오답정리

① 해당 음운 현상을 축약으로 설명하든, 교체로 설명하든 반모음 'w'는 음절을 이룰 수 없다.
③ 해당 음운 현상을 교체로 설명하는 것은 'ㅗ → w'의 변화에 주목하는 것이지, 'w'가 '어떤 단모음과 결합하는지'와는 관련이 없다.
④ 'ㅘ'는 상향 이중모음으로 반모음 'w'가 단모음에 선행한다.

✦ 세상 어디에도 없는 추가해설

모음 축약(=반모음화)

• 반모음을 음운으로 인정하는 관점으로 보게 되면, 모음 축약이 아니라 '반모음화'로 볼 수 있다.

모음 축약 = 이중 모음 되기 = 반모음화	단모음과 단모음이 결합되어 하나의 이중 모음으로 축약되는 현상(표기에 반영되기도 한다.) 예 되어 → 돼, 싸이어 → 쌔어/싸여, 보이어 → 뵈어/보여, 보아서 → 봐서, 주어서 → 줘서, 누이어 → 뉘어/누여, 뜨이어 → 띄어/뜨여 예 '띄어쓰기, 띄어 쓰다, 띄어 놓다' 따위는 관용상 '뜨여쓰기, 뜨여 쓰다, 뜨여 놓다' 같은 형태가 사용되지 않는다.

02

◇ [이론 문법 – 형태론 – 비통사적 합성어]

답 ① '가 버리다'는 '용언의 연결형(용언의 어간과 연결 어미의 결합)과 용언의 어간'으로 통사적으로 구성된 경우이다. 다만, 용언 동음 탈락에 의해 어간 '가-'와 연결어미 '-아'의 형태가 구분되고 있지 않을 뿐이다. 또한 '보살피다'는 연결 어미가 없이 어간 '보-'와 '살피-'가 직접 결합하기 때문에 비통사적 합성어이다.

✦ 세상 어디에도 없는 추가해설

통사적 합성어	개념	우리말의 일반적인 단어 배열법과 일치하는 합성어, 통사적 구성과 일치하는 합성어
	예시	**명사+명사** 앞뒤, 돌다리, 춘추, 논밭, 이슬비
		관형사+체언 온갖, 한바탕, 첫사랑, 새마을, 온종일, 뭇매
		부사+용언 잘나다, 그만두다, 못나다, 다시없다, 몹쓸(못+'쓰다'의 관형사형)
		부사+부사 곧잘, 더욱더, 이리저리, 엎치락뒤치락, 죄다
		조사 생략 힘(이)들다, 값(이)싸다, 맛(이) 있다, 재미(가)없다, 본(을)받다, 선(을)보다, 애(를)쓰다, 꿈(과) 같다, 앞(에)서다
		연결 어미 有 스며들다, 돌아가다, 알아보다, 뛰어가다, 들어가다, 약아빠지다, 찾아보다, 깎아지르다, 게을러빠지다
		관형사형 어미 有 이른바, 쓸데없다(쓰+ㄹ+데+없+다), 보잘것없다(보+자+고+하+ㄹ+것+없+다), 군밤, 작은언니, 지은이, 어린이

	개념	우리말의 일반적인 단어 배열법과 일치하지 않는 합성어		
비통사적 합성어	예시	관형사형 어미 생략	검버섯, 접칼, 누비옷, 꺾쇠, 덮밥, 곶감, 감발, 열쇠	
		연결 어미 생략	뛰놀다, 굳세다, 오르내리다, 날뛰다, 돌보다, 여닫다, 굶주리다	
		부사+명사	살짝곰보, 딱딱새, 보슬비, 산들바람, 척척박사, 헐떡고개, 볼록거울	
		어순이 다른 한자어	독서(讀書), 급수(汲水), 등산(登山), 귀향(歸鄕), (일몰(日沒), 필승(必勝), 고서(古書)는 통사적 합성어)	

03

◇ [이론 문법 – 형태론 – 접사]

답 ④ ㉣의 '헛꿈'은 어근 '꾸-'에 접두사 '헛-'과 접미사 '-ㅁ'이 결합한 단어이다. 또한 ㉤의 '짓밟혀'는 어근 '밟-'에 접두사 '짓-'과 피동 접미사 '-히-'가 결합한 단어이므로 적절한 설명이다.

오답정리

① ㉠의 '높이'는 형용사의 어간인 '높-'이 어근으로 쓰이고, 부사 파생 접미사 '-이'가 결합하여, 형용사에서 부사로 품사가 바뀌었다. 한편 ㉣의 '헛꿈'은 동사의 어간인 '꾸-'가 어근으로 쓰이고, 명사 파생 접미사 '-ㅁ'이 결합하여, 동사에서 명사로 바뀌었다. 따라서 두 단어는 접미사가 결합하기 전과 후 모두 품사가 다르다.

② ㉡의 '밀쳐서'는 어근 '밀-'에 '강조의 뜻을 더하는 접미사'인 '-치-'가 결합하여 주동사로 유지되고 있다. 그러나 ㉢의 '먹이려고'는 어근 '먹-'에 사동접미사 '-이-'가 결합하여 주동사가 사동사로 바뀐다.

③ ㉢의 '먹이려고'는 기본형 '먹이다'의 활용형으로 어간 '먹이-'에 어미 '-려고'가 붙어 활용한 것이다. 즉, 어근 '먹-'에 접미사 '-이-'가 결합한 후에 어미 '-려고'가 붙은 형태이므로 접미사 뒤에 용언의 어미가 이어지는 것이다. 그러나 ㉣의 '헛꿈'은 명사파생접미사 '-ㅁ'이 결합한 명사이고, 그 뒤에는 보조사 '은'이 오고 있으므로 잘못된 설명이다.

✦ 세상 어디에도 없는 추가해설

1. 높이(높+이) : 접사 '-이' (품사를 바꾸는 지배적 접미사)

종류	접미사	예시
부사화 접미사	-이/-히	'높이', 많이, 집집이, 나날이 / 조용히, 무사히, 나란히

2. 밀쳐서(밀+치+어서) : 접사 '-치' (어근에 뜻을 더해 주는 한정적 접미사)

접미사	뜻과 예시
-치	강조 **예** 넘치다, 밀치다, 부딪치다, 솟구치다

3. 먹이려고(먹+이+려고) : 접사 '-이' (문장의 구조를 바꾸는 지배적 접미사)

접미사	뜻과 예시
-이-	① 사동 **예** '먹이다', 보이다, 녹이다 ② 피동 **예** 깎이다, 놓이다 ③ 사동의 뜻을 더하고 동사를 만듦. 　　**예** 높이다, 깊이다

4. 헛꿈(헛+꿈) : 접사 '헛-' (어근에 뜻을 더해 주는 한정적 접미사)
접사 '-ㅁ' (품사를 바꾸는 지배적 접미사)

접미사	뜻과 예시
헛-	이유 없는, 보람 없는 **예** '헛꿈', 헛걸음, 헛고생, 헛소문, 헛수고

종류	접미사	예시
명사화 접미사	-음/-ㅁ	믿음, 죽음, 웃음, 걸음, 꿈, 삶, 앎, 잠, 춤, 기쁨, 슬픔

5. 짓밟혀(짓+밟+히+어) : 접사 '짓-' (어근에 뜻을 더해 주는 한정적 접미사)
접사 '-히' (문장의 구조를 바꾸는 지배적 접미사)

접미사	뜻과 예시
짓-	심한 **예** '짓밟다', 짓고생, 짓망신, 짓북새

접미사	뜻과 예시
-히-	① 사동 **예** 묵히다, 굳히다 ② 피동 **예** '밟히다', 막히다, 닫히다 ③ 사동의 뜻을 더하고 동사를 만듦. 　　**예** 괴롭히다, 붉히다, 넓히다

04

◇ [음운규정 – 표준 발음법]

답 ② 사전 등재 순서에 따라 '배달'과 '뱁새'는 '뱃멀미' 앞에, 뻘겋다는 '볍씨' 뒤에 등재되므로 ㉠에 들어갈 수 없다. 이 단어를 제외하면, 제시된 단어 중 ㉠에 들어갈 수 있는 것은 '별장, 베개, 벚꽃, 벼르다'이다. 사전 등재 순서는 초성, 중성, 종성 순으로 비교하고, 자음은 'ㄱ, ㄲ / ㄴ / ㄷ, ㄸ / ㄹ / ㅁ / ㅂ, ㅃ / ㅅ, ㅆ / ㅇ / ㅈ, ㅉ / ㅊ, ㅋ, ㅌ, ㅍ / ㅎ' 순이고, 모음은 'ㅏ, ㅐ / ㅑ, ㅒ / ㅓ, ㅔ / ㅕ, ㅖ / ㅗ, ㅘ, ㅙ, ㅚ / ㅛ / ㅜ, ㅝ, ㅞ, ㅟ / ㅠ / ㅡ, ㅢ / ㅣ' 순이다. 초성은 'ㅂ'으로 동일하므로 중성인 모음의 순서를 고려하여 배열하면 '벚꽃 – 베개 – 벼르다 – 별장'이다.

✦ 세상 어디에도 없는 추가해설

사전 배열 순서

먼저 자음의 순서를 확인하고 그 다음 모음의 순서를 확인해야 한다.

자음	ㄱ, ㄴ, ㄷ, ㄹ, ㅁ, ㅂ, ㅅ, ㅇ, ㅈ, ㅊ, ㅋ, ㅌ, ㅍ, ㅎ ㄲ　　ㄸ　　　　ㅃ ㅆ　　ㅉ
모음	ㅏ, ㅑ, ㅓ, ㅕ, ㅗ, ㅛ, ㅜ, ㅠ, ㅡ, ㅣ ㅐ ㅒ ㅔ ㅖ ㅘ　　ㅝ　　　ㅢ 　　　　　　ㅙ　　ㅞ 　　　　　　ㅚ　　ㅟ
받침 자음	ㄱ ㄲ ㄳ ㄴ ㄵ ㄶ ㄷ ㄹ ㄺ ㄻ ㄼ ㄽ ㄾ ㄿ ㅀ ㅁ ㅂ ㅄ ㅅ ㅆ ㅇ ㅈ ㅊ ㅋ ㅌ ㅍ ㅎ

05

◇ [어휘]

답 ④ 동음이의 관계란 말소리는 같지만, 뜻은 다른 단어의 관계를 의미한다. 그런데 '붓다¹', '붓다²', '붇다', '불다'의 어간에 어미 '-는'이 결합하면 각각 '붓는, 붓는, 붇는, 부는'이 되므로 동음이의 관계라고 볼 수 없다.

⊞ 오답정리

① '붓다¹'의 어간 '붓-'에 모음으로 시작하는 어미가 결합하면 어간의 'ㅅ'이 탈락하여 '부어', '부으니' 등의 형태가 된다.

② '꽃병에 물을 붓다.'는 '액체나 가루 따위를 다른 곳에 담다'라는 의미로 쓰이고 있으므로 '붓다² ①'의 예문으로 적절하다. 또한 '은행에 적금을 붓다.'는 '불입금, 이자, 곗돈 따위를 일정한 기간마다 내다.'라는 의미로 쓰이고 있으므로 '붓다² ②'의 예문으로 적절하다.

③ '불다①'은 주어 외에 다른 문장 성분을 필요로 하지 않으므로 한 자리 서술어이고, '불다②'와 '불다③'은 주어 외에 각각 필수적 부사어(【…에】)와 목적어(【…을】)를 필요로 하는 두 자리 서술어이다.

06

◇ [독해(문학) – 현대 운문의 내용 이해]

답 ③ ㉠에서 '무엇'은 화자가 '울'면서 '간구'한 대상으로 화자가 과거에 염원했던 것이고, ㉡의 '무엇'은 ㉠의 '무엇'이 이루어진 상황에서 앞으로 다 가올 미래에 대한 기대를 드러내는 것이다. 따라서 ㉡의 '노래'는 ㉠의 '무엇'이 이루어진 후에 나오는 것이므로 잘못된 설명이다.

⊞ 오답정리

① ㉠과 ㉡의 시적 공간은 '높으디높은 산마루'로 동일하다. 그러나 ㉠의 시간적 배경은 '긴 밤'으로 부정적인 상황을 나타내지만, 그 후 2연부터는 '아침'이라는 새로운 시간이 도래하였다. 특히 ㉡에서는 '맑은 바람 속'이라는 표현을 통해 부정적인 현실이 해소된 상태를 보여주고 있으므로 시적 상황이 ㉠과는 달라졌음을 알 수 있다.

② ㉠에서 화자는 '낡은 고목에 못 박힌 듯 기대어', '울이 왔'다는 점에서 고통스러운 모습이 나타나고 있다. 그러나 ㉡에서 화자는 '맑은 바람 속에 옷자락을 날리며', 미래에 다가올 '무엇을 기다리며 노래'하는 것을 통해 희망찬 모습으로 변모했음을 알 수 있다.

④ ㉠의 '간구'는 2연을 통해 '사늘한 가슴'의 생명력 회복을 바라는 기원이라고 이해할 수 있다. 또한 '메마른 입술에 피가 돌아' '피리의' 가락을 더듬'은 후에 부르는 '노래'라는 점에서 ㉡의 '노래'는 '메마른 입술'에 생명력이 회복된 이후의 소망을 표출한다고 볼 수 있다.

✦ 작품정리　조지훈, 〈산상(山上)의 노래〉

- **해제 :** 이 시는 광복을 맞이한 시적 화자의 기쁨을 비유적으로 표현한 작품이다. 하지만 시인은 광복의 기쁨을 채 누리기도 전에 민족의 미래에 대한 또 다른 이상을 염원하고 있다. 광복 전의 화자의 모습을 '시들은 핏줄', '메마른 숨' 등으로 표현하여 생명력을 상실한 모습으로 비유하고 있는데, 여기에 '종소리'와 '피'가 생명력을 불어넣고 있다. 하지만 화자는 이러한 광복의 기쁨을 채 누리기도 전에 또 다시 '높으디높은 산마루'에서 '무엇을 기다리며 노래'하고 있다. 과거처럼 울고 있지는 않지만 민족의 미래에 대한 염원을 가지고 앞을 내다보는 선구자로서의 화자의 모습을 엿볼 수 있다.
- **주제 :** 광복의 기쁨과 조국의 미래에 대한 염원
- **구성**
  1연 – 광복에 대한 화자의 간절함
  2연 – 광복의 아침을 맞이한 감격
  3연 – 광복을 맞이한 민족의 현실
  4연 – 민족의 앞날에 대한 기대
  5연 – 회복되어 가는 민족의 정기
  6연 – 광복된 민족의 미래에 대한 조망
  7연 – 민족의 미래에 대한 모색
- **특징**
  – 다양한 감각적 이미지 사용
  – 독백적 어조로 시상 전개
  – 문장의 반복과 변주를 통해 리듬감 형성, 구조적 안정감 부여
  – 대조적 이미지를 가진 시어 사용
  – 문장의 변주를 통한 수미상관식 구조 형성
  – 영탄적, 설의적, 명령적 어조를 활용

07

◇ [독해(비문학) – 한자 어휘]

답 ④ 둘째 문단의 마지막 문장에 쓰인 '시사'는 '어떤 것을 미리 간접적으로 표현해 줌'이라는 의미로 사용되고 있다. 그러므로 한자 표기로는 '示唆'가 적절하다. '時事'는 '시사 문제'와 같이 '그 당시에 일어난 여러 가지 사회적 사건'을 가리킬 때 쓸 수 있다.

示 보일 시, 唆 부추길 사 / 時 때 시, 事 일 사

▦ 오답정리

① 첫째 문단의 마지막 문장에 쓰인 '보유'는 '가지고 있거나 간직하고 있음'이라는 의미로 사용되고 있으므로 '保有'로 표기하는 것이 적절하다.

保 지킬 보, 有 있을 유

② 둘째 문단의 첫째 문장에 쓰인 '유인'은 '어떤 일 또는 현상을 일으키는 원인'이라는 의미로 사용되고 있으므로 '誘因'으로 표기하는 것이 적절하다.

誘 꾈 유, 因 인할/말미암을 인

③ 둘째 문단의 다섯째 문장에 쓰인 '경향'은 '현상, 사상, 행동 따위가 어떤 방향으로 기울어짐'이라는 의미로 사용되고 있으므로 '傾向'로 표기하는 것이 적절하다.

傾 기울 경, 向 향할 향

08

◇ [독해(화법) – 말하기 방식]

답 ① 둘째 문단에서 '물론 연안 생태계의 역할이 얼마나 크겠냐고 의문을 제기하는 분도 계실 것입니다.'라고 예상되는 반론을 언급하고 있다. 이러한 반론을 재반박함으로써 연안 생태계의 중요성과 가치를 강조하고 있을 뿐, 청중들에게 상황의 심각성을 인식시키고 있는 것은 아니다.

▦ 오답정리

② 첫째 문단의 연설 도입부에서 '얼마 전 우리나라에 대형 태풍이 연달아 오고, 또 집중호우로 인해 큰 피해를 입었었지요?'라고 청중과 공유하는 경험을 떠오르게 하여 관심을 유도하고 있다.

③ 셋째 문단에서 지구 온난화로 인해 받는 고통을 '북극곰의 눈물과 우리의 눈물'로 빗대고, 연안 생태계를 '지구의 보물'이라고 하여 비유적 표현을 활용하고 있다. 이를 통해 연안 생태계를 보호하고 관심을 가져야 한다는 주장에 대한 호소력을 높이고 있다.

④ 둘째 문단의 '2019년 통계에 따르면~', '2018년 통계에 따르면~'에서 확인할 수 있듯이 연설자는 통계 자료를 근거로 삼아 연안 생태계를 보호하자는 주장의 신뢰성을 강화하고 있다.

09

◇ [독해(화법) – 대화의 격률]

답 ③ '가'는 '혹시 시간 날 때'라고 말문을 열어 청자의 부담을 최소화하고 있다. 또한 명령문을 사용하지 않고 의문문을 사용하여 우회적으로 부탁을 하고 있으므로 '요령의 격률'을 사용한 대화이다.

오답정리

① '가'는 상대방이 글씨를 작게 써서 잘 안 보인다고 하지 않고, 그 책임을 '제가 눈이 잘 안보여서'라고 하여 자신의 부담을 최대화하고 있다. 화자가 자신에게 혜택을 주는 표현을 최소화하고, 부담을 주는 표현을 최대화하는 것은 '관용의 격률'에 해당한다.

② '가'의 칭찬에 대해 '나'는 자신에 대한 칭찬은 최소화하고, 비방을 극대화하고 있으므로 '겸양의 격률'을 사용하여 말하고 있다.

④ '가'의 제안에 대해 '나'는 상대의 의견을 존중하고 상대방과의 일치를 강조한 후에 자신의 견해를 제시하고 있다. 따라서 다른 사람과의 의견 차이를 최소화하고, 일치점을 극대화하는 '동의의 격률'에 해당한다.

10

◇ [독해(문학) – 고전 운문의 내용 이해]

답 ① 중략 앞부분은 '중향성'에서 천지가 생겨날 때에는 자연히 이루어졌을 것이지만, 이제 와서 봉우리를 보니 어떤 뜻이 담겨 있는 듯이 아름답다고 표현하고 있다. 이는 다른 조선의 사대부와 마찬가지로 '자연에 하늘의 이치가 구현된 것'으로 여기는 부분이므로 잘못된 설명이다.

오답정리

② 맑고 깨끗한 금강산의 기운을 흩어 내어 인걸을 만들겠다는 것은 백성들에게 선정을 베풀 수 있는 뛰어난 인재를 구하고자 하는 것이다. 작가는 '개심대'에서 바라본 금강산의 모습을 통해 관리로서의 사회적 책무를 떠올리고 있다고 할 수 있다.

③ '화룡소'의 굽이치는 물을 '노룡'에 비유하고, 시름에 빠진 백성을 '음애예 이온 플'로 표현하고 있다. 이때 '노룡'은 상징적인 뜻으로는 작가 자신을 가리키는 중의적인 표현인데, 이를 통해 임금의 은총을 백성들에게 전하여 이들을 살기 좋게 하려는 포부를 드러내고 있다.

④ '불정대'에서 본 폭포를 '은하수'를 베어 '실'처럼 풀어서 '베'처럼 걸어 놓은 것으로 묘사하고 있다. 이처럼 폭포를 구체적이고 일상적인 사물을 활용하여 표현함으로써 자연의 미를 사실적으로 드러내고 있다.

◆ 작품정리 정철, 〈관동별곡〉

• **해제**: 이 작품은 작가가 45세 때 강원도 관찰사로 임명된 후 금강산과 관동 팔경을 유람하며 그 경치에 대한 감탄과 정감을 노래한 기행가사이다. 관리로서의 현실 인식을 바탕으로 한 우국, 연군, 애민의 정과 개인으로서의 풍류 사이에서의 갈등을 꿈을 통하여 해소하는 모습이 잘 드러나 있다. 이 작품은 다양한 표현법을 사용하여 금강산과 관동 팔경의 정경을 생동감 있게 묘사하였으며, 우리말의 아름다움을 효과적으로 드러내고 있다. 특히, 우리말의 유창성과 독특한 묘미를 살리는 표현이 많아 가사 문학의 백미로 일컬어지는데, 김만중은 "서포만필(西浦漫筆)"에서 이 작품을 '동방의 이소(離騷)'라고 극찬하기도 하였다.

• **주제**: 금강산, 관동 팔경에 대한 감탄과 연군지정 및 애민 사상

• **구성**(지문 수록 부분은 본사의 끝부분)
서사 – 관찰사 부임과 관내 순찰
본사1 – 내금강 유람(만폭동의 금강대, 진헐대, 개심대, 화룡소, 불정대)
본사2 – 외금강 유람(동해, 총석정, 삼일포, 의상대, 경포, 죽서루, 망양정)
결사 – 동해의 달맞이와 풍류

• **특징**
– 생략과 비약에 의한 내용 전개
– 대구, 비유, 반복 등의 다양한 표현을 통한 역동적인 경치 묘사
– 충의(유교) 및 애민 사상, 신선 사상(도교)

11

◇ [독해(비문학) – 일반 추론 긍정 발문]

답 ④ 둘째 문단에서 헤라클레이토스가 '만물의 상태가 끊임없이 변한다는 것을 언어가 간과'하고 있고, 이로 인해 '동일시의 오류를 범하게 하는 경향'이 있다고 하였다. 또한 '공통적인 속성을 지닌 사물들을 가리키는 낱말이 필요하다'고 하였다. 따라서 언어에 대한 헤라클레이토스의 정의는 '세계를 다루는 불완전한 방식'으로 보는 것이 가장 적절하다.

오답정리

①, ② 첫째 문단에서 헤라클레이토스가 '모든 것은 끊임없이 변한다'고 하였다. 또한 둘째 문단에서 '각각의 개별적 사물들을 다르게 지칭'한다면 '이것들을 하나의 관념으로 묶지 않을 것'이라고 하였다. 즉, 언어가 사물들이 지닌 개별 속성을 고려하지 않고, 언어라는 하나의 관념으로 묶는다고 하였으므로 '끝없이 창조 가능한 관념'이나 '개별 존재를 담는 유일한 형식'이라고 정의내리지 않을 것이다.

③ 둘째 문단에서 헤라클레이토스는 '만물의 상태가 끊임없이 변한다'고 하였으므로 '고정되어 있지 않은 유동적 실체'는 언어에 대한 관점이 아닌 사물에 대한 관점이라고 할 수 있다.

12

◇ [독해(비문학) – 내용 확인 부정 발문]

답 ③ 둘째 문단에서 과거제를 통해 '통치에 참여할 능력을 갖춘 지식인 집단이 폭넓게 형성'되었다는 것을 알 수 있다. 그러나 넷째 문단에서 '왕조 교체에도 불구하고 ~ 관료제 통치의 안정성에도 기여'했다는 점에서 과거제가 왕조 중심이 아닌 관료제 중심의 통치에 기여했다고 보는 것이 적절하다.

⊞ 오답정리
① 첫째 문단의 도입부에서 과거제가 '시험 성적이라는 합리적 기준'에 의한 시험이라는 것을 알 수 있다. 또한 셋째 문단에서 과거제를 '세습적 지위보다 학자의 지식이 우위'에 있는 체제로 본다는 점에서 과거제가 능력 중심의 관리 선발 시험이라는 것을 알 수 있다.
② 첫째 문단의 마지막 문장에서 과거제의 익명성 확보 장치는 시험의 '공정성 강화를 위한 노력'이라고 했다. 이러한 공정성을 바탕으로 보다 많은 이들에게 기회를 열어 줌으로써 '지위 획득에 대한 개방성'을 높일 수 있다는 점을 바로 앞 문장에서 확인할 수 있다.
④ 둘째 문단의 마지막 문장에서 '최종 단계까지 통과하지 못하더라도 국가가 여러 특권을 부여하고 그들이 지방 사회에 기여'할 수 있도록 했다는 것을 확인할 수 있다.

13

◇ [작문 – 고쳐쓰기]

답 ② ⓒ 앞의 문장은 훈민정음의 제작 목적, 즉 사람들이 일상에서 문자 생활을 하는 데 불편함이 없게 하겠다는 것을 제시한 내용이다. 그리고 ⓒ에 이어지는 문장은 훈민정음으로 기존의 한자를 완전히 대체하려고 한 것은 아니라는 내용이다. 이렇게 볼 때, ⓒ의 앞뒤 내용은 서로 상반되는 성격을 지니고 있으므로 '하지만'을 그대로 두는 것이 낫다. '결국'은 '일의 마무리에 이르러서. 또는 일의 결과가 그렇게 돌아가게'라는 뜻이므로, ⓒ의 자리에 사용하는 것(②)은 적절하지 않다.

⊞ 오답정리
① ㉠에 들어 있는 '데'는 '일'이나 '것'의 뜻을 나타내는 의존 명사이므로, '하는'과 '데'를 띄어 써야 한다.
③ ⓒ이 포함된 문장은, 훈민정음으로 기존의 한자를 완전히 대체하려고 한 것은 아니라는 앞의 내용에 대한 근거에 해당하므로 '없다'를 '없기 때문이다'로 바꾸는 것이 낫다.
④ '쓰이다'는 '쓰다'에 피동 접미사 '-이-'가 붙은 피동사이다. 그런데 ⓔ의 경우 피동사인 '쓰이다'에 또다시 '-어지다' 형태의 피동 표현이 중첩되어 사용된 말이므로 '쓰이도록'으로 고치는 것이 적절하다.

14

◇ [독해(비문학) – 배치]

답 ② 제시된 문장에서는 '대용 표현'의 개념을 정의하고 있다. 넷째 문장에서 문장 간의 관련성을 보여주는 형식적 장치로 '지시, 대용, 접속 표현'을 열거하고 있으므로, 지시 표현과 접속 표현에 관한 내용의 사이에 배치되는 것이 적절하다. 따라서 ②, ③, ④ 중에 보다 적절한 위치를 선택해야 한다. 우선, ③의 다음 문장에 쓰인 '이들'은, ③의 앞 문장에 나온 '이, 그, 저'를 의미하므로, 그 사이에 다른 문장이 개입되는 것은 적절하지 않다. 한편, ③의 다음 문장에서 '이, 그, 저'가 대용 표현으로 쓰이는 경우를 설명하고 있는데, 그 뒤에 접속어 '그리고'를 사용하여 대용 표현의 개념을 정의하는 문장이 이어지는 것도 적절하지 않다. 따라서 제시된 문장은 '지시 표현의 개념'이 나온 다음이자, '지시 및 대용 표현으로 쓰이는 예시들'이 나오기 전의 위치인 ②에 배치되는 것이 가장 적절하다.

15

◇ [독해(비문학) – 내용 전개 방식]

답 ③ 첫째 문단에서는 정확한 연주를 이상적인 연주로 본 피츠너에 대해, 둘째 문단에서는 즉흥 연주를 이상적 연주로 설정하고 재생산적 연주를 비판한 베커에 대해 설명하고 있다. 또한 셋째 문단에서는 음악적 해석을 이론적 분야와 실제적 분야로 나눠 적절한 연주 방법을 모색해야 한다고 생각한 다누저의 분석적 해석론을 다루며 마무리하고 있다. 따라서 제시문은 '바람직한 연주를 바라보는 다양한 이론가들의 견해'를 소개하고 있는 것이다.

⊞ 오답정리
① 음악 연주와 관련하여 다양한 음악가들의 이론을 제시하고 있기는 하지만, 그 이론이 등장한 시대적 배경을 고찰하고 있지는 않다.
② 음악에 있어서 연주자의 연주가 중요하다는 베커의 견해를 소개하고 있지만, 작곡의 중요성과 연주의 중요성을 비교·대조하여 설명하지는 않았다.
④ 피츠너, 베커, 다누저의 음악 연주론을 각각 설명하고 있기는 하지만, 현대 음악에 미친 영향과 그 전망을 소개하지는 않았다.

16

◇ [독해(비문학) – 내용 확인 부정 발문]

답 ③ 첫째 문단의 마지막 문장에서 항바이러스제는 '바이러스에 감염된 세포의 증식을 막는 방식으로 이것의 확산을 억제한다.'고 하였다. 따라서 첫째 문장에 제시된 약의 작용 방식 중 후자인 '생체에 직접 작용'하는 것이므로 잘못된 설명이다.

⊞ 오답정리

① 첫째 문단에서 설파제는 엽산과 관련하여 인간과 박테리아 간의 차이를 활용하고, 항바이러스제는 생체의 세포와 달리 스스로는 증식하지 못하는 바이러스의 특성을 활용한다고 설명하고 있다.

② 첫째 문단에서 '설파제를 복용하면 체내에서 화학적 변화를 거쳐 PABA와 분자 구조가 흡사한 물질이 되어 PABA가 결합할 수용체와 먼저 결합'함으로써 약효를 낸다고 설명하고 있다.

④ 둘째 문단 마지막 문장에서 항우울제는 '전연접 뉴런의 수용체와 결합하여 재흡수가 일어나지 않게 하거나, 후연접 뉴런의 수용체와 결합하여 연접 틈새에서 신경전달물질의 농도가 높아진 것과 같은 효과'를 낸다고 설명하고 있다.

17

◇ [독해(작문)–설득하는 글쓰기 계획]

답 ④ '무인 결제기의 운영'과 관련한 내용은 둘째 문단에 '대형 매장에서는 도우미를 배치'한다는 것이다. 그러나 '무인 결제기의 운영 경비가 다소 증가'할 수 있다고 예상하는 부분에서 확인할 수 있듯이, 이것은 무인 결제기 운영자의 입장을 고려하는 현실성 높은 해결 방안이 아니다.

⊞ 오답정리

① 문제의 해결 방안으로 무인 결제기 화면의 글씨 확대, 사용 설명을 제공, 도우미 배치 등 다양한 해결 방안을 제시하고 있다.

② 첫째 문단에서 문제점을 분석하고, 둘째 문단에서 해결 방안을 제시한 후 제언으로 마무리 짓는 글의 짜임을 가지고 있다.

③ 첫째 문단에서 '우리 지역 노인층'을 대상으로 한 인터뷰 내용을 제시하여 정책 관계자가 이들의 구체적인 경험에 관심을 가질 수 있도록 하고 있다.

18

◇ [독해(문학) – 고전 산문의 형식 이해]

답 ① 전우치가 '효'를 바탕으로 '모친을 봉양'하려고 하지만, 실행에 옮긴 것은 옥황상제의 권위를 이용하여 왕과 신하들을 속이고 나라의 재산을 빼돌리는 '계교'였다. 따라서 영웅 소설의 주인공과 달리, 전우치는 '충'을 행하지는 않으므로 충효를 다하는 일반적인 영웅 소설의 주인공과는 다른 특징을 가진다.

⊞ 오답정리

② 전우치는 천서를 통해 술법을 습득하게 되자 '과거에 뜻'을 두지 않고 '벼슬하여' 입신양명을 이루고자 하지 않는다. 왜냐하면 '내 벼슬하여 모친을 봉양하려 하면 자연히 더디리라.'고 생각했기 때문이다. 이는 탁월한 능력으로 나라에 공을 세워 이름을 떨치는 영웅 소설의 주인공과 다른 점이다.

③ 전우치는 '천서를 보아 못 할 술법이 없으매'에서 알 수 있듯이 구미호로부터 얻은 천서를 익혀 뛰어난 도술 능력을 갖게 된다. 이는 병서를 익혀 탁월한 능력을 갖게 되는 영웅 소설의 주인공과 유사하다고 할 수 있다.

④ 전우치가 고려국 왕에게 '옥황상제 전교'를 빙자하여, '황금 들보'를 바치라 하며 나라의 재산을 취하려고 한다. 이는 임금과 조정을 속이는 것이므로 위기에 처한 나라를 구하는 일반적인 영웅 소설의 주인공과는 다른 모습이다.

✦ 작품정리 작자 미상, 〈전우치전〉

• **해제**: 이 작품은 실존 인물이었던 '전우치'를 주인공으로 한 고전 소설이다. 서사 구조 측면에서 일대기적 구성 방식에서 많이 벗어나 전우치가 도술을 부리며 일으킨 사건과 행적들을 삽화적으로 나열하는 구성을 취하고 있다. 온갖 도술로 악한 벼슬아치나 타락한 중에게 벌을 주고, 임금과 조정을 희롱하는 한편 어려움에 처한 백성들을 도와주는 것이 「홍길동전」과 유사하다. 이에 「전우치전」이 「홍길동전」의 영향 아래 성립된 것으로 보고 주제의 측면에서 두 작품을 현실의 모순에 대한 비판 의식을 담은 사회 소설로 분류하기도 한다.

• **주제**: 당대 지배층에 대한 비판과 전우치의 영웅적 활약상

• **줄거리**: 천상 선동이었던 전우치는 고려 말 처사 전현화와 최씨 부인 사이에서 태어나 지상에 내려온다. 전우치는 여자로 변신한 여우에게서 호정(여우의 넋이 담긴 구슬)을 받아먹고 천문과 지리에 통달하고, 세금사에서 만난 구미호를 징치하여 천서(天書)를 얻어 온갖 술법과 조화를 부릴 수 있게 된다. 전우치는 도술을 부려 임금을 희롱하고 악한 벼슬아치와 염준 같은 도적의 무리를 혼내 주기도 하는 한편 사방을 돌아다니며 곤경에 처한 백성들을 도와준다. 나라에 공을 세워 벼슬을 얻기도 하였으나 역모 혐의를 받게 되자 조정에서 도망쳐 나온다. 상사병이 든 친한 벗을 위해 상대 여자를 도술로 현혹하다가 강림 도령에게 훈계를 받고, 서화담과의 도술 대결에서 굴복한 후 서화담을 따라 신선의 도를 닦기 위해 영주산으로 가게 된다.

• **특징**
 – 실제 인물의 내력이 전설을 거쳐 소설화됨
 – 모순된 사회 현실을 반영함
 – 주인공의 가계나 출생, 자손에 대한 서술이 드러나지 않음

19

◇ [독해(비문학) – 일반 추론 긍정 발문]

답 ① '특징점'은 디지털 영상 안정화(DIS) 기술과 관련한 개념이다. 특징점은 '주위와 밝기가 뚜렷이 구별되며', '밝기 차이가 유지되는 부분'이 선택된다. 따라서 특징점으로 선택되는 점들과 주위 점들의 밝기 차이가 ㉠ 클수록 특징점의 위치 추정이 유리하다. 또한 영상이 흔들리기 전의 밝기 차이와 후의 밝기 차이 변화가 ㉡ 작을수록 특징점의 위치 추정이 유리하다. 한편 '특징점의 수가 늘어날수록 연산이 더 오래 걸리므로' 특징점들이 많을수록 보정에 필요한 ㉢ 시간은 늘어난다.

⊞ 오답정리
②, ④ 특징점들의 수와 보정에 필요한 프레임의 수는 관련이 없다. 따라서 특징점들이 많아지더라도 보정에 필요한 프레임 수는 늘어나지 않는다.

20

◇ [독해(문학) – 현대 산문의 형식 이해]

답 ② 인물이 과거 회상을 하는 부분은 나타나지 않는다. 또한 청년의 위압적인 태도로 인해 청년과 이발소 안의 사람들 사이에 갈등이 발생하고 있으므로 적절하지 않은 설명이다.

⊞ 오답정리
① '검초록색 잠바', '깜장색 바지', '깜장 모자', '얼굴색도 까무잡잡하다.', '앞니에 금니' 등의 표현에서 알 수 있듯이 청년의 겉모습을 색채 이미지를 통해 묘사하고 있다.
③ 손님들이 청년을 거울로 '힐끗' 쳐다보다가, 눈이 마주칠 듯하자 '급하게' 외면을 한다거나, 두 소년이 '우르르' 머리를 내밀고 구경을 하고, 민 씨와 김 씨도 몸체만을 '엉거주춤히' 돌린다고 묘사하는 부분에서 다양한 부사어가 사용되고 있다. 또한 '펑퍼짐하게' 누워 있던 이발소 기구들도 '삐죽삐죽' 일어서진 것 같다는 서술에서도 부사어가 쓰이고 있다. 이를 통해 청년이 등장한 이후 이발소의 모습을 현장감 있게 서술하고 있음을 알 수 있다.
④ 늦은 오후 한 이발소에 들어온 '청년'의 등장으로 '기운 오후의 느슨느슨한 분위기에 잠겨 있던 이발소 안이 갑자기 써늘해졌다.'고 서술되어 있다. 이러한 변화를 인물들의 행동을 묘사하거나, 대화를 인용하여 구체적으로 드러내면서 긴장감을 조성하고 있다.

✦ 작품정리 이호철, 〈1965년, 어느 이발소에서〉

• 해제 : 1966년 「창작과 비평」 창간호에 실린 소설로, 5·16 이후 한국 사회를 지배해 온 권력의 실체가 무엇인지를 느끼게 해 주는 작품이다. 폭력을 앞세우며 공포 분위기를 양산하던 당대의 사회·정치적 모순을 비꼬고 있다. 작가는 5·16 이후 한국 사회를 지배해 온 권력의 실체와 성격, 그러한 권력에 굴복하고 마는 대부분의 소시민의 태도를 '이발소'라는 일상의 평범한 공간에서 벌어진 에피소드를 통해 고발하고 있다. 두 청년의 외양에서 다른 사람들이 권력의 냄새를 맡고 자진해서 그에 굴복하는 양상을 담담하면서도 예리하게 형상화하고 있다.
• 주제 : 서민들의 일상에 투영된 권력의 부조리한 양상
• 전체 줄거리 : 나른한 오후 이발소에 한 청년이 들어선다. 청년은 강압적인 목소리로 다짜고짜 빨리 되느냐고 묻고, 이발소 분위기는 일시에 긴장감으로 가득해진다. 병역 기피자인 박 씨를 비롯한 손님들은 다들 겁을 먹고 눈길을 피한다. 청년은 이발소 주인에게 호통을 치기도 하고 직원들과 손님들에게 겁을 준다. 동료인 듯한 청년이 들어오자 두 명의 청년은 빨갱이, 간첩, 베트남 등의 이야기를 이어 나가며 긴장된 분위기를 조성하고, 손님들은 이발이 끝나기가 무섭게 이발소를 도망치듯 나간다. 마침 들어온 교통순경 또한 망신을 당하고 나간 후, 이발소 안은 잠시 정적에 빠진다. 어느새 나갔던 늙은이가 사복 차림의 경찰을 데려와 두 사내는 불심 검문을 당하지만, 관명 사칭도 하지 않았고 이렇다 할 월권도 한 것이 없어 연행되었다가 곧 석방이 된다.

제4회 모의고사 정답 및 해설

☑ 제4회 모의고사 정답

01 ④	02 ②	03 ④	04 ③	05 ①
06 ④	07 ②	08 ③	09 ①	10 ②
11 ④	12 ③	13 ①	14 ②	15 ④
16 ③	17 ①	18 ②	19 ①	20 ③

01

◇ [이론 문법 – 언어와 국어 – 국어의 특질]

답 ④ 국어의 자음은 소리를 내는 방법에 따라 파열음, 마찰음, 파찰음, 비음, 유음으로 나뉜다. 파열음(ㄱ, ㄲ, ㅋ/ㄷ, ㄸ, ㅌ/ㅂ, ㅃ, ㅍ)이나 파찰음(ㅈ, ㅉ, ㅊ)은 예사소리, 된소리, 거센소리의 삼지적 상관속의 3항 대립을 보인다.

▨ 오답정리

① 국어의 기본 어순은 주어, 목적어, 서술어지만, 문장 성분들은 문장 안에서 비교적 자유롭게 이동할 수 있다. 이때 기본 어순이란 절대적으로 고정된 문장 성분들의 순서가 아니라 상대적인 순서를 뜻하는 것이므로 기본 어순이 고정되어 있다는 것은 잘못된 설명이다.

② 단어의 첫머리에는 자음이 하나 오거나, 모음으로 시작하는 경우에는 'ㅇ'으로 표기를 한다. 'ㄲ, ㄸ, ㅃ, ㅆ, ㅉ'과 같은 쌍자음은 자음 2개로 인식하지 않고 하나의 자음으로 인식한다. '둘 이상의 자음'은 겹받침을 이르는 말로, 어두에는 쓰이지 않는다. 과거에는 어두에 둘 이상의 자음이 오는 경우(어두자음군)가 있었지만 현대에는 어두에 둘 이상의 자음이 오는 경우는 없다.

③ 국어는 형태상 교착어(=첨가어, 부착어)의 성질을 가지고 있어, 실질 형태소에 조사와 어미 같은 형식 형태소를 붙여 단어를 파생시키거나 문법적 관계를 나타낼 수 있다. 교착어와 반대되는 성질을 가진 굴절어는 단어 자체에 형태 변화를 일으켜 단어의 형태로 문법적 관계를 알 수 있다. 이처럼 국어는 굴절어가 아닌 교착어적 특징을 지니고 있으므로 잘못된 설명이다.

✦ 세상 어디에도 없는 추가해설

1. 국어의 음운론적 특질
   (1) 자음 중 파열음 계열은 '예사소리[平音] – 된소리[硬音] – 거센소리[激音]'가 서로 대립한다.
      예 ㅂ,ㅃ,ㅍ / ㄱ,ㄲ,ㅋ
   (2) 다른 언어에 비해 마찰음이 적다.
      ㅅ/ㅆ/ㅎ
   (3) 어두에 둘 이상의 자음(어두자음군)이나 특정 소리가 오지 못하는 제약이 있다.
      두음 법칙
      예 도로(道路)/노상(路上), 자녀(子女)/여자(女子)
   (4) 음절 끝 위치에서 자음이 7개의 대표음(ㄱ, ㄴ, ㄷ, ㄹ, ㅁ, ㅂ, ㅇ)으로만 발음된다.
      음절의 끝소리 규칙 예 밭[받], 닭[닥]
   (5) 다른 언어에 비해 단모음이 많은 편이다.
      ㅏ, ㅐ, ㅓ, ㅔ, ㅗ, ㅚ, ㅜ, ㅟ, ㅡ, ㅣ(10개)
   (6) 모음조화 현상(양성 모음 'ㅏ, ㅗ'끼리, 음성 모음 'ㅓ, ㅜ'끼리 어울리는 현상)이 있다. 예 졸졸 : 줄줄, 잡아 : 접어

2. 국어의 형태론적 특질
   (1) 국어의 어휘는 크게 고유어, 한자어, 외래어로 나뉜다.
   (2) 한자어가 차지하는 비중이 높다. → 우리말 단어의 57%
   (3) 색채어를 비롯, 감각어가 다양하다.
      예 노랗다, 노르께하다, 노르스름하다 등
      ➜ 감각어가 비유적 표현으로도 전용되어 쓰이기도 한다.
         예 새빨간(터무니없는) 거짓말
   (4) 의성어, 의태어 등의 상징어가 발달했다.
      예 멍멍, 꼬끼오, 따르릉 / 보글보글, 졸졸 등
   (5) 친족 관계 어휘가 다양하다.
      예 백부, 숙부, 왕고모, 가친, 선친 등
   (6) 단어에 성(性)과 수의 구별이 없다.
   (7) 관사·관계 대명사·전치사가 없다.
   (8) 합성어, 파생어 등 단어 형성법이 발달하였다.

3. 국어의 통사론적 특질
   (1) 국어는 첨가어(교착어)로, 문법적 기능을 하는 조사와 어미가 발달하였다.
   (2) 담화에서 문장 성분(특히 조사와 주어)을 생략하는 일이 많다.
   (3) 주어－목적어－서술어의 어순으로 서술어가 문장의 끝에 온다.
      미괄형 구조
   (4) 어순이 비교적 자유로운 편이다.
   (5) 수식어가 피수식어의 앞에 온다.
      예 하얀 눈꽃, 매우 빠르다.
   (6) 겹문장의 경우 주어가 잇달아 나타날 수 있다.
   (7) 상하 관계를 중시하던 사회 구조로 인해 높임법이 발달했다.

02

◇ [이론 문법 – 혼동 어휘]

답 ② '쓰레기를 못 본 <u>체</u>하며 고개를 돌렸다.'는 쓰레기를 보았음에도 보지 못한 것처럼 거짓 태도를 취했다는 뜻이므로 '체'의 쓰임이 적절하다.

오답정리

① '고기를 그릇 <u>채</u> 오븐에서 구워 내었다.'는 고기를 그릇에 담은 그대로 오븐에 구웠다는 뜻이므로 밑줄 친 부분은 ㉠이 아니라 ㉢을 써야 한다. 즉, 어근 '그릇'과 접미사 '-째'가 결합하여 '내용물이 담겨진 그릇까지 모두'라는 의미를 지닌 파생 명사 '그릇째'로 쓰는 것이 적절하다.

③ '철도가 폭설로 며칠<u>째</u> 운행하지 않고 있다.'는 철도가 며칠 동안 운행하지 않고 있다는 뜻이므로 '동안'의 뜻을 더하는 접미사 '-째'가 쓰여야 한다. 이는 ㉢에 해당되지 않는 경우이므로 적절하지 않다.

④ '뒷짐을 진 체 마당을 잠시 걸어 다녔다.'는 뒷짐을 진 상태 그대로 마당을 걸었다는 뜻이므로 ㉢이 아니라 ㉠을 사용하여 '뒷짐을 진 <u>채</u>로'라고 쓰는 것이 적절하다.

03

◇ [이론 문법 – 통사론 – 시제]

답 ④ '명절이라 문을 <u>닫은</u> 가게가 많이 보였다.'에서 주문장의 사건시는 과거시제 선어말 어미 '-었-'이 쓰였으므로 절대시제는 과거이다. 상대시제를 살펴보면 동사 어간 '닫-'에 과거를 나타내는 관형사형 전성어미 '-은'이 쓰였으므로 밑줄 친 부분의 상대시제 역시 과거이다.

오답정리

① '동생은 내가 <u>읽는</u> 책을 가져갔다.'에서 주문장의 사건시는 과거시제 선어말 어미 '-았-'이 쓰였으므로 절대시제는 과거이다. 상대시제를 살펴보면 동사 어간 '읽-'에 현재를 나타내는 관형사형 전성어미 '-는'이 쓰였으므로 밑줄 친 부분의 상대시제는 현재이다.

② '조용히 <u>공부하는</u> 사람은 선물을 주겠다.'에서 주문장의 사건시는 미래시제 선어말 어미 '-겠-'이 쓰였으므로 절대시제는 미래이다. 상대시제를 살펴보면 동사 어간 '공부하-'에 현재를 나타내는 관형사형 전성어미 '-는'이 쓰였으므로 밑줄 친 부분의 상대시제는 현재이다.

③ '어린 시절의 <u>명랑한</u> 목소리가 많이 달라졌다.'에서 주문장의 사건시는 과거시제 선어말 어미 '-었-'이 쓰였으므로 절대시제는 과거이다. 상대시제를 살펴보면 형용사 어간 '명랑하-'에 현재를 나타내는 관형사형 전성어미 '-ㄴ'이 쓰였으므로 밑줄 친 부분의 상대시제는 현재이다.

✦ 세상 어디에도 없는 추가해설

1. 절대 시제	
개념	말하는 시점(발화시)을 기준으로 결정되는 시제
실현 방법	선어말 어미를 통해 실현됨. 문장의 끝! 예 형이 내가 읽는 책을 빼앗<u>았다.</u> 　　　　　　　　　　　　　　(과거)

2. 상대 시제	
개념	사건이 일어난 시점(사건시)을 기준으로 결정되는 시제
실현 방법	관형사형과 연결형을 통해 표현됨. 문장의 가운데! 예 형이 내가 <u>읽는</u> 책을 빼앗았다. 　　　　　　(현재) 형이 내가 <u>읽은</u> 책을 빼앗았다. 　　　　　(과거) 형이 내가 <u>읽던</u> 책을 빼앗는다. 　　　　　(과거)

04

◇ [어문규정 – 표준 발음법]

답 ③ 제시된 단어 중 표준 발음법에 맞지 않는 것은 '한강[항 : 강]', '급행열차[그팽열차]', '스물여섯[스물려섯]', '늑막염[능망염]으로 모두 4개이다.

첫째, '한강'은 표준 발음법에 해당하는 음운의 변동이 일어나지 않는 단어로 표기 그대로 [한 : 강]으로 발음해야 한다. [항강]은 첫째 음절의 받침 'ㄴ'이 둘째 음절 초성 'ㄱ'의 조음 위치에 동화된 현상으로 표준 발음법에는 맞지 않는 발음이다.

둘째, '급행열차'의 '급행'은 거센소리되기에 따라 'ㅂ'과 'ㅎ'이 만나 'ㅍ'으로 발음된다. 또한 이 단어는 합성어로, 표준 발음법 제29항의 사잇소리 현상에 따라 앞 단어(급행)의 받침이 자음이고 뒤 단어(열차)가 '이, 야, 여, 요, 유'로 시작하므로 그 사이에 'ㄴ' 소리를 첨가하여 [니, 냐, 녀, 뇨, 뉴]로 발음하기 때문에 [그팽녈차]라고 발음해야 한다.

셋째, '늑막염'에서 '늑막'은 비음 'ㅁ'의 영향을 받아 앞의 'ㄱ'이 역행 비음화되어 'ㅇ'으로 발음된다. 따라서 '늑막'은 [능막]으로 발음된다. '늑막염'은 합성어로 표준 발음법 제29항에 따라 '늑막'과 '염' 사이에 'ㄴ' 소리가 첨가되어 [능막념]으로 발음된다. 또한 첨가된 'ㄴ(비음)'에 의해 앞 음절 받침 'ㄱ'이 비음화되어 [능망념]으로 발음해야 한다.

넷째, '스물여섯' 역시 합성어로 표준 발음법 제29항의 사잇소리 현상에 따라 '스물'과 '여섯' 사이에 'ㄴ' 소리가 첨가되고, 이는 앞말 받침 'ㄹ'의 영향을 받아 유음화가 일어난다.

또한 '여섯'의 'ㅅ' 받침은 음절의 끝소리 규칙에 따라 'ㄷ'으로 발음되어 [스물려선]으로 발음해야 한다.

> **⊞ 오답정리**
>
> 한편, '금융'은 표준 발음법 제29항의 "다만, 'ㄴ' 소리를 첨가하여 발음하되, 표기대로 발음할 수 있다."에 의해 [금늉/그뮹]으로 발음된다.
> '보름달'은 표준 발음법 제28항 "표기상으로는 사이시옷이 없더라도, 관형격 기능을 지니는 사이시옷이 있어야 할 합성어의 경우에는 뒤 단어의 첫소리 'ㄱ, ㄷ, ㅂ, ㅅ, ㅈ'을 된소리로 발음한다."에 의해 [보름딸]로 발음된다.
> '교과서'는 된소리되기가 일어나지 않는 단어이지만, [교:과서/교:꽈서] 모두 표준 발음으로 인정한다.
> '용산역'은 합성어로 표준 발음법 제29항의 사잇소리 현상에 따라 '용산'과 '역' 사이에 'ㄴ' 소리가 첨가되어 [용산녁]으로 발음된다.

05

◇ [어휘 – 한자성어]

답 ① '그 사나이는 주머니에서 금시계를 꺼내 보고'라는 부분을 통해 전당포 집의 둘째 아들인 사내가 부유함을 알 수 있다. 또한 밑줄 친 부분을 통해 그 시대가 정신적인 가치를 추구하는 '서정시인'조차도 물질적 욕망을 좇아 '황금광으로 나서는 때'라는 점을 알 수 있다. 따라서 이와 관련한 한자성어는 '돈을 최고의 가치로 여기고 숭배하여 삶의 목적을 돈 모으기에 두는 경향이나 태도'라는 뜻을 지닌 '拜金主義(배금주의)'이다.

拜 절 배, 金 쇠 금, 主 주인 주, 義 옳을 의

> **⊞ 오답정리**
>
> ② '太平聖代(태평성대)'는 '어진 임금이 잘 다스려 태평한 세상이나 시대'를 뜻하므로 밑줄 친 부분과 관련 있는 한자성어가 아니다.
>
> > 太 클 태, 平 평평할 평, 聖 성인 성, 代 대신할 대
>
> ③ '阿鼻叫喚(아비규환)'은 '여러 사람이 비참한 지경에 빠져 울부짖는 참상을 비유적으로 이르는 말'이므로 밑줄 친 부분과 관련 있는 한자성어가 아니다.
>
> > 阿 언덕 아, 鼻 코 비, 叫 부르짖을 규, 喚 부를 환
>
> ④ '金蘭之契(금란지계)'는 '친구 사이의 매우 두터운 정을 이르는 말'이므로 밑줄 친 부분과 관련 있는 한자성어가 아니다.
>
> > 金 쇠 금, 蘭 난초 란, 之 갈 지, 契 맺을 계

06

◇ [독해(작문) – 설득하는 글쓰기 전략]

답 ④ ㉢은 이중 부정이나 설의법 등의 표현 방식을 활용하여 설득 효과를 높이는 것이다. 그러나 선지의 둘째, 셋째 문장에서 문답법을 사용하여 플라스틱 폐기물 문제를 해결하기 위한 방안이 제시되고 있을 뿐이므로 적절하지 않은 선지이다.

> **⊞ 오답정리**
>
> ① '○○○ 교수 연구팀'의 연구 결과를 토대로 생산된 플라스틱의 90% 이상이 쓰레기로 존재한다는 사실을 통해 플라스틱 폐기물의 심각성을 객관적으로 보여주고 있다. 이는 ㉠의 이성적 설득 전략 중 '전문가 소견이나 객관적 자료 활용하기'에 해당하므로 적절한 선지이다.
> ② 플라스틱 쓰레기를 줄이는 노력에 대해 회의적인 시각을 제시하고, '작은 노력이 이를 방관하는 것보다는 환경에 도움이 된다.'고 하였다. 이는 ㉠의 이성적 설득 전략 중 '예상 반론을 언급하고 필자의 주장이 우위에 있음을 드러내기'에 해당하므로 적절한 선지이다.
> ③ 플라스틱 쓰레기로 인해 고통 받는 동물들의 모습을 본 경험이 있다면 '플라스틱의 사용과 폐기에 더욱 신중할 수밖에 없을 것이다.'라고 하였다. 이는 ㉡의 감성적 설득 전략 중 독자의 경험을 언급하기에 해당하므로 적절한 선지이다.

07

◇ [독해(화법) – 말하기 방식]

답 ② '학생 2'가 척추 건강에 대한 정보가 너무 어려운 것은 아니냐고 묻자, '학생 1'은 ㉡에서 기사와 TV 프로그램을 본 적이 있는데, 특별히 어렵지는 않았다고 말하고 있다. 이는 과거 경험을 바탕으로 우려를 표현하는 것이 아니라, 자신의 경험을 토대로 '학생 2'의 우려를 해소하고 있는 것이므로 적절하지 않은 설명이다.

> **⊞ 오답정리**
>
> ① '학생 1'은 ㉠에서 '척추 건강'을 교지에 실을 만한 글의 주제로 삼자고 의견을 제시하고 있다. 그리고 '근래에 교지에서 다룬 적이 없고, 수업 시간에 배우지도 않으니까 척추 건강에 대해 잘 모르는 학생들이 많을 거야.'라며 그 근거를 함께 제시하고 있으므로 적절한 설명이다.
> ③ '학생 1'이 글의 시작 부분에 대한 의견을 내자 '학생 2'가 ㉢에서 '그래'라고 대답하며 동의하고 있다. 또한 '그 다음에는 학생들의 생활 습관에 초점을 맞추어서 척추 질환의 원인을 설명하면 어떨까?'라며 추가 제안을 하고 있으므로 적절한 설명이다.
> ④ '학생 1'은 '학생 2'가 제안한 내용에 대해 ㉣에서 '학생들이 생활 습관을 점검하는 데 도움이 될 거'라고 하였다. 이는 '학생 2'의 제안이 지닌 효용성을 언급한 것이므로 적절한 설명이다.

08

◇ [독해(문학) – 고전 운문의 내용 이해]

답 ③ ⑩이 '임 향한 내 뜻을 조차 그칠 뉘를 모르나다'고 하였다. 이는 ⑩이 임을 향한 화자의 뜻(충신연주)을 따라 밤낮으로 흘러 그칠 줄을 모른다는 뜻이다. 따라서 ⑩은 유배지에서 고통 받는 화자를 위로해 주는 것이 아니라, 임금에 대한 화자의 변함없는 지조를 드러내고 있으므로 적절하지 않은 설명이다.

🔲 오답정리

① ㉠은 화자가 신하로서 마땅히 해야 할 일인 반면, ㉡은 화자가 부정적으로 인식하는 일이다. 따라서 화자는 ㉡보다 ㉠을 중시한다고 할 수 있다.

② 화자가 ㉢이 '망령된 줄' 알면서도, 자신의 마음이 어리석은 것도 '임 위한 탓'이라고 하였으므로, ㉢은 ㉣을 위한 마음에서 비롯된 것이라 할 수 있다.

④ ㉠, ㉢, ㉑은 모두 임금을 위한 신하의 충성심과 관련이 있는 '충신연주(忠臣戀主)나 우국의 심정'을 나타내는 것이므로 적절한 설명이다.

✦ 작품정리   윤선도, 〈견회요〉

- **해제**: 이 작품은 귀양지에서 부모와 임금을 그리워하는 마음을 아름다운 우리말로 형상화한 연시조로, 부모에 대한 효심과 임금에 대한 충성심을 동일시했던 사대부의 의식이 잘 드러나 있다. 작가인 윤선도가 광해군에게 권신인 이이첨의 횡포를 탄핵하는 상소를 올렸다가 벌을 받아 함경도 경원으로 유배되었을 때 지은 작품이다. 이 작품에는 나라와 임금을 근심하고 어버이를 그리워하는 절절한 심정이 드러나 있다. 제목인 '견회요'는 '시름을 달래는 노래'라는 의미로 볼 수 있다. 당대의 권력자를 탄핵하던 젊은 윤선도의 강직한 성격과 신념, 불의와 타협할 줄 모르는 태도를 엿볼 수 있다.
- **주제**: 연군, 우국지정, 사친(思親)
- **구성**
  제1수 – 어떤 일이 있어도 자신의 신념에 맞게 살아가겠다는 강직한 태도
  제2수 – 임금의 현명한 판단을 갈구한다는 결백한 마음의 호소
  제3수 – 임금을 향한 변함없는 충성의 마음
  제4수 – 어버이를 그리는 정
  제5수 – 어버이를 그리는 효와 임금을 섬기는 충은 일치한다는 깨달음
- **특징**
  – 작가의 강직한 삶의 태도가 잘 드러남.
  – 감정이입을 통해 화자의 정서를 드러냄.
  – 대구법, 반복법을 통해 형식적 운율과 주제적 의미를 동시에 강조함.

09

◇ [독해(작문) – 고쳐쓰기]

답 ① 초고에서 '세금을 과도하게 부과하여~'라고 표현한 부분은 고쳐 쓴 글에서 '이렇게 성장하는 게임 산업에 세금을 과도하게 부과하여~'로 수정되었다. 이는 앞 문장에 추가된 통계청의 자료와의 연결이 긴밀해지도록 부사절을 추가한 것이므로 접속어를 추가한다는 전략이 반영되었다고 볼 수 없다.

🔲 오답정리

② 초고에는 '우리나라의 게임 산업은 빠르게 발전해 국가 경제에 기여해 왔다.'는 내용을 뒷받침 하는 자료가 제시되고 있지 않다. 그러나 고쳐 쓴 글에서는 '통계청의 자료에 의하면 2010년 7.4조 원이었던 국내 게임 산업 규모가 2019년에는 12.5조 원에 달한다.'는 문장이 추가되었다. 따라서 고쳐 쓸 때 내용을 뒷받침하는 구체적인 통계자료를 제시한다는 전략이 사용된 것이다.

③ 초고의 셋째 문장인 '과거에는 사람들이 게임을 하는 데서 즐거움을 찾았으나 이제는 게임을 하는 것을 보고 공유하는 데서 즐거움을 찾고 있다.'는 문장은 글의 흐름에서 벗어나는 문장이다. 이 문장은 '고쳐 쓴 글'에는 삭제되어 있으므로 글의 흐름에서 벗어나는 문장을 삭제한다는 전략이 사용된 것이다.

④ 초고에는 필자의 주장을 명료하게 드러내는 문장이 없다. 그러나 고쳐 쓴 글에는 '게임 중독세의 도입으로 게임 산업이 퇴보하는 일이 없기를 바란다.'는 문장을 추가하여 글을 마무리하고 있으므로 해당 전략이 사용되었음을 알 수 있다.

10

◇ [이론 문법 – 의미론 – 어휘의 의미 관계]

답 ② ㉠의 '먹다'는 '일정한 나이에 이르거나 나이를 더하다.'라는 의미이다. 그리고 ㉡의 '먹다'는 '남의 재물을 다루거나 맡은 사람이 그 재물을 부당하게 자기의 것으로 만들다.'라는 의미이다. 두 예문의 '먹다'는 중심의미인 '(목적어를) 자기의 것으로 취한다.'는 점에서 의미의 연관성을 가지므로 다의 관계이다. 한편 '세탁한 옷을 옷걸이에 걸었다.'에서 '걸다'는 '벽이나 못 따위에 어떤 물체를 떨어지지 않도록 매달아 올려놓다.'의 뜻을 나타낸다. 또한 '정문에 새 자물쇠를 걸어 두었다.'의 '걸다'는 '자물쇠, 문고리를 채우거나 빗장을 지

르다.'의 뜻을 나타낸다. 첫째 예문의 중심의미로부터 둘째 예문의 의미가 확대된 것으로 두 예문의 '걸다'는 다의 관계에 해당한다.

⊞ 오답정리

① '그 글에는 이런 내용이 들어 있다.'에서 '들다'는 '안에 담기거나 그 일부를 이루다.'의 뜻을 가지고 있다. 그리고 '그는 차표를 손에 들고 있었다.'에서 '들다'는 '손에 가지다.'의 뜻을 가지고 있다. 이처럼 두 예문의 '쓰다'는 의미상 연관성이 없으므로 동음이의 관계에 있다.

③ '침대를 옮기면서 오랜만에 힘을 썼다.'에서 '쓰다'는 '힘이나 노력 따위를 들이다.'의 뜻을 가지고 있다. 그리고 '새로 산 모자를 쓰고 여행을 갔다.'에서 '쓰다'는 '모자 따위를 머리에 얹어 덮다.'의 뜻을 가지고 있다. 두 예문의 '쓰다'는 의미상 연관성이 없으므로 동음이의 관계에 있다.

④ '공부가 안돼서 잠깐 쉬고 있다.'와 '몸살을 앓더니 얼굴이 많이 안됐구나.'의 '안되다'는 사전에 아예 따로 등재된 동음이의어이다. '공부가 안돼서'의 '안되다'는 '일, 현상, 물건 따위가 좋게 이루어지지 않다.'의 뜻을 가지고 있다. 하지만 '얼굴이 많이 안됐구나.'의 '안되다'는 【…이】 근심이나 병 따위로 얼굴이 많이 상하다.'의 뜻을 가지고 있는 형용사이다. 따라서 두 예문의 '안되다'는 동음이의 관계에 있다.

✦ 세상 어디에도 없는 추가해설

동음 이의어	단어의 소리가 우연히 같을 뿐 의미의 유사성은 없는 관계를 말하며, 이러한 단어들을 '동음이의어'라고 한다. 사전에서는 동음이의어를 서로 독립된 별개의 단어로 취급한다.	• 다리 1 「1」 사람이나 동물의 몸통 아래 붙어 있는 신체의 부분. 서고 걷고 뛰는 일 따위를 맡아 한다. 예 <u>다리</u>가 굵다. <u>다리</u>를 다치다. • 다리 2 「1」 물을 건너거나 또는 한편의 높은 곳에서 다른 편의 높은 곳으로 건너다닐 수 있도록 만든 시설물 예 <u>다리</u>를 건너다. <u>다리</u>를 세우다.
다의어	하나의 단어가 두 가지 이상의 의미를 갖는 단어들의 관계를 말하며, 이들 다의어는 단어가 가지는 의미들 사이에 유사성이 있다. '다리'는 원래 '사람이나 짐승의 몸통 아래에 붙어서 몸을 받치며 서거나 걷거나 뛰게 하는 부분'을	• 다리 1 「1」 사람이나 동물의 몸통 아래 붙어 있는 신체의 부분. 서고 걷고 뛰는 일 따위를 맡아 한다. 늑각. 예 <u>다리</u>를 다치다. <u>다리</u>에 쥐가 나다. 「2」 물체의 아래쪽에 붙어서 그 물체를 받치거나 직접 땅에 닿지 아니하게 하거나 높이 있도록 버티어 놓은 부분 예 책상 <u>다리</u>

가리키지만, '책상 다리', '지겟다리'처럼 '물건의 하체 부분'을 가리키기도 하는데, 이러한 단어를 다의어라고 한다.

다의어의 의미들 중에는 기본적인 '중심 의미'와 확장된 '주변 의미'가 있다.

「3」 오징어나 문어 따위의 동물의 머리에 여러 개 달려 있어, 헤엄을 치거나 먹이를 잡거나 촉각을 가지는 기관
예 그는 술안주로 오징어 <u>다리</u>를 씹었다.

「4」 안경의 테에 붙어서 귀에 걸게 된 부분
예 <u>다리</u>가 부러진 안경

11

◇ [독해(비문학) – 배치]

답 ④ 제시된 문장은 역접의 의미를 나타내는 접속어 '하지만'을 사용하므로, 앞 문장에는 제시된 문장과 반대되는 내용이 와야 한다. ④의 앞 문장은 후각 혹은 촉각 수용기 등에서 감각 적응 현상이 일어난다는 내용이다. 또한 ④의 뒤에서는 인과 관계를 나타내는 접속어 '그래서'를 사용하여 우리 몸은 위험한 상황에 대응할 수 있게 된다고 하며 감각 적응 현상이 잘 일어나지 않는 것의 장점에 해당하는 내용을 제시하고 있다. 따라서 제시된 문장은 ④에 배치하는 것이 가장 적절하다.

⊞ 오답정리

① ①의 앞 문장에서는 통증을 유발하는 다양한 자극들을 열거하였다. 그리고 ①의 다음 문장에서 이를 가리키는 '이러한 자극'이 언급되고 있으므로 이 위치에는 다른 문장이 개입되기 어렵다.

② ②의 앞 문장에서는 자극을 받아들이는 '통각 수용기'의 기능이 제시되고, 다음 문장에서는 통각 수용기의 분포가 많으면 통증의 위치 파악이 쉽지만 이것이 적으면 파악하기 어렵다고 설명하였다. 두 문장 역시 내용상 긴밀한 관계를 맺고 있으므로 다른 내용이 들어가기 어렵다.

③ ③의 다음 문장에서 '후각 혹은 촉각 수용기'에서는 감각 적응 현상이 일어난다고 하였다. 제시된 문장은 이와 반대되는 내용이자 '하지만'이라는 역접의 접속어를 사용하고 있으므로 이 문장의 앞에 배치할 수 없다.

12

◇ [이론 문법 – 통사론 – 안긴문장]

답 ③ ㉠의 명사절 '장문을 읽기'는 뒤에 주격 조사 '가'와 결합하여 주어의 역할을 한다. ㉢의 경우 '달리기'에 목적격 조사 '를'이 결합하여 목적어의 역할을 하고 있다. 그러나 '달리기'는 명사절이 아니라 어근 '달리-'와 접미사 '-기'가 결합한 파생 명사이므로 적절하지 않은 설명이다.

⊞ 오답정리

① ㉠의 안긴문장은 '장문을 읽기'이고, 주어 이외에 목적어가 필요한 '읽다'라는 두 자리 서술어가 쓰였다. ㉢의 안긴문장은 '동생과는 다르게'이고, 주어 이외에 필수적 부사어가 필요한 '다르다'라는 두 자리 서술어가 쓰였다. 따라서 ㉠과 ㉢ 모두 안긴문장에 두 자리 서술어가 쓰이고 있으므로 적절한 설명이다.

② ㉠에는 '장문을 읽기'라는 명사절이 안긴문장으로 쓰였고, ㉢에는 '다리가 기린만큼 길다'라는 서술절이 안긴문장으로 쓰였으므로 적절한 설명이다.

④ ㉢에는 '동생과는 다르게'라는 부사절이 안긴문장으로 쓰였고, ㉢에는 '달리기를 잘하는'이라는 관형절이 안긴문장으로 쓰였으므로 적절한 설명이다.

✦ 세상 어디에도 없는 추가해설

1. 명사절을 안은 문장

개념	전체 문장 속에서 명사형 문장이 주어, 목적어, 보어, 부사어의 기능을 하는 문장이다. → 명사절의 문장 성분은 명사절 뒤에 붙은 격 조사에 의해 결정된다.	
특징	명사형 전성 어미 '음'이나 기'가 붙어 실현된다.	
예시	주어	[그가 범인임]이 밝혀졌다. ('이'=주격 조사)
	목적어	역공녀는 [공시생이 많이 오기]를 바란다. ('를'=목적격 조사)
	부사어	모두들 [역공녀가 미인임]에 놀랐다. ('에'=부사격 조사)

2. 관형절을 안은 문장

개념	전체 문장 속에서 관형사형 문장이 관형어의 기능을 하는 문장이다.	
특징	관형사형 전성 어미 ' –는, –ㄴ(은), –ㄹ(을), –던'	
종류	관계 관형절	관형절 내에 생략된 성분이 있음. 그건 [내가 먹은] 피자야. (피자를) 생략 [빨간] 장미가 한 송이 피었다. (장미가) 생략
	동격 관형절	관형절 내에 생략된 성분이 없음. [피아노 치는] 소리가 안 들렸음 좋겠다. 피아노 친다=소리 요즘 [역공녀가 데뷔했다는] 소문이 역공녀가 데뷔했다=소문 전국에 돌았다.

3. 부사절을 안은 문장

개념	전체 문장 속에서 부사형 문장이 부사어의 기능을 하는 문장이다.
특징	어미 '-게', '-도록', '-(아)서/-(어)서', '-듯이' 등
예시	민수는 [너가 예뻐서] 계속 웃었다. 비가 [소리도 없이] 내린다. 그는 [밤이 새도록] 공부에 전념했다.

4. 서술절을 안은 문장

개념	전체 문장 속에서 서술어의 기능을 하는 문장이다.
특징	서술절은 전성 어미가 붙지 않는다.
예시	토끼가 [귀가 길다.] 집이 [거실이 넓다.]

5. 인용절을 안은 문장

개념	다른 사람의 말을 인용하는 기능을 하는 문장이다.
특징	인용절은 전성 어미가 아니라 조사가 붙는다. 인용 부사격 조사 '라고', '고',
예시	그가 ["너가 제일 예뻐."]라고 했다. (직접 인용) 그가 [너가 제일 예쁘다]고 했다. (간접 인용)

13

◇ [독해(화법) – 듣기 전략]

답 ① 청자 1은 '종묘 제례악의 음양 조화'와 관련한 발표 내용 중에서 설명이 누락된 부분에 대해 비판하고 있다. 그리고 청자 2는 종묘 제례악과 문묘 제례악의 차이를 궁금해하고 있다. 두 청자 모두 발표 내용을 요약하고 있지 않으므로 적절하지 않은 설명이다.

▦ 오답정리

② 청자 2는 제례악 중에는 종묘 제례악 외에 문묘 제례악도 있다는 것을 알고 있다고 했다. 이는 자신의 배경지식을 활성화하여 발표 내용인 종묘 제례악과 관련 있는 문묘 제례악을 떠올린 것이므로 적절한 내용이다.

③ 청자 1은 악기의 종류에 따라, 또 무인의 역할에 따라 음과 양을 상징하는 이유가 누락된 것에 대해 아쉬움을 표현하고 있으므로 적절한 내용이다.

④ 청자 1은 악기와 무인이 음과 양을 상징하는 이유를, 청자 2는 종묘 제례악과 문묘 제례악의 차이에 대해 궁금해하며 이 내용을 조사하고자 하였으므로 적절한 내용이다.

14

◇ [독해(문학) – 현대 산문의 형식 이해]

답 ② 이 작품의 서술자는 작품의 외부에서 중심인물인 '칠복'을 둘러싼 사건과 그의 과거 및 심리까지 서술하고 있으므로 전지적 작가 시점에 해당한다. 서술자가 자신의 심리를 서술하는 것은 일인칭 주인공 시점이므로 적절하지 않다.

▦ 오답정리

① 첫째 문단은 인물이 고향을 떠나기 전 방울재의 마지막 장승제를 회상하는 장면이다. 회상 장면이 서술됨으로써 현재 진행되고 있는 '칠보증권 옥상'에서의 서사 진행은 지연된다.

③ '덩실덩실', '휘휘휘', '쫑긋쫑긋', '까강깡깡', '덩더꿍덩더꿍' 등 다양한 음성 상징어를 사용하여 해당 장면의 생동감을 더해주고 있다.

④ 넷째 문단의 마지막 문장에서 '그가 징채를 휘두르는 순간에는 뿔뿔이 흩어져 버린 고향 사람들의 얼굴이 하나씩 되살아나 그와 함께 겅중거리는 모습이 보였다.'고 했다. 그리고 이어지는 문단에서 칠복이 '상쇠잡이 장말짼', '장고잡이 김칠덕', '대포수 최팔만' 등 고향을 떠나며 함께 제사를 올렸던 고향 사람들의 환영을 생생하게 묘사하고 있다.

✦ 작품정리   문순태, 〈징소리〉

• **해제**: 이 작품은 1970년대부터 본격화된 농촌의 붕괴와 도시 빈민 문제를 정면으로 다룬 사회소설로서 우리의 전통적 정서인 한(恨)이 현대 사회에서 어떤 모습으로 변용되어 나타나는가를 진지하게 모색하고 있다. 장성댐의 축조로 인해 수몰된 마을을 배경으로 실향민들이 겪는 고향 상실의 아픔과 고향을 찾으려는 몸부림을 형상화하고 있다. 작가는 이 작품을 시작으로 약 2년에 걸쳐 '저녁 징소리', '말하는 징 소리', '마지막 징 소리', '무서운 징 소리'로 이어지는 연작을 발표하였다. 작품에서 장성댐의 건설은 고향 상실의 직접적 원인이며, 동시에 물질적 가치로 인한 전통적 삶의 붕괴를 가져오는 원인이다. 갑자기 수몰 지구로 변한 고향을 떠나 고달픈 도시 생활을 하는 사람들, 귀향하여 살아가는 사람들의 모습을 통해 작가는 산업화가 지닌 강제성과 폭력성, 산업화의 이면에서 희생당하는 농촌 빈민들의 삶과 한을 예리하고 사실적으로 그려 내고 있다.

• **주제**: 산업화 과정에서 소외된 농촌과 농촌 출신 도시 빈민들의 고달픈 삶

• **구성**

발단 – 장성호 주변에서 칠복이 징을 치다가 낚시꾼들에게 구타당함.

전개 – 정당한 보상도 못 받고 광주시 판자촌으로 밀려 난 칠복의 과거 회상

위기 – 순덕의 불륜과 가출. 칠복 부녀의 귀향

절정 – 마을 사람들이 공모하여 칠복을 내쫓아버림.

결말 – 마을 사람들은 빗소리에 뒤섞인 징 소리를 들으며 칠복의 한에 몸을 떪.

• **특징**

– 상징적 소재를 사용하여 주제의식을 형상화함.

– 현재와 과거의 시점을 교차하는 전개 방식이 나타남.

– 등장인물들을 통해 근대화, 도시화의 폭력성을 우회적으로 비판함.

15

◇ [독해(문학) – 현대 운문의 형식 이해]

🔟 ④ 3연의 '너에게서…'와 5연의 '나의 고단한 꿈을 한때나마 쉬어 가리니…'에서 말줄임표를 사용하여 여운을 형성하고 있다. 그러나 이를 통해 시적 화자의 내적 고뇌를 나타내고 있지는 않으므로 적절하지 않은 설명이다.

▣ 오답정리

① 1연에서 '그늘'이 곧 '밝음'이라고 하고, '기쁠 때는 눈물에 젖는다.'라는 역설적 인식을 보여 주고 있다. 이를 통하여 그늘이 밝음의 이미지와 분리된 것이 아니라, 오히려 밝음을 잘 드러냄으로써 신록의 아름다움을 돋보이게 한다는 시적 의미를 강조한다.

② '그늘'을 의인화하여 '너'라고 호명하고 있으며, '그늘'에게 말을 건네는 방식을 사용하고 있으므로 적절한 설명이다.

③ '그늘'이라는 시어를 반복하여 '그늘'이 '밝음'과 대립하지 않고, '밝음'을 더욱 환하게 드러나도록 만들어 주는 존재라는 의미를 강조하고, 반복을 통해 운율을 형성하고 있으므로 적절한 설명이다.

◆ 작품정리 김현승, 〈오월의 환희〉

- **해제** : 이 작품은 오월의 신록의 아름다움을 '그늘'의 이미지를 통해 전달하고 있다. 작품 속에서 그늘은 실상은 밝음의 이미지와 분리된 것이 아니며, 오히려 밝음을 더 잘 드러내고 있다. 신의 은총인 밝음과 빛은 그늘에 가득히 차고도 오히려 남음이 있을 정도로 충만한 상태이다. 신록의 아름다움이 있는 공간인 이깔나무 그늘 아래에서 화자는 고단한 삶의 여정을 멈추고 한때나마 쉬어 가겠다고 말하고 있다.
- **주제** : 오월의 그늘에서 느끼는 삶의 위안과 위로
- **구성**
  1연 – 밝음과 하나인 그늘
  2연 – 밝음을 돋보이게 하는 그늘
  3연 – 밝음을 다 채우고도 남는 그늘
  4-5연 – 휴식처가 되어주는 그늘
- **특징**
  – 그늘과 밝음이 다르지 않다고 보는 역설적 인식이 드러남.
  – 친근하게 말을 건네는 말투로 독자와의 거리를 좁힘.
  – '그늘'이라는 시어를 반복하여 운율을 형성하고 의미를 강조함.
  – 말줄임표를 사용하여 여운을 형성함.
  – 자연을 의인화하여 표현

16

◇ [독해(비문학) – 전개 방식]

🔟 ③ 3문단에서 "진정 소급 입법은 소급 입법을 예상할 수 있었거나 기존 법적 상태에 대한 신뢰를 통해 얻을 수 있는 이익이 적은 경우, 중대한 공익상의 사유가 있는 경우에는 예외적으로 가능하다."라고 언급되어 있다. 따라서 진정 소급 입법은 소급 입법을 예상할 수 있는 있었던 경우에 적용되어 공익적 중대성을 적용의 중요한 기준으로 본다는 ③은 옳은 선택지이다.

▣ 오답정리

① 첫째 문단의 끝 문장에서 '소급 입법에는 사실 관계가 규명되기 위해 시간의 경과가 필요하거나 법률관계가 종료되기 전인 경우에 이루어지는 '부진정 소급 입법'이라고 언급되어 있다. 즉, 부진정 소급 입법은 법률관계가 종료되기 전에 이루어지는 것이며, 새로운 법의 효력이 소급 적용되는 것이다.

② 둘째 문단의 첫 문장에서 '부진정 소급 입법은 법질서에 대한 신뢰 보호, 법적 안정성을 크게 해친다고 볼 수 없어 허용된다.'라고 나오므로 ②는 옳지 않다.

④ 법의 효력이 만들어진 이후의 사건에만 적용해야 한다는 원칙은 '법률 불소급의 원칙'인데, 뒤에 '예외적으로 소급 입법과 적용이 허용된다.'고 나와 있다.

17

◇ [독해(비문학) – 내용 확인 부정 발문]

🔟 ① 컴퓨터에서 양의 정수와 음의 정수를 표현할 때, 가장 왼쪽 자리인 최상위 비트를 사용한다고 하였다. 양수를 나타낼 때 이를 0으로 표시하고, 음수를 나타낼 때는 1로 표시한다고 하였다. 그러나 음수를 나타낼 때 최상위 비트를 1로 표시하도록 정한 이유는 밝히고 있지 않으므로 이는 지문에서 찾을 수 있는 정보가 아니다.

▣ 오답정리

② 마지막 문장을 통해 부호화 절댓값에서 표현의 일관성과 저장 공간의 효율성이 떨어지는 이유가 '0이 0000 또는 1000이라는 두 가지 방식으로 표현'되기 때문이라는 것을 알 수 있다.

③ 첫째 문장에서 '컴퓨터는 0 또는 1로 표시되는 비트를 최소 단위로 사용해 데이터를 표시한다.'는 내용을 통해 0과 1이 컴퓨터에서 데이터를 표시하는 최소 단위임을 알 수 있다.

④ 부호화 절댓값에서는 1워드를 초과하는 오버플로를 처리하는 별도의 규칙이 없기 때문에 계산한 값이 부정확하다고 밝히고 있다.

18

◇ [독해(비문학) – 한자 어휘]

답 ② '내포(內包)하다'는 '어떤 성질이나 뜻 따위를 속에 품다.'라는 의미를 지니고 있다. 유의어로는 '어떤 내용이나 사상을 그림, 글, 말, 표정 따위 속에 포함하거나 반영하다.'는 뜻의 '담다'가 있다. 따라서 ⓒ은 한자 표기와 유의어 모두 적절하다.

內 안 내, 包 감쌀 포

> **⊞ 오답정리**
>
> ① '기인(起因)하다'는 '어떠한 것에 원인을 두다.'라는 의미를 지니고 있다. 유의어로는 '어떤 현상이나 사물 따위가 원인이나 이유가 되다.'라는 뜻의 '말미암다'가 있다. ㉠의 유의어는 적절하지만, '起(일어날 기)'를 '欺(속일 기)'로 잘못 표기하고 있으므로 잘못된 선지이다.
>
> 起 일어날 기, 因 인할 인 / 欺 속일 기
>
> ③ '채택(採擇)하다'는 '작품, 의견, 제도 따위를 골라서 다루거나 뽑아 쓰다.'라는 의미를 지니고 있다. 유의어로는 '여럿 중에서 가려내거나 뽑다.'라는 뜻의 '고르다'가 있다. 그러나 ㉢의 유의어로 '가려서 따로 나누다.'라는 뜻의 '선별(選別)하다'를 제시하고 있으므로 적절하지 않은 선지이다.
>
> 採 캘 채, 擇 가릴 택 / 選 가릴 선, 別 나눌 별
>
> ④ '불경(不敬)스럽다'는 '경의를 표해야 할 자리에서 좀 무례한 데가 있다.'라는 의미를 지니고 있다. 유의어로는 '태도나 말에 예의가 없다.'라는 뜻의 '무례(無禮)하다'가 있다. 그러나 ㉣의 유의어로 '함부로 가까이할 수 없을 만큼 고결하고 거룩하다.'라는 뜻의 '신성(神聖)하다'를 제시하고 있으므로 적절하지 않은 선지이다.
>
> 不 아닐 불, 敬 공경 경 / 無 없을 무, 禮 예도 례
> / 神 귀신 신, 聖 성인 성

19

◇ [독해(비문학) – 일반/고급 추론]

답 ① ㉠의 다음 문장에서 '과세 대상인 소득으로부터 얻는 만족감이 동일한 납세자에게, 동일한 조세 부담을 요구하는 것이 공평하다고 생각되기 때문이다.'라고 하였다. 부양가족이 있는 사람은 그렇지 않은 경우보다 지출이 더 많이 발생하므로 동일한 소득으로부터 얻는 만족감이 낮다. 따라서 이를 고려하여 부양가족이 있는 사람에게는 개인의 총소득 중 일부를 '공제'하고 세율을 적용함으로써 소득으로부터 얻는 만족감이 동일한 납세자에게 동일한 조세 부담을 요구하게 되는 것이다.

> **⊞ 오답정리**
>
> ② ㉠은 납세자 가족의 총소득을 합산한다는 내용을 담고 있지 않다. 또한 경제적 능력을 객관적으로 판단하여 조세 수입을 높이는 것 역시 이 글과는 관계가 없는 내용이므로 적절하지 않은 설명이다.
>
> ③ 부양가족이 있는 사람에게 개인의 총소득 중 일부를 공제하여 세율을 적용하는 것은 조세의 부담을 줄이는 것이다. 따라서 이들에게 투입되는 복지비용을 고려하여 더 큰 조세 부담을 요구하기 위한 것이라는 설명은 적절하지 않다.
>
> ④ ㉠의 다음 문장에서 '소득으로부터 얻는 만족감'이 동일한 납세자에게 동일한 조세 부담을 요구하는 것이 공평하다고 하였다. 소득이 동일한 납세자에게 동일한 조세 부담을 요구한다면, ㉠과 달리 부양가족의 유무와 관계없이 개인의 총소득에 대해 세율을 적용할 것이므로 적절하지 않은 설명이다.

20

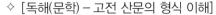

◇ [독해(문학) – 고전 산문의 형식 이해]

답 ③ 한림이 죽은 인향에게 받은 회생수와 제물을 가지고 심천동으로 찾아간 장면이다. ⊙에서는 그곳의 배경을 묘사하고 있다. 그 후 '한림이 즉시 회생수를 뿌리니, 얼마 후에 숨을 후유 쉬고 두 소저 서로 돌아눕는지라.'는 서술을 통해 인향이 회생하여 두 사람이 재회하는 사건이 일어났음을 알 수 있다. 따라서 ⊙의 배경 묘사는 앞으로 일어날 사건을 암시하는 역할을 하고 있는 것이다.

📖 오답정리

① ⊙에서 낙락장송, 두견새, 비금주수가 한림을 반기는 것 같다고 묘사하고 있을 뿐, 배경을 구체적으로 묘사한다고 볼 수 없다.
② ⊙은 인물의 심리 묘사가 아니라, 배경 묘사에 해당한다.
④ ⊙은 꿈속 배경이 아니라 한림이 찾아간 심천동을 묘사한 것이다.

✦ 작품정리   작자 미상, 〈김인향전〉

• **해제**: 이 작품은 계모 모티프를 기반으로 혼사 장애 모티프의 요소가 결합되어 있다. 이 작품은 구성 측면에서 상당한 친연성을 갖고 있는 〈장화홍련전〉에 비해 봉건적 가치관이 크게 약화되어 있고, 문체도 신소설에 상당히 근접해 있다는 점에서 후대의 저작으로 추정된다. 〈장화홍련전〉에서 계모의 학대는 경제적 욕망과 남편 및 전실 자식에 대한 소외감에서 비롯되는 반면, 이 작품에서는 계모의 성격적 결함에서 학대가 시작된다. 이전의 문제의식과 현실 감각이 둔화되고, 계모는 악하고 전실 자식은 선하다는 통념에 지배되고 있다고 볼 수 있다. 또한 계모의 학대로 죽은 주인공이 재생하는 전기소설적 구조, 인향의 죽음과 재생을 이끄는 결연 관계가 나타나는 점, 인향의 죽음이 누명을 벗기 위해 스스로 선택한 것이라는 점 등에서도 차이를 보인다. 이러한 구조 속에서 이 작품의 남녀 주인공인 김인향과 유성윤은 서로를 믿으며, 자신을 위해서는 상대방이 어떠한 고난과 역경이라도 이겨 낼 수 있으리라는 믿음과 행동을 보여준다. 이처럼 인간의 상호 믿음과 진실성을 중시하는 시각은 애정 소설에서 드러나는 특징이다. 이런 점에서 이 작품은 계모형 소설이지만 애정 소설의 특징도 함께 드러내고 있다고 할 수 있다.
• **주제**: 계모의 학대로 인한 가정의 비극과 권선징악
• **구성**(밑줄은 수록 부분)
발단: 인형, 인향, 인함 세 남매가 김좌수와 양씨 사이에서 태어남. 생모인 양씨가 죽자 후처로 정씨가 들어옴.
전개: 삼 남매에 대한 후처 정씨의 구박은 점점 심해지고, 마침내 결혼을 앞둔 인향을 모함하기로 음모를 꾸밈.
위기: 정씨는 인향을 부정한 여인으로 모함하고, 김 좌수는 아들 인형으로 하여금 인향을 죽이라고 명함. 결국 인향은 죽고, 뒤를 따라 인함도 죽음에 이르게 됨.
절정: 자매의 원혼이 나타나 억울함을 호소하지만 마을 부사들은 계속 놀라서 죽음. 부사 김두룡이 정씨의 흉계를 밝혀내고,

원혼을 위로함.
결말: 과거 급제한 인향의 약혼자 유성윤이 인향의 몽중 암시로 인향 자매를 회생시킴. 자매가 다시 살아나 상봉하고, 인향은 유성윤과 혼인을 함.
• **특징**
– 계모 모티프와 혼사 장애 모티프가 결합되어 나타남.
– 계모의 학대로 죽은 주인공이 재생하는 전기적 요소가 드러남.
– 고전소설의 주제적 특징인 권선징악과 인과응보를 반영함.
– 주인공이 꿈에 나타나는 구조를 반복해 문제를 해결하는 과정을 보임.
– 혼사 장애를 극복하는 과정에서 인물들 간의 믿음과 진실된 마음을 중시하는 태도가 나타남.

제5회 │ 모의고사 정답 및 해설

✓ 제5회 모의고사 정답

01 ④	02 ①	03 ④	04 ②	05 ①
06 ④	07 ②	08 ③	09 ①	10 ③
11 ①	12 ④	13 ②	14 ③	15 ④
16 ④	17 ①	18 ②	19 ③	20 ③

01

◇ [이론문법 – 음운론 – 음운 변동]

답 ④ '닫히다[다치다]'는 축약(거센소리되기), 교체(구개음화)가 일어나며 음운 개수는 7개에서 6개로 1개 줄어든다. '깨끗하다[깨끄타다]'는 교체(음절의 끝소리 규칙), 축약(거센소리되기)이 일어나며 음운 개수는 9개에서 8개로 1개 줄어든다.

오답정리

① '늑막염[능망념]'은 [늑막염 → (비음화, ㄴ첨가) → 능막념 → (비음화) → 능망념]의 과정을 겪는다. 따라서 교체(비음화)가 일어나며 첨가(ㄴ첨가)도 일어난다. '한여름[한녀름]'은 교체(ㄴ첨가)가 일어난다. 따라서 변화된 음운의 개수는 각각 1개씩 늘어나기 때문에 동일하지만, '한여름'에 교체가 일어나지 않으므로 답이 될 수 없다.

② '훑는[훌른]'은 탈락(자음군 단순화), 교체(유음화)가 일어나며 음운 개수는 7개에서 6개로 1개 줄어든다. '닦는[당는]'은 교체(음절의 끝소리 규칙), 교체(비음화)가 일어나며 음운 개수는 6개로 변화가 없다.

③ '드넓다[드널따]'는 탈락(자음군 단순화), 교체(된소리되기)가 일어나며 음운 개수는 8개에서 7개로 1개 줄어든다. '들볶다[들복따]'는 교체(음절의 끝소리 규칙, 된소리되기)가 일어나며 음운 개수는 8개로 변화가 없다.

✦ 세상 어디에도 없는 추가해설

1. 축약 : 자음 축약(거센소리되기)

자음 축약 = 거센소리되기 = 격음화	예사소리 'ㄱ, ㄷ, ㅂ, ㅈ'와 'ㅎ'이 결합되어 거센소리 'ㅍ, ㅋ, ㅊ, ㅌ'으로 소리나는 현상 **예** 쌓지[싸치], 잡히다[자피다], 좋던[조턴], 각하[가카], 법학[버팍]

2. 교체 : 구개음화

구개음화	앞 음절의 끝소리 'ㄷ, ㅌ'이 형식 형태소인 모음 'ㅣ'나 반모음 'ㅣ'로 시작되는 모음(ㅑ, ㅕ, ㅛ, ㅠ) 앞에서 'ㅈ, ㅊ'으로 바뀌는 현상. 역행 동화만 해당된다. **예** 굳이[구지], 해돋이[해도지], 닫혀[다처]

3. 교체 : 음절의 끝소리 규칙

음절의 끝소리 규칙 대표음화, 중화	받침이 음절 끝에 올 때에는 표기된 대로 발음되는 것이 아니라 대표음(ㄱ, ㄴ, ㄷ, ㄹ, ㅁ, ㅂ, ㅇ)으로 발음되는 현상		
	음절의 끝소리	**대표음**	**예시**
	ㄲ, ㅋ	ㄱ	**예** 밖[박], 키읔[키윽]
	ㅌ, ㅅ, ㅆ, ㅈ, ㅊ, ㅎ	ㄷ	**예** 낱[낟], 낫고[낟꼬], 났다[낟따], 낮[낟], 낯[낟], 히읗[히읃]
	ㅍ	ㅂ	**예** 앞[압]

4. 교체 : 비음화

비음화	비음이 아닌 자음이 비음을 만나 비음(ㄴ, ㅁ, ㅇ)으로 발음되는 현상	
	순행 동화	**예** 강릉[강능], 담력[담녁]
	역행 동화	**예** 밥물[밤물], 닫니[단니]
	상호 동화	**예** 백로[뱅노], 섭리[섬니], 몇 리 → [멷리] → [면니]

5. 첨가 : 'ㄴ' 첨가

'ㄴ' 첨가	합성어나 파생어에서	앞말이 자음으로 끝나고 뒷말의 첫 음절이 '이, 야, 여, 요, 유'로 시작하는 경우에는 뒷말의 초성 자리에 'ㄴ' 소리가 첨가된다. 예 꽃 + 잎 → [꼰닙], 식용+유 → [시굥뉴], 솜+이불→[솜니불], 한- + 여름 → [한녀름], 홑+이불 → [혼니불]
	합성어에서	앞말이 모음으로 끝나고 뒷말의 첫 음절이 '이, 야, 여, 요, 유'로 시작하는 경우에는 뒷말의 초성 자리에 'ㄴ' 소리가 첨가된다. 예 뒤 + 윷 → 뒷윷[뒨녿], 나무 + 잎 → 나뭇잎[나문닙], 깨 + 잎 → 깻잎[깬닙]
	합성어에서	앞말이 모음이고 뒷말이 'ㅁ, ㄴ'으로 시작되면 앞말의 받침에 'ㄴ' 소리가 첨가될 수 있다. 예 코 + 날 → 콧날[콘날], 수도 + 물 → 수돗물[수돈물] 이 + 몸 → 잇몸[인몸]

6. 탈락 : 자음군 단순화

자음군 단순화	음절의 끝에 겹받침이 올 때, 한 자음이 탈락되어 발음되는 현상			
	첫째 자음만 발음된다.	• ㄳ, ㄵ, ㄶ, ㄽ, ㄾ ㅀ, ㅄ 예 넋[넉], 앉다[안따], 곬[골], 핥다[할따], 값[갑]		
	둘째 자음만 발음된다.	• ㄻ, ㄺ, ㄿ 예 앎[암ː], 닭[닥], 읊다[읍따]		
	불규칙하게 탈락된다.	ㄺ	일반	맑다[막따], 굵지[국찌]
			예외	맑고[말꼬], 굵게[굴께]
				'ㄺ'이 용언의 어간 말음일 경우 'ㄱ' 앞에서 [ㄹ]로 발음한다.
		ㄼ	일반	여덟[여덜], 넓다[널따]
			예외	밟다[밥ː따], 넓둥글다[넙뚱글다], 넓죽하다[넙쭈카다], 넓적하다[넙쩌카다]
				'넓다'의 경우 [널]로 발음하여야 하나, 파생어나 합성어의 경우에 '넓'으로 표기된 것은 [넙]으로 발음한다.

7. 교체 : 유음화

유음화	비음이 유음을 만나 유음(ㄹ)으로 발음되는 현상	
	순행 동화	예 칼날[칼랄], 찰나[찰라]
	역행 동화	예 신라[실라], 난로[날로]

8. 교체 : 된소리되기

된소리되기	• '안울림소리 + 안울림소리'의 구조에서 뒷소리가 된소리로 발음되는 현상 예 역도[역또], 닫기[닫끼], 극비[극삐] • 어간 받침 'ㄴ(ㄵ), ㅁ(ㄻ), ㄼ, ㄾ' 뒤에 예사소리로 시작되는 활용 어미가 이어지면 된소리로 발음되는 현상 예 넘다[넘ː따], 안고[안ː꼬], 넓게[널께], 핥다[할따] • 용언의 관형형 '-ㄹ' 뒤에서 뒷소리가 된소리로 발음되는 현상 예 사랑할 사람[사랑할싸람] • 한자어의 'ㄹ' 받침 뒤의 'ㄷ, ㅅ, ㅈ'가 된소리로 발음되는 현상 예 발달[발딸], 발생[발쌩], 발전[발쩐], 몰상식[몰쌍식], 갈등[갈뜽], 불세출[불쎄출], 예외) 불법[불법 / 불뻡]

※ 음운 변동의 유형

교체 대치	한 음운이 다른 음운으로 바뀌는 것 XAY → XBY(교체)	① 음절의 끝소리 규칙 ② 된소리되기 ③ 자음 동화(비음화, 유음화, 구개음화, 연구개음화, 양순음화) ④ 모음 동화(모음 조화, 'ㅣ' 모음 순행동화, 'ㅣ' 모음 역행동화, 전설 모음화, 원순 모음화)
축약	두 음운이 합쳐져서 제3의 음운으로 바뀌는 것 XABY → XCY(축약)	① 자음 축약(거센소리되기) ② 모음 축약(음절 축약) '반모음화'
탈락	한 음운이 어떤 환경에서 없어지는 것 XAY → XØY(탈락)	① 자음군 단순화 ② 자음 탈락(ㅎ 탈락, ㄹ 탈락, ㅅ 탈락) ③ 모음 탈락(동일 모음 탈락, ㅡ 탈락)
첨가	어떤 환경에서 새로운 음운이 새로 생기는 것 XØY → XAY(첨가)	① 사잇소리 현상(된소리되기, ㄴ 첨가) ② 반모음 첨가 'ㅣ' 모음 순행 동화

02

◇ [이론문법 – 형태론 – 형태소 분석]

답 ① '붙여(붙-+-이-+-어)'는 어근 '붙-', 접미사 '-이-', 어미 '-어'로 분석된다. 즉, 어근에 접사가 붙어 파생어가 형성되고 그것이 활용된 형태이다. 하지만 '많게는(많-+-게+는)'의 경우, 어간 '많-', 어미 '-게', 보조사 '는'으로 구성되어 있다는 점에서 차이를 보인다.

⊞ 오답정리

② '널따란(넓-+-다랗-+-ㄴ)'은 어근 '넓-', 접미사 '-다랗-', 어미 '-ㄴ'으로 분석되므로 예문과 동일한 구성이다. (참고 : 한글맞춤법 제21항에 따르면 용언의 어간 뒤에 자음으로 시작된 접미사가 붙어서 된 말은 그 어간의 원형을 밝히어 적는다. 그러나 겹받침의 끝소리가 드러나지 아니하는 것은 소리대로 적으므로 '넓-'에 '-다랗다'가 결합한 말은 '널따랗다'로 적는 것이다.)

③ '기록하는(기록+-하-+-는)'은 어근 '기록', 접미사 '-하-', 어미 '-는'으로 분석되므로 예문과 동일한 구성이다.
　➡ '-하다'는 일부 명사, 부사 등의 어근에 붙어 동사나 형용사를 만드는 접미사이다.

④ '반짝이고(반짝+-이-+-고)'는 어근 '반짝', 접미사 '-이-', 어미 '-고'로 분석되므로 예문과 동일한 구성이다.
　➡ '-이다'는 동작 또는 상태를 나타내는 일부 어근 뒤에 붙어 동사를 만드는 접미사이다.

✦ 세상 어디에도 없는 추가해설

1. '붙여'(=붙-+-이-+-어) : 접사 '-이' (문장 구조를 바꾸는 지배적 접미사)

접미사		뜻과 예시
-이-		① 사동 예 보이다, 녹이다
		② 피동 예 깎이다, 놓이다
		③ 사동의 뜻을 더하고 동사를 만듦. 예 높이다, 깊이다

2. '널따란'(=넓-+-다랗-+-ㄴ) : 접사 '-다랗'(어근의 뜻만 제한하는 한정적 접미사)

접미사	뜻과 예시
-다랗다	그 정도가 꽤 뚜렷함. 예 가느다랗다, 굵다랗다, 기다랗다, 깊다랗다, 높다랗다

3. '기록하는'(=기록+-하-+-는) : 접사 '-하'(품사를 바꾸는 지배적 접미사)

접미사		뜻과 예시
동사화 접미사	-하다	공부하다, 생각하다, 밥하다, 사랑하다, 빨래하다

4. '반짝이고'(=반짝+이+고) : 접사 '-이'(품사를 바꾸는 지배적 접미사)

접미사		뜻과 예시
동사화 접미사	-하다	공부하다, 생각하다, 밥하다, 사랑하다, 빨래하다
	-이다	끄덕이다, 망설이다, 반짝이다, 속삭이다, 움직이다, 출렁이다

03

◇ [이론문법 – 통사론 – 청유문]

답 ④ '이제 그만 일어나세.'에서 일어나는 행위의 주체는 기차를 타러 가야하는 '제자'로 한정되므로, 이 문장은 서술어에 포함된 행동을 청자만 하기를 요청하는 경우로 ㉠에 해당하는 청유문이다.

⊞ 오답정리

① '벤치에 앉아서 좀 쉬자'에서 화자가 청자에게 함께 쉬기를 요청하는 청유문이다.

② '어디 좀 보자꾸나.'에서 보는 행위의 주체는 화자로 한정된다. 따라서 이 문장은 화자가 서술어에 포함된 행동을 하기 위해 청자의 협조를 요청하는 청유문에 해당한다.

③ '내리고 탑시다.'에서 내리는 주체는 화자로 한정되므로, 이 문장은 화자가 서술어에 포함된 행동을 하기 위해 청자의 협조를 요청하는 청유문이다.

✦ 세상 어디에도 없는 추가해설

수험생들이 헷갈려 하는 포인트

질문	선지3번) '내리고 탑시다'에서 서술어는 '탑시다' 아닌가요? '탑시다'를 서술어로 보게 되면 청자가 하는 것인 거 같은데요.
역공녀의 답변	'(내가) 내리고 탑시다' 즉 '내가 내리고 타는 행위를 할 거다'라는 것으로 화자가 하는 것입니다. 청자는 그럼 알겠어요! 스윽 비켜주는 행위를 하는 것인데, 청자가 '내리고 타는 행위'를 한 것은 아니기 때문에 정답이 될 수 없었던 겁니다.

질문	선지4번) 제자는 기차타러 가야 해서 일어나는 거지만, 상황이 어떤 상황인지 모르니 카페에서 기차 타러 가야 하니 (자리에서) 같이 일어나자라는 의미로 볼 수 있는 거 아닌가요?
역공녀의 답변	문법은 예외적인 상황을 가정해서 하면 웬만하면 답이 맞게 됩니다. 그러니 예외적인 상황이 아니라 일반적인 상황을 가정해야 하는데요, 예를 들어 저랑 질문자님이 카페에 있다가 제가 질문자님이 갈 시간임을 인지했을 때 '이제 그만 일어나세.'라고 한다면 저는 일어나지 않아도 됩니다. 저는 기차를 타지 않아도 되니까요. 일어나야 하는 것은 청자 자신이죠! 따라서 청자만 하면 되는 행위입니다. 즉 문장에 나온 행위를 누가 하는지를 보면 답이 보입니다! 문장에 나온 행위를 위해 청자가 다른 행위를 하는 것은 청자의 행위가 아니라 화자의 행위입니다. 문장에 나온 행위를 하는 것은 화자니까요.

04

◇ [독해(문학) – 고전 운문의 형식 이해]

답 ② (가)에서는 '님'과의 거리를 '천만리'로 과장하여 임의 부재에 따른 외로움을 강조하고 있고, (나)에서는 꿈에서 임에게 다니는 길이 자취가 남는다면 돌길도 닳을 것이라 과장하여 그리운 마음을 드러내고 있다.

오답정리

① (가)에서는 상황을 가정하고 있지 않으며, (나)에서는 '꿈에서 임에게 다니는 길이 발자취가 남는다면'이라고 가정의 방식을 사용하고 있으나 이를 통해 임과 떨어져 있는 부정적 현실을 극복하고 있지는 않다.

③ (가)에서는 임과 이별하여 허전한 마음을 달래기 위해 냇가에 앉아 있는 화자의 모습이 구체적으로 그려지고 있지만, (나)에서는 나타나고 있지 않다.

④ (가)에서는 냇가에 앉아 관찰한 '져 물'에 대해 '늬 온 곳호여'라고 표현하여, 임과 이별하고 슬퍼하는 자신의 모습과 동일시하고 있다. 그러나 (나)에서는 임을 그리워하는 마음이 닿을 길이 없다는 안타까움을 표현하고 있을 뿐이다.

✦ 작품정리 왕방연, 〈천만리 머나먼~〉

- 해제 : 단종의 복위 계획이 실패하자, 세조는 어린 단종을 폐위시켜 영월로 유배를 보낸다. 그 당시 의금부도사였던 왕방연은 단종을 유배지까지 호송하는 일을 맡았다. 자신에게 주어진 사명을 다하였지만, 불의에 희생된 어린 임금에 대한 안타까움과 슬픈 마음을 자연물인 시냇물 소리에 투영시키고 있다. 애달픔과 그리움을 함께 담은 '연군의 단장곡(斷腸曲)'이다.
- 주제 : 임과의 안타까운 이별, 임금에 대한 연민과 사모
- 갈래 : 평시조, 연군가
- 표현상의 특징
  - 감정이입을 통해 화자의 정서를 강조함.
  - 정서적 거리감을 과장하여 안타까움을 강조함.

✦ 작품정리 이명한, 〈꿈에 다니는 길이〉

- 해제 : 이 작품은 현실에서의 바람을 꿈으로 옮겨 임을 만나고 싶어 하는 자신의 간절한 그리움을 구체적 사물을 통해 드러내고 있다. 이러한 그리움을 임이 알아주길 바라며 노래한 연정가이다. 만약 자신이 다녀간 자취가 남는다면 임의 집 앞 자갈길이 다 닳아 없어질 것이란 과장적 표현을 통해 임을 향한 자신의 그리움이 얼마나 간절한지를 은근히 드러내면서 이를 알아주지 못하는 임에 대한 안타까운 마음을 토로하고 있다.
- 주제 : 임에 대한 간절한 그리움과 안타까움
- 갈래 : 평시조, 연정가
- 표현상의 특징
  - 꿈이라는 상황 설정과 과장된 표현을 통해 화자의 정서를 강조함.
  - 상황을 가정하고 예상 결과를 제시하는 방식으로 시상을 전개함.

05

◇ [독해(작문) – 자료 활용 방안]

답 ① 사업 추진에 대한 찬반 투표 결과는 주민들이 이 사업에 관심이 높았다는 점을 보여주며, 개선 분야에 대한 설문조사를 통해 마을 주민들과 상인들이 필요로 하는 내용을 구체적으로 확인할 수 있다. 다만, 주민들에 대한 사업 참여 독려는 사업 추진 위원장의 인터뷰를 인용한 부분에서 나타나고 있다.

오답정리

② 지자체의 공문에서 사업 선정 목적 및 지원 규모가 제시되고 있으며, 둘째 문단에서는 공문에서 강조한 사업 방침을 보다 구체적으로 확인할 수 있다.

③ 마을의 최고령 주민 인터뷰를 통해서 본 사업으로 얻을 수 있는 장점에 대한 기대감을 드러냄으로써 사업의 기대 효과를 강조하고 있다.

④ 사업 추진 위원장 인터뷰를 통해 사업 추진을 위한 구체적인 행사 및 일정이 소개되고 있다.

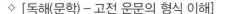

06

◇ [독해(화법) – 말하기 형식]
답 ④ 첫째 발표자는 '이러한'이라는 지시어를, 둘째 발표자는 '이런'이라는 지시어를 사용하여 불필요한 반복을 피하고, 발표 내용을 보다 간결하게 전달하고 있다.

> **오답정리**
> ① 첫째 발표자만 미생물의 모양을 보조 자료로 제시하여 발표 내용에 대한 이해를 돕고 있다.
> ② 둘째 발표자만 '자반고등어'라는 일상에서 접할 수 있는 소재를 예로 들어 설명하고 있다.
> ③ 두 발표자 모두 청중들에게 질문을 하고 있으나, 앞 내용을 확인하는 질문이 아니며 이를 통해 발표 내용에 대한 요점을 정리하고 있지 않다.

07

◇ [어휘 – 한자성어]
답 ② 빙자옥질(氷姿玉質)은 매화(梅花)를 지칭하는 다른 이름의 한자성어이다. 또한 '얼음같이 투명(透明)한 모습과 옥과 같이 뛰어난 바탕'이라는 의미로 '용모(容貌)와 재주가 모두 뛰어남'을 비유적으로 나타내기도 한다.

氷 얼음 빙, 姿 맵시 자, 玉 구슬 옥, 質 바탕 질

> **오답정리**
> ① 천석고황(泉石膏肓) : 샘과 돌이 고황(膏肓)에 들었다는 뜻으로, 고질병(痼疾病)이 되다시피 산수풍경을 좋아하는 것을 이르는 말
>
> 泉 : 샘 천 石 : 돌 석 膏 : 기름/염통밑 고 肓 : 명치끝 황
> ③ 설상가상(雪上加霜) : 눈 위에 또 서리가 내린다는 뜻으로, 어려운 일이 겹침, 또는 '환난(患難)이 거듭됨'을 비유하여 이르는 말
>
> 雪 : 눈 설 上 : 윗 상 加 : 더할 가 霜 : 서리 상
> ④ 세한고절(歲寒孤節) : 추운 계절(季節)에도 혼자 푸르른 대나무 혹은 겨울을 이르는 말
>
> 歲 : 해 세 寒 : 찰 한 孤 : 외로울 고 節 : 마디 절

◆ 작품정리 안민영, 〈매화사(梅花詞)〉
• **해제** : 매화는 사군자(四君子) 가운데 하나로서 지조 높은 선비의 기품을 상징하는 꽃인데, 작가가 매화를 통해 지조 높은 선비의 모습을 상징적으로 표현했다고 하여 이 노래를 일명 '영매가(詠梅歌)'라고 부르기도 한다.
연약하여 꽃을 피우리라는 생각을 하지 못한 매화에 꽃이 피고 향내가 풍겨, 촛불을 켜고 밤늦도록 매화를 감상하는 화자의 모습을 그림으로써, 눈 속에서 피어나는 매화의 강인한 의지와 높은 절개를 예찬하고 있다.
• **갈래** : 평시조, 연시조(전8수)
• **주제** : 매화 예찬
• **특징** : 매화를 의인화하여 표현함

◆ 현대어 풀이
연약하고 엉성한 가지에서 어찌 꽃을 피울까 믿지 아니하였더니,
눈이 올 때 쯤 꽃을 피우겠다던 약속을 능히 지켜 두세 송이 피었구나.
촛불 잡고 가까이 완상(玩賞)할 때 그윽한 향기조차 떠도는구나.

08

◇ [독해(화법) – 말하기 방식]
답 ③ ㉢ : 강의 내용 중 '인지 부조화' 이론에 대한 설명을 요약하고, 이를 적용할 수 있는 사례를 일상에서 많이 경험할 수 있다는 의견을 표현하고 있다. 둘째 문장은 사례에 대한 적절성에 의문을 표현한 것이 아니라, 자신의 의견을 강조, 혹은 상대의 동의를 구하는 것으로 해석하는 것이 적절하다.

> **오답정리**
> ① ㉠ : 강의의 내용이 인간의 마음을 잘 설명해주는 것 같아 흥미로웠다는 자신의 견해를 드러내며 상대방에게 의견을 구하고 있다.
> ② ㉡ : 심리학 이론에 대해 신뢰하지 않았던 과거의 태도에서 흥미를 느끼게 된 계기를 구체적으로 언급하고 있다.
> ④ ㉣ : 인지 부조화 상황에 해당하는 자신의 과거 경험을 근거삼아 이러한 상황이 일상에서 자주 일어난다는 상대의 말에 공감하고 있다.

09

◇ [독해(문학) – 현대 산문의 내용 이해]

답 ① 용신님을 만나 복숭아 하나를 얻어먹고 꿈꾼 지 이레 만에 낭이를 낳았다는 내용이 나오는데, 이는 모화가 낭이를 정성스럽게 대하는 이유로 작용할 뿐이다. 또한 꿈을 꾸고 일주일 만에 출산을 했다는 점에서 인과관계가 아닌 선후관계로 파악해야 한다. 무당인 모화는 굿에서 행하는 접신을 통해 혼령이나 잡신에 가까운 존재로 변한다고 해석하는 것이 적절하다.

🔲 오답정리

② 모화가 술을 먹거나 춤을 추다가도 '집에서 '따님'이 자기를 부르노라'고 하며 달아나거나, '수국 용신님께서 낭이 따님을 잠간 자기에게 맡겼으므로 정성껏 섬기지 않으면 노여움을 살까 두렵다고 하였다. 이처럼 낭이를 정성스럽게 대하는 태도를 통해 신을 인간보다 우위로 보고 있음을 확인할 수 있다.

③ 모화는 다른 사람들에게 '너는 나무귀신의 화신이다, 너는 돌귀신의 화신이다 하여, 걸핏하면 칠성에 가 빌라는 둥 용왕에 가 빌라'고 했다. 그리고 '늘 수줍은 듯 어깨를 비틀며 절'을 하거나 '어린애를 보고도 부들부들 떨며 두려워'하는 행동은 신이 인간에 내재해 있다고 보는 것과 관련이 있다.

④ 모화가 개나 돼지와 같은 동물에게도 아양을 부리는 것은 이들을 인간보다 낮은 존재로 보는 것이 아니라, 신과 자연이 혼재되어 생활 주변의 다양한 존재로 나타난다고 보기 때문이다.

✦ 작품정리   김동리, 〈무녀도(巫女圖)〉

• **해제** : 이 작품은 변화의 소용돌이 속에서 우리의 토속 신앙인 무속 세계가 근대의 기독교적 세계관과 충돌하여 사라져 가는 모습을 그린 소설이다. 액자식 구조를 취하고 있는 이 작품은 '무녀도'라는 그림에 담긴 사연을 내부 이야기로 그려내고 있고, 작품의 핵심적 갈등은 무당인 모화로 대변되는 토속적 샤머니즘 세계관과 기독교인인 모화의 아들 욱이로 대변되는 근대적 세계관의 대립이다. 어미와 자식 간의 혈육의 정을 넘어서 전통과 근대를 대변하는 두 세계관의 대립이 아들과 어미의 죽음이라는 비극적인 결말을 낳고 있다. 작가 김동리는 이 두 세계관의 어느 쪽에도 편들지 않고 근대로 이행해 가는 과정에서의 전통의 몰락과 가치의 혼돈 상태 등을 예리하게 포착하여 보여준다.

• **주제** : 무속의 세계관과 기독교적 세계관의 갈등이 빚어낸 혈육 간의 비극

• **전체 줄거리** : '나'는 서화를 좋아하시던 할아버지가 생존해 계실 때, 나그네로 잠시 들렀던 벙어리 소녀와 그녀의 아버지가 남기고 간 '무녀도'라는 그림에 담긴 내력을 할아버지께 듣게 된다. 경주읍 여민촌이라 불리는 마을에서 굿을 하며 지내는 무당인 모화는 그림을 그리는 딸 낭이와 퇴락한 집에서 함께 살고 있다. 그런데 어느 날 십 년 가까이 집을 나가 있던 아들 욱이가 기독교인이 되어 집에 돌아오고, 모화와 욱이는 종교적 가치관의 차이로 갈등을 빚게 된다. 두 사람은 서로를 용납하지 못하고 갈등만 커져 가는 중에 모화가 욱이의 성경책을 불태우게

되고, 이를 말리던 욱이는 모화의 칼에 찔리게 된다. 그 후로 모화가 사는 마을에도 예배당이 생기기 시작한다. 마침내 욱이는 죽고, 힘을 잃은 모화는 강물에 빠져 죽은 김씨 부인의 넋을 건지는 마지막 굿을 하게 된다. 모화는 굿의 절정에서 춤을 추다가 물 속으로 걸어 들어가 사라지고, 이후 낭이는 그를 데리러 온 아버지를 따라 어디론가 사라진다.

10

◇ [독해(비문학) – 전제 추론]

답 ③ 정상적인 사람은 뇌량을 통하여 좌뇌와 우뇌가 따로따로 인지한 정보를 주고받음으로써 인지한 내용을 공유하게 되지만 분리 뇌를 가진 사람은 좌뇌와 우뇌의 피질이 끊어져 있기 때문에 좌뇌와 우뇌가 따로 인지한 내용을 다른 뇌가 공유할 수 없다고 하였다. 즉, 우뇌로 들어온 감각기의 정보가 좌뇌의 해석기로 전달되지 못하였기 때문에 아무것도 보이지 않는다고 답하는 것이다.

🔲 오답정리

① 분리 뇌 소유자는 좌·우뇌의 피질의 연결 부위인 뇌량이 절단되어 있을 뿐, 해석기 이전 단계인 감각기에 들어오는 정보에 오류가 있는 것은 아니다.

② 밑줄 친 부분의 다음 문장에서 우뇌는 물건을 보았지만, 좌뇌가 그 물건에 대한 정보를 전달받지 못해서라는 설명이 제시되고 있다는 점에서 우뇌가 좌뇌로부터 정보를 전달받지 못한 것이 아니라 좌뇌가 우뇌로부터 정보를 전달받지 못하기 때문에 아무것도 보이지 않는다고 답하는 것이다.

④ 글의 마지막 문장에서 사람의 해석기가 논리적 추론을 철저히 수행하여 판단하기보다는 적은 정보에서 단서를 찾아 신속하게 이야기를 꾸며 내는 특성이 있다고 하였으므로 잘못된 설명이다.

11

◇ [독해(문학) – 현대 운문의 형식 이해]

답 ① 이 작품에서는 아름답고 순수한 동심의 세계에 대한 소망과 현대 물질문명의 폭력성이 대비되고 있다. 전자는 '가을을 날고 있는 나뭇잎', '우리들의 반짝이는 미소', '아가의 작은 손아귀', '할머니 말씀'으로, 후자는 '불같이 끓던 병석에서 ~ 그런 공포의 기억'으로 형상화되고 있다. 이처럼 이미지의 대비는 나타나지만, 색채 대비는 찾아볼 수 없다.

오답정리
② '흔들리는 종소리의 동그라미'에서 청각적 심상인 '종소리'를 '동그라미'라는 시각적 심상으로 감각의 전이가 나타나고 있다.
③ '믿게 해 주십시오', '당신을 찾게 해 주십시오', '오늘도 믿으며 살고 싶습니다', '꼭 안아 지키게 해 주십시오'에서 절대자에게 기도하는 듯한 경건한 어조를 통해 순수한 삶을 회복하고자 하는 화자의 간절한 태도를 드러내고 있다.
④ 어미 '-ㅂ시오'를 반복적으로 사용하여 운율을 형성하고 있다.

작품정리 정한모, 〈가을에〉

- **해제**: 이 시는 물질문명의 발달로 이성적이고 타산적인 삶이 만연하게 되면서 온화하고 여유로운 본성을 잃어 가는 현대인들의 삶의 양태를 보여 주는 작품이다. 아름답고 순수한 동심의 세계를 소망하는 상황과 현대 물질문명의 폭력성에 의해 순수한 인간성이 상실된 상황을 대비하여 인간성 상실의 회복과 순수한 삶에 대한 소망을 강조하고 있다. 또한 당신을 찾고자 기원하는 모습은 물질문명에 오염되어 인간성이 상실되기 이전의 감성으로 돌아가고자 하는, 순수와 순결에 대한 소망을 그려 내고 있는 것으로 볼 수 있다. 부정적인 현실 상황 속에서 현대인들이 지향해야 할 보편적 가치를 담아내고 있는 작품이다.
- **주제**: 현대 물질문명으로 상실한 인간성의 회복, 순수한 삶의 소망
- **구성**
  1연 – 평화로운 세계에 대한 소망
  2연 – 절대자에 대한 순결한 신앙
  3연 – 절망과 파멸에 대한 거부
  4연 – 아름답고 순수한 세계에 대한 소망
  5연 – 물질문명의 폭력으로부터 순결한 삶을 지키게 해 달라는 기원
- **표현상의 특징**
  – 대비적 시어를 활용해 주제 의식을 강조함.
  – 화자의 간절한 소망을 경건한 어조로 형상화함.
  – 청자에게 말을 건네는 어투로 절대자를 향한 기원을 드러냄.
  – 종결어미를 반복 사용하여 운율을 형성하고 의미를 강조함.

12

◇ [어문규정 – 띄어쓰기]

답 ④ '그때'와 '그곳'은 표준국어대사전에 등재된 한 단어로 항상 붙여 써야 한다. 이와 관련한 한글맞춤법 제46항의 개정 내용이다.

제46항 단음절로 된 단어가 연이어 나타날 적에는 붙여 쓸 수 있다.

좀더 큰 것	이말 저말	한잎 두잎	그때 그곳

설명: '그때 그곳'의 '그때'와 '그곳'은 "표준국어대사전"에 등재된 한 단어로 항상 붙여 써야 함. '붙여 쓸 수도 있다'는 해당 조항의 용례로 적절하지 않으므로 삭제함.
(문화체육관광부 고시 제2017-12호' 개정)

13

◇ [독해(문학) – 고전 운문의 내용 이해]

답 ② '눈'이나 '서리'는 일반적으로 부정적인 현실을 드러내는 상징적 소재로 자주 사용된다. 그러나 이 작품에서는 밤 사이 눈서리가 내려 온 세상을 하얗게 덮은 풍경을 표현하기 위한 소재로 쓰였으며, 천지가 하얗고 아름답게 변한 정경을 예찬하고 있으므로 이 소재들이 부정적인 현실을 의미한다는 것은 잘못된 해석이다.
다만, '구름'은 임금의 선정이 백성들에게 미치지 못하게 방해하는 소재로 쓰였다. 궁궐을 의미하는 '광한전'에 돌아 앉아 (임금님께) 말씀을 올리고자 하였으나 '심술궂은 뜬구름'이 와서 달빛을 가린다고 하는 부분을 통해 부정적 현실을 드러내고 있다.

오답정리
① '달', '명월'은 하늘에 떠 있는 광명한 존재로, 임금 혹은 백성들에게 베푸는 임금의 선정을 뜻한다. 또한 작품의 마지막 구에서 '우리도 단심을 지켜서 명월 볼 날 기다리노라'로 마무리함으로써 임금과 나라에 대한 충성심을 지켜 임금의 은혜를 다시 볼 날을 소망하고 있다.
③ '거울'은 '임금의 선정이 백성들에게 잘 미칠 수 있도록 매개하는 신하'를 의미한다. '보경을 닦아 내니' 달빛이 '팔방이 다 밝'도록 비춘다는 것은 신하가 제 역할을 할 때 임금의 선정이 백성들에게 잘 미칠 수 있다는 뜻을 드러낸다.
④ 비단 부채의 바람으로 '이 구름 다 걷고자'하며, '일천 장이나 되는 긴 빗자루로 '저 구름 다 쓸고자' 한다는 부분에서, 임금의 선정이 백성들에게 미치는 것을 방해하는 부정적 현실이 극복하려는 의지가 나타난다.

◆ 작품정리　　최현, 〈명월음〉

- **해제** : 이 작품은 임진왜란 때 의병에 가담했던 최현이 몽진 길에 오른 임금을 '명월'에 빗대어 나라를 걱정하는 마음과 임금을 그리워하는 정을 노래한 가사이다. 화자는 임진왜란으로 인한 절망적 상황을 안타까워하면서 나라의 환란을 물리치고 새로운 날을 맞이하고자 하는 희망을 바탕으로 임금과 나라에 충성을 다하겠다는 의지를 드러내고 있다. 화자의 이와 같은 마음이 다시 '명월'을 볼 것을 기다리겠다는 소망으로 드러나 있다.
- **주제** : 나라를 걱정하고 임금을 그리워하는 마음
- **구성**

  서사 – 온 세상을 밝게 비추는 달에 대한 예찬

  본사 1 – 거문고를 타며 밝은 달빛의 은혜에 감사해함.

  본사 2 – 구름이 몰려와 달을 가림을 근심함.

  본사 3 – 구름을 걷어 내고 싶은 마음이 간절함.

  결사 – 단심을 지켜 다시 명월 볼 날을 기다림.

◆ 작품정리　　이규보, 〈청강사자현부전〉

- **해제** : 이 작품은 고려 때 이규보가 지은 가전으로, 거북을 의인화하고 있다. 국문학사상 동물을 의인화한 첫 가전체 소설로, 이전의 작품과는 달리 고사의 나열을 줄이고 시를 삽입하여 문학적 효과를 극대화하고 주제를 뚜렷하게 부각하고 있다. 작품 중간에 시를 삽입하는 방식은 조선 전기 『금오신화』에 계승되고 있다.
- **주제** : 자신의 능력을 과신하지 말고 언행을 신중하게 해야 함.
- **전체 줄거리** : 현부, 즉 거북의 선대는 신인이었고 대대로 국가에 공적이 있었다. 그는 은둔한 선비로 점을 잘 쳤고 임금이 불러도 자연에서 노니는 것을 좋아하여 나가지 않았다. 그러다가 춘추 시대에 세상에 나와서 송 원왕에게 크게 존경을 받았으나 그 후 간 곳을 모른다. 사대부들 중에는 그를 숭상하여 황금으로 그의 형상을 만들어 몸에 지니고 다니는 자들까지 있었다. 그의 세 아들 중에서 두 아들은 사람에게 삶김을 당해 죽었으나, 둘째 아들은 오나라와 월나라 사이에 은거하여 스스로 통현 선생이라 불렸다. 그의 족속 중에 도를 얻어 천세에 이르도록 죽지 않은 자도 있다.
- **어휘풀이** : 1) 국량 : 남의 잘못을 이해하고 감싸 주며 일을 능히 처리하는 힘 2) 예저 : 춘추 시대 송나라의 어부 3) 수형승 : 물이 흐르는 맞은편을 담당하는 관직 4) 도수사자 : 산과 늪을 관장하는 벼슬 5) 대사령 : 천관, 천문을 맡은 벼슬 6) 기거동작 : 일상 생활에서의 움직임 7) 은미한 : 겉으로 드러나는 것이 거의 없는

14

◇ [독해(문학) – 고전산문의 형식 이해]

답 ③ 가전(假傳)은 역사적 전기를 관념적으로 나열하여 작품 내적 세계의 독자성이 부족하다는 특징이 나타난다. 이 작품의 '사신의 평'에서도 '공자는 광(匡) 땅에서 고난을 겪었고 또 제자인 자로가 죽어서 젓으로 담겨짐을 면하지 못하게 하였으니'라고 하며 고사를 인용하고 있다. 그러나 의미 없이 관념적으로 나열하여 역사적 사실을 밝히는 것이 아니라, 주제를 뒷받침 할 수 있는 내용의 고사가 인용된 것이다.

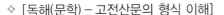

⊞ **오답정리**

① '거북'에게 인격을 부여하여 주요 행적을 포함한 인물의 일대기를 서술하고 있다. 현부가 장성한 후의 행적, 송 원왕의 통치하에 여러 관직에 몸담으며, 왕의 신임을 얻은 내용으로 알 수 있다.

② 예거의 술책을 알지 못한 이유에 대한 왕과 현부의 대화를 통해, 미신적 신앙보다는 언행에 신중하고 경계하는 삶을 살아야 한다는 교훈을 전달하고 있다.

④ 마지막 문단에 나오는 사신(史臣)의 말을 통해 앞서 우의적으로 표현했던 주제 의식을 보다 직접적으로 강조하고 있다.

15

◇ [독해(작문) – 글쓰기 전략]

답 ④ 셋째 문단에서 인공조명에 의한 빛 공해 방지법과 소음·진동 관리법에 대해 언급한 후, 재정과 인력 문제로 공해 실태 점검이나 법 위반 사항 단속이 제대로 이루어지지 않고 있음을 지적하고 있다. 그러나 법률 개정의 필요성보다는 지속적인 관리 감독 및 시민들의 인식 변화를 강조하고 있다.

⊞ **오답정리**

① 첫째 문단에서 빛 공해와 소음 공해가 가장 심각한 문제로 대두되고 있다고 언급하고, 둘째 문단에서 각각의 개념과 영향을 구체적으로 설명하고 있다.

② 둘째 문단에서 빛 공해로 인해 심혈관 질환, 소화기 장애, 호르몬 불균형 등이 발생하고, 소음 공해로 인해 심혈관 질환 발병률이 높아진다는 신체적 피해를 분석하여 빛 공해와 소음 공해의 문제점을 강조하였다.

③ 감각 공해의 악영향에 대한 세계보건기구와 유럽 환경청의 발표를 근거로 제시하여 신뢰성을 높이고 있다.

16

◇ [독해(문학) – 현대운문의 내용 이해]

답 ④ '그 산 위'는 임이 결국 나를 찾게 되는 공간이 아니다. '내 님이 놀라 일어나 찾으신대도'라는 구절은 가정일 뿐이지 현실이 아니기 때문이다. 이렇게 가정하는 이유는 화자에게 임이 나를 찾아주기를 바라는 마음이 있기 때문이다. 따라서 '그 산 위'는 기다림의 공간이지, 재회의 공간은 아니다.

⊞ 오답정리

① '산 위'는 화자가 '바다' 건너 '님 계시는 마을'을 볼 수 있으리라는 희망을 꿈꾸는 공간이다.
② '선창가'는 '날 저물고' 안개가 깊이 덮인 공간으로 '흩어지는 물꽃'만이 보일 뿐 더 이상 '님 계시는 마을'이 있는 곳을 볼 수 없게 한다는 점에서 임과의 거리감을 느끼게 한다.
③ '아침'은 '님 계신 창 아래로 가는 물노래'를 들을 수 있는 시간으로, 그 소리에 임이 '놀라 일어나'기를 기대하는 희망의 시간이다.

✦ 작품정리   김소월, 〈산 위에〉

- 해제: 이 작품은 부재하는 임에 대한 그리움을 산과 바다라는 공간, 낮과 밤이라는 시간을 통해 절실하게 드러내고 있다. '산 위'에 있는 화자는 임이 계신 곳을 떠올리며 그 사이에 가로막은 바다를 바라보거나, 임을 깨우치는 '물노래'를 들으며 순수한 마음으로 그를 기다린다. 시공간이 화자의 정서와 조응하여 기다림의 깊이를 더하며, 시간이 흘러도 변함없이 임을 기다리는 화자의 모습은 '망부석 설화'와 관련이 있다.
- 주제: 임을 기다리는 순수한 마음
- 구성
  1연 – 산 위에서 바다 건너를 바라보며 임을 그리워함.
  2연 – 날이 저물고 안개가 덮여 임 계신 곳을 볼 수 없음.
  3연 – 밤은 깊어져 바다로 떠나는 배를 바라 봄.
  4연 – 밤을 지새워 임을 기다리고, 아침에는 임의 소식을 기대함.
  5연 – 임이 자신의 기다림을 알아주기를 소망함.
- 표현상의 특징
  – 임에 대한 그리움을 산과 바다라는 공간을 통해 절실하게 드러냄.
  – 시간과 공간이 화자의 정서와 조응해 함축적 의미를 드러냄.
  – 3음보의 전통적 율격을 반복해 리듬감을 형성함.
  – '망부석 설화'와 관련이 있음.

17

◇ [독해(비문학) – 중심 화제]

답 ① 이 글에서는 정확한 '시간'을 측정하기 위한 방법을 차례로 소개하고 있다. 태양의 일주 운동으로 시간을 측정하기 시작하여 진자의 등시성을 활용한 방법을 거쳐 세슘 원자의 고유 진동수를 이용한 방법으로 역사적 발전이 이어져 왔다고 설명하고 있다. 이후 정밀한 시간 측정이 가능해짐에 따라, 사람들이 '시간'을 하나의 자원으로 인식하게 된 변화를 제시하고 있다. 그리고 이러한 인식 변화가 사회 현실, 특히 경제 활동에 미친 영향을 설명하고 있다는 점에서 이 글의 주제는 '시간 측정 기술의 역사적 발전과 의의'이다.

⊞ 오답정리

② 글의 전반에서 시간 측정 단위에 쓰인 도구가 다양하게 나타나지만, 역사적 발전의 흐름에서 제시되고 있으며, 글의 마지막 부분을 포괄하지 못하므로 이를 주제로 삼기 어렵다.
③ '세슘 원자시계'의 작동 원리가 구체적으로 설명되고 있으나 문제점은 제시되어 있지 않다.
④ 글의 마지막 부분에서 시계의 발명으로 근대 자본주의 경제 체제에서 시간의 중요성이 강조되고 있지만, 이는 글의 일부 내용일 뿐이다.

18

◇ [독해(비문학) – 일반 추론 긍정 발문]

답 ② 플라톤은 음악의 도덕적 영향력이 너무 크기 때문에 이러한 영향력의 부작용을 주의해야 하며, 음악을 엄격히 규제해야 한다고 주장했음을 알 수 있다. 그러므로 플라톤이 복잡한 음계를 갖는 리라의 발명가나 기묘한 화음을 내는 현악기 제작자와 연주자를 이상 국가에서 추방하려 한 것은 이들이 생산하는 음악, 즉 복잡한 음계와 기묘한 화음을 플라톤이 인간의 감정에 부정적 영향력을 미치는 음악이라고 생각했기 때문이라고 볼 수 있다.

19

◇ [독해(비문학) – 배치]

답 ③ 제시된 문장은 위험도가 높은 부실 채권이 '이 같은 과정'을 통해 신용 등급을 높일 수 있다는 내용이다. 즉, 부실 채권의 신용 등급을 높이는 방법이 먼저 나온 후에 제시된 문장이 들어가야 내용이 자연스럽게 이어질 수 있으므로 ③이나 ④의 위치에 놓여야 한다.

③의 다음에 나오는 문장은 '또한'이라는 접속어를 사용하여 '다양한 집합'을 통해 적합한 금융 상품을 만들어 낼 수 있다고 하여 다양한 채권의 집합에 대한 장점을 추가하고 있다. 한편, ④의 다음에 나오는 문장은 자산 유동화에 대한 포괄적인 장점이 언급되고 있으므로 제시된 문장은 ③의 위치에 놓이는 것이 가장 적절하다.

20

◇ [독해(비문학) – 일반 추론 부정 발문]

답 ③ 둘째 문단에서 '이미지는 한 가지 의미로 정의하기 어려우므로 ~ 수많은 해석이 가능하며 다양한 해석 사이에 갈등을 낳는다'고 하였다. 이처럼 이미지는 다양성을 통해 숭고를 구현하고 거짓된 진리를 숭배해온 역사를 폭로할 수 있게 되는 것이지 세밀한 묘사를 통해 이루어지는 것이 아니다.

> ⊞ **오답정리**
> ① 첫째 문단의 '숭고미가 근본적으로 재현할 수 없는 것을 재현하고자 할 때 발생한다', 셋째 문단의 '형상의 묘사를 포기하여 인간의 한계를 넘어서는 존재의 위대함을 역설적으로 드러내는'을 통해, 숭고의 매커니즘은 역설적인 속성을 지니고 있다고 볼 수 있다.
> ② 둘째 문단의 '대상의 의미를 단일하게 한정하는 언어와 달리 이미지는 한 가지 의미로 정의하기 어려우므로'를 통해 대상을 언어로 표현하면 그 특성을 한정 짓고, 나머지 다른 요소는 배제하게 될 거라는 것을 알 수 있다.
> ④ 셋째 문단에서 리오타르는 현대 예술의 본질이 '낯익은 세계의 재현을 파괴하여 어떤 낯선 세계를 드러내는 것'을 통해 인식의 확장을 가능하게 하는 데 있다고 보았다.

제6회 모의고사 정답 및 해설

제6회 모의고사 정답

01 ④	02 ②	03 ③	04 ②	05 ①
06 ③	07 ④	08 ②	09 ④	10 ①
11 ②	12 ②	13 ③	14 ①	15 ③
16 ①	17 ②	18 ④	19 ④	20 ①

01

◇ [이론 문법 – 통사론 – 올바른 표현]

답 ④ '발등에 불이 떨어졌다.'는 관습적 표현으로 '급하게 일을 처리해야 하는 상황이 되다.'라는 뜻이다. 따라서 제시된 문장은 조사나 어미가 의미에 맞게 쓰인 올바른 문장이므로 ㄹ의 예로 적절하지 않다.

⊞ 오답정리

① '비단(非但)'은 부정하는 말 앞에 쓰여 '다만', '오직'이라는 뜻의 부사어로, '비단 ~이 아니다.', '비단 ~뿐 아니라'와 같이 부정 서술어와 함께 쓰인다. 따라서 '아침에 끼니를 거르는 사람은 비단 나뿐이 아니었다.'로 고쳐야하므로 ㉠의 예로 적절하다.

② 서술어 '시작되다'와 호응하는 주어는 '공사'이지만, 서술어 '개통되다'에 호응하는 주어는 누락되어 있다. 따라서 '공사가 언제 시작되고, 도로가 언제 개통될지 모른다.'로 누락된 주어를 추가해야 하므로 ㉡의 예로 적절하다.

③ '뇌리(腦裏)'는 사람의 의식이나 기억, 생각 따위가 들어 있는 영역을 의미하며, '裏(속 리)'와 '속'의 의미가 불필요하게 중복된 경우이다. 따라서 '바다를 보니 뇌리에/머릿속에 영화의 한 장면이 떠올랐다.'라고 중복된 요소를 삭제해야 하므로 ㉢의 예로 적절하다.

✦ 세상 어디에도 없는 추가해설

1. 특정 부사어와 서술어의 호응

과연 ~로구나(~이다), 여간 ~지 않다, 결코 ~가 아니다 (~해서는 안 된다), 전혀 ~없다(~아니다), 별로 ~지 않다, 차마 ~ 수 없다, 하물며 ~랴(~ㄴ가), 뉘라서 ~(으)ㄹ 것인가, 아마(틀림없이) ~(으)ㄹ 것이다, 만약(만일) ~더라도, 혹시(아무리) ~ㄹ지라도(~하여도), 비록 ~지라도(~지만, ~더라도, ~어도), 모름지기(마땅히, 당연히, 반드시) ~해야 한다, 마치(흡사) ~처럼(~ 같이, ~과 같다)

2. 생략된 문장성분 갖추기

주어 갖추기	• 문학은 다양한 삶의 체험을 보여 주는 예술의 <u>장르로서 문학을</u> 즐길 예술적 본능을 지닌다. → <u>예술의 장르로서, 인간은 문학을</u> ➔ 앞 문장의 주어와 뒤 문장의 서술어가 호응하지 않으므로, 뒤 문장에 '인간은'이라는 주어가 필요하다. • 본격적인 공사가 언제 시작되고, 언제 <u>개통될지</u> 모른다. → <u>도로가 언제 개통될지</u> ➔ '개통될지'에 해당하는 주어는 '공사'가 아니므로 새로운 주어를 넣어야 한다.
서술어 갖추기	• <u>노래나</u> 춤을 출 사람이 필요하다. → <u>노래를 부르거나 춤을 출</u> ➔ '노래'에 호응하는 서술어를 넣어 주어야 한다.
목적어 갖추기	• 우리는 모두 그분을 존경하였고, <u>그분 또한 사랑하였다.</u> → <u>그분 또한 우리를 사랑하였다.</u> ➔ '사랑하다'는 타동사이므로 목적어 '우리를'을 넣어 주어야 한다.
관형어 갖추기	• 건우가 시험에 합격한 것은 <u>기쁨이 되었다.</u> → <u>우리의 기쁨이 되었다.</u> ➔ '기쁨이'에 호응하는 관형어가 생략되어 누구의 기쁨이 된 것인지 분명하지 않다.
부사어 갖추기	• 인간은 환경을 지배하기도 하고, 때로는 <u>순응하면서 산다.</u> → <u>환경에 순응하기도 하면서 산다.</u> ➔ '순응하다'는 필수 부사어를 갖는 동사이므로 부사어를 보충해야 하고, 앞 문장이 '-기도 하고'의 구조이므로 뒤 문장도 '~기도 하면서'의 구조를 갖추는 것이 자연스럽다.

3. 중복되는 말 삭제하기

• <u>과반수가 넘는</u> 찬성으로 안건이 가결되었다.
  ➔ '과반수(過半數)'의 '과(過)'와 '넘는'이 중복된다.
• <u>미리 예습하는</u> 것이 좋을 것 같다.
  ➔ '미리'와 '예습(豫習)'의 '예(豫)'가 중복된다.

- 표가 <u>전부</u> 매진되었다.
  - ➡ '전부(全部)'와 '매진(賣盡)'의 '진(盡)'이 중복된다.
- 부정부패를 <u>완전히</u> 근절하자.
  - ➡ '근절(根絶)'은 '뿌리째(완전히) 없애 버림'의 의미로 '완전히'와 중복된다.
- <u>그때</u> 당시에는 모두가 힘들었습니다.
  - ➡ '그때'와 '당시(當時)'의 '시(時)'가 중복된다.
- <u>어려운</u> 난관을 뚫고 마침내 당당히 합격했다.
  - ➡ '어려운'과 '난관(難關)'의 '난(難)'이 중복된다.
- <u>여성</u> 자매 두 분이 왔어요.
  - ➡ '자매'가 여자 동기이므로 '여성'은 불필요하다.
- <u>역전</u> 앞에서 만나자.
  - ➡ '역전(驛前)'의 '전(前)'과 '앞'이 중복된다.
- 그 여배우는 <u>남은</u> <u>여생</u>을 쓸쓸히 보냈다.
  - ➡ '남은'과 '여생(餘生)'의 '여(餘)'가 중복된다.
- <u>돌이켜</u> <u>회고</u>해 보건대 그의 행동은 모두 옳았다.
  - ➡ '돌이켜'와 '회고(回顧)'의 '회(回)'가 중복된다.
- 세탁기는 가사에 꼭 <u>필요한</u> <u>필수품</u>이다.
  - ➡ '필요한'과 '필수품(必需品)'의 '필(必)'이 중복된다.

02

◇ [어휘 – 다의어의 의미]
답 ② ㉠은 '다루다'의 사전적 의미 중에 '[1]「1」일거리를 처리하다.'에 해당한다. 또한 '그는 주로 상품을 선적하는 업무를 <u>다룬다</u>.'에서 역시 일거리를 처리한다는 ㉠과 동일한 의미로 사용되고 있다.

오답정리
① '그 상점은 주로 전자 제품만을 <u>다룬다</u>.'의 '다루다'는 '[1]「2」어떤 물건을 사고파는 일을 하다.'라는 의미로 쓰였다.
③ '무고한 사람을 범인으로 <u>다루었던</u> 사건이다.'의 '다루다'는 '[2]「2」사람이나 짐승 따위를 부리거나 상대하다.'라는 의미로 쓰였다.
④ '내 친구는 어린 시절부터 악기를 잘 <u>다루었다</u>.'의 '다루다'는 '[1]「3」기계나 기구 따위를 사용하다.'라는 의미로 쓰였다.

03

◇ [이론 문법 – 형태론 – 품사 통용]
답 ③ ㉢의 첫째 문장에서 '다섯'은 의존 명사를 수식하는 수 관형사로 쓰였다. 또한 둘째 문장에서 '다섯'은 수사로 주격 조사 '이'가 결합하였다. 따라서 '다섯'이 수사로 쓰일 때

는 단위성 의존 명사가 아니라 조사와 함께 쓰이고 있으므로 적절하지 않은 설명이다.

오답정리
① ㉠의 첫째 문장에서 '밝다'는 '불빛 따위가 환하다.'라는 의미의 형용사로 쓰이고, 둘째 문장에서 '밝는다'는 '밤이 지나고 환해지며 새날이 오다.'라는 의미의 동사로 쓰인 것이다. 따라서 동사로 쓰인 후자의 경우에 어간 '밝–'에 현재 시제 선어말어미 '–는–'이 결합하였으므로 적절한 설명이다.
② ㉡의 첫째 문장에서 '오늘'은 명사로 주격 조사 '이'가 결합하였고, 둘째 문장에서는 '오늘'이 서술어 '갔다'를 수식하는 부사로 쓰이고 단독형으로 나타난다. 따라서 '오늘'이 부사로 쓰일 때 격조사가 붙지 않는다는 설명은 적절하다. (단 '그는 오늘은 집에 갔다'처럼 보조사는 부사 뒤에 붙을 수 있다.)
④ ㉣의 첫째 문장에서 '아차'는 감탄사로 쓰인 경우로 느낌표(!)로 문장을 마무리하고 있다. 또한 둘째 문장의 '아차'는 '잘못하여'를 수식하는 부사이다. 따라서 '아차'가 감탄사로 쓰일 때 독립적인 문장과 같은 기능을 한다는 설명은 적절하다.

✦ 세상 어디에도 없는 추가해설

1. '다섯'의 품사 통용
- 수관형사 : 관형사 뒤에는 조사가 붙지 못한다. 뒤의 명사를 꾸며 준다.
- 수사 : 뒤에 조사가 붙어 있다. (조사가 생략되어 있어도 조사를 붙일 수 있다.)
  예 <u>다섯</u> 명이 악당 <u>다섯</u>을 해치웠다.
  　　수관형사　　　　　수사

2. '밝다'의 품사 통용

| 밝다 | 동사 | 밤이 지나고 환해지며 새날이 오다.
예 벌써 새벽이 <u>밝아</u> 온다. |
| | 형용사 | '새날이 오다' 이외의 의미
예 초저녁부터 달이 휘영청 <u>밝았다</u>.
벽지가 <u>밝아서</u> 집 안이 아주 환해 보인다.
인사성과 예의가 <u>밝다</u>, <u>밝은</u> 목소리, 전망이 <u>밝다</u> |

3. '오늘'의 품사 통용
- 부사 : 뒤의 용언을 꾸밈. / 명사 : 뒤에 조사가 옴.
  예 <u>오늘</u> 보자./ 시험이 벌써 <u>오늘</u>이다.
  　　부사　　　　　　　　　　명사

4. '아차'의 품사 통용
- 감탄사 : 느낌, 놀람의 의미 / 부사 : 뒤의 용언을 꾸밈.
  예 <u>아차</u>! 내 정신 좀 봐. / 눈길에 <u>아차</u> 잘못하여 넘어졌다.
  　　감탄사　　　　　　　　　　　명사

04

◇ [어문규정 – 한글 맞춤법]
답 ② '핏대', '텃마당', '냇가'는 모두 순우리말로 된 합성어로 앞말이 모음으로 끝나 사이시옷을 받쳐 적어야 하는 경우이므로 한글맞춤법 제30항의 1에 해당하는 예시로 적절하다.

⊠ 오답정리

① 'ㄷ'으로 적을 근거는 본디 'ㄷ' 받침을 가지고 있거나 'ㄹ' 받침이 'ㄷ'으로 바뀐 것이다. '돗자리', '웃어른'은 [돋짜리], [우더른]으로 발음되는데, 본디 'ㄷ' 받침을 갖거나 'ㄹ' 받침이 'ㄷ'으로 바뀐 단어가 아니기 때문에 'ㄷ' 소리 나는 받침을 'ㅅ'으로 적은 한글 맞춤법 제7항의 예에 해당한다. 그러나 '쳇바퀴'는 순우리말로 된 합성어로 앞말이 모음으로 끝나고, 뒷말의 첫소리가 된소리로 발음되는 단어이므로 한글맞춤법 제30항의 1에 해당하는 예시이다.
③ '햇수'는 고유어 '해'와 한자어 '數'가 결합한 한자어이고, '찻잔'은 고유어로 인식되는 '차'와 한자어 '盞'가 결합한 한자어이다. 또한 두 단어 모두 앞말이 모음으로 끝나고 뒷말의 첫소리가 된소리로 발음되므로 한글 맞춤법 제30항의 2에 해당한다. 그러나 '나룻배'는 순우리말로 이루어진 합성어이므로 한글맞춤법 제30항의 1에 해당하는 예시이다.
④ 한글맞춤법 제30항의 3에 제시된 한자어는 '곳간(庫間)', '셋방(貰房)', '숫자(數字)', '찻간(車間)', '툇간(退間)', '횟수(回數)'이다. 따라서 한자어로 이루어진 합성어 '갯수(個數)'는 사이시옷 없이 '개수'로 적어야 한다.

05

◇ [독해(비문학) – 서술 방식 부정 발문]
답 ① '시효 제도'에 대해 설명하면서 우리 민법에 '취득 시효'와 '소멸 시효'를 규정하고 있다고 언급할 뿐, 구체적인 법 조항을 인용하지는 않았다.

⊠ 오답정리

② '권리 위에 잠자는 자의 법익은 보호받지 못한다.'는 문장은 전문가인 법 철학자의 말을 인용한 것으로 내용의 신뢰성을 높이고 있다.
③ 첫째 문단에서 시효 제도가 존재하는 이유를 밝히면서 '먼저', '다음으로'와 같이 순서를 나타내는 표지어를 사용하고 있다. 그리고 둘째 문단에서는 '시효 제도'의 두 가지 하위 개념인 '취득 시효'와 '소멸 시효'를 설명하면서 '우선', '한편'이라는 표지어를 사용하여 중심 내용을 보다 짜임새 있게 전달하고 있다.
④ 첫째 문장에서 '시효 제도'의 개념을 설명하고, 둘째 문단에서는 그 하위 범주인 '취득 시효'와 '소멸 시효'의 개념을 정의하였다. 특히 '취득 시효'에 대해서 '예를 들어~'라고 하며 내용을 보다 쉽게 이해할 수 있도록 하였다.

06

◇ [독해(문학) – 현대 운문의 표현 및 내용 이해]
답 ③ '지어미'와 '지아비'는 각각 아내와 남편을 일컫는 예스러운 표현이다. 이를 통해 화자는 삶에서 어려운 시기를 맞은 '내외'들에게 서로 믿고 의지하며 의연하게 현재 상황을 헤쳐 나갈 것을 권고하고 있을 뿐, 과거로 회귀하려는 뜻을 나타낸 것은 아니다.

⊠ 오답정리

① '남루'는 물질적 궁핍을 비유하며 '우리'가 처한 상황을 보여 준다. 또한 '갈맷빛의 등성이를 드러내고 서 있는 / 여름 산'은 짙은 초록빛을 한 무등산의 모습으로 화자가 추구하는 건강하고 순수한 본성을 형상화하기 위해 빗댄 소재이다. 이처럼 1연에서 비유를 통해 가난 속에서도 건강함, 순수함을 잃지 않는 모습을 강조하고 있으므로 적절한 설명이다.
② 2연의 '우리는 우리 새끼들을 기를 수밖에 없다'에서 단정적 어미를 사용하고 있으며, 이를 통해 가난하고 고통스러운 현실 속에서도 부모로서의 역할과 책임을 다해야 한다는 당위성을 드러내고 있다.
④ '오후의 때'와 '가시덤불 쑥구렁'은 고난을 상징하고, '청태'는 가난한 현실 속에서도 잃지 않고 지켜 내려는 고결한 정신을 상징한다. 이러한 상징을 통해 고된 현실 속에서도 삶의 품격을 잃지 말아야 함을 강조하고 있으므로 적절한 설명이다.

✦ 작품정리   서정주, 〈무등산을 보며〉

• 해제 : 이 시는 시인이 한국 전쟁이 소강상태에 접어든 1952년에 광주에서 강의를 하며 지낼 때 바라 본 무등산이 창작의 계기가 되었다고 한다. 이 시는 가난이 인간의 타고난 본질까지 훼손시킬 수는 없기에 삶의 곤란함에 의연하게 대처하면서 살아가기를 권유하고 있다. 화자는 무등산을 바라보면서 세상 사람들이 그 청산을 본받아 의연한 삶을 살아가기를 바란다. 그는 사람들이 청산과 같은 강건한 생명력을 지니고 있으며, 가난은 그 정신의 강건한 생명력을 가릴 수 없는 물질적인 것에 지나지 않는다고 생각한다. 그리고 사람들이 곤궁한 삶 속에서도 청산을 본받아 부모로서의 역할을 제대로 하고, 부부간의 사랑을 더욱 돈독히 하면서 의연하게 살아가기를 권유한다. 그래서 이 시에서의 '청산'은 화자가 지향하는 세계이자 화자가 사람들이 지향하기를 바라는 세계라고 할 수 있다. '갈매빛', '청산', '지란', '옥돌', '청태' 등에서 나타나는 푸른색 심상은 화자의 그런 태도를 잘 드러내 준다. 시인은 눈부신 햇빛 속에서 우뚝 서 있는 무등산을 보면서, 가난이 사람을 초라하게 만들기는 하지만 사람의 타고난 본성을 가릴 수 없음을 깨닫고, '옥돌'과 같은 고결한 정신으로 가난을 극복하고자 한다.
• 주제 : 가난을 이겨 내려는 삶의 긍정적 자세
• 구성
1연 – 가난은 인간이 타고난 본질을 가릴 수 없음.
2연 – 자식을 소중히 기르려는 마음
3연 – 가난을 이겨 내려는 의연함
4연 – 서로 의지하며 가난을 이겨 내는 태도
5연 – 가난을 긍정적으로 받아들이는 자세

• 특징
 – 무등산을 의인화하여 삶의 태도를 제시함.
 – 완곡한 명령어를 사용하여 주제를 효과적으로 전달함.
 – 삶에 대한 긍정적 자세를 산문의 진술 방식으로 표현함.

07

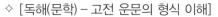

◇ [독해(문학) – 고전 운문의 형식 이해]
답 ④ '근본 숨겨 살려 한들 어데 간들 면할손가'와 '석숭인들 당할소냐'에서 설의법이 사용되고 있다. 그러나 이를 통해 억압적 현실 상황에 대한 극복 의지를 나타내고 있는 것은 아니므로 적절하지 않은 설명이다.

▨ 오답정리
① '허리 위로 볼작시면 베적삼이 깃만 남고 / 허리 아래 굽어보니 헌 잠방이 노닥노닥'에서 대구법이 나타난다. 또한 이 구절에서 '군사도망'을 하고 있는 '갑민'의 초라한 행색을 묘사함으로써 그의 처지를 보여주고 있으므로 적절한 설명이다.
② '갑민'은 과도한 군역 때문에 고향을 떠날 수밖에 없음을 토로하면서 '원수인의 모해'로 '많은 가족'들이 '충군'되고 친족들이 도망갔던 일 등 과거를 회상하고 있다. 이처럼 '갑민'이 겪는 고난의 원인이 과도한 군역을 지게 된 것에 있음을 보여주고 있으므로 적절한 설명이다.
③ '어져어져 저기 가는 저 사람아'라고 '생원'이 '갑민'을 부르며 군사 도망가지 말고 본래 있던 곳에 머무를 것을 권하고 있다. 이와 달리 '갑민'은 '어와 생원인지 초관(哨官)인지 그대 말씀 그만두고 이내 말씀 들어 보소'라며 열두 사람 몫의 신역을 감당하지 못해 고향을 떠나고자 한다. 이처럼 '생원'과 '갑민' 두 화자의 대립적 견해가 대화 형식으로 드러나고 있으므로 적절한 설명이다.

✦ 작품정리　작자 미상, 〈갑민가〉
• 해제 : 조선 영·정조 때 갑산에 살았던 작가가 지은 가사 작품으로 알려져 있다. 갑산 백성들의 참상을 사실적으로 드러낸 이 작품은, 도망가는 갑산 군사들에게 자신의 집안 내력과 부역을 감당하기 힘든 상황, 아무리 노력해도 나아지지 않는 상황, 학정에 아내마저 잃고 집안이 망가졌으나 왕의 은택이 미치지 못하는 상황 등을 이야기하면서 북청부사의 선정을 기대하며 그곳으로 도망친다는 내용으로 끝을 맺는다. 갑산 백성들의 참상을 사실적으로 드러낸 작품이지만, 북청부사 성대중의 선정을 강조하기 위한 것이라는 견해도 있다.
• 주제 : 갑산 백성들의 고통과 괴로움
• 특징
 – 대화체 형식으로 시상을 전개함.
 – 구체적 지명을 활용해 사실성을 높임.
 – 양반 관료사회의 수탈 및 부패를 과감하게 폭로함.
 – 열거법을 통해 착취당하는 농민의 참상을 고발함.
 – 설의법, 대구법, 직유법 등을 활용해 주제를 형상화함.

08

◇ [독해(문학) – 고전 산문의 내용 이해]
답 ② '풍경 소리'는 천상계의 공간인 '전각'의 공간적 배경을 묘사하는 청각적 심상이다. 그러나 이 소리가 숙향이 꿈을 꾸고 있음을 알려 주고 있지는 않으므로 적절하지 않은 설명이다.

▨ 오답정리
① '푸른 새'는 부모와 헤어져 홀로 울고 있는 숙향의 앞에 나타나서 천상계의 존재인 '청의 소녀'와 '부인'이 있는 전각으로 인도하였다. 이처럼 '푸른 새'가 숙향을 초현실 공간인 전각으로 안내하였으므로 적절한 설명이다.
③ '부인'은 울고 있는 숙향에게 "선녀가 인간 세계에 내려와서 더러운 물을 많이 먹어서 정신이 상하였으니~"라고 하였다. 따라서 '부인'은 숙향이 천상계의 선녀였으나 인간계로 적강하여 고난을 겪었음을 모두 알고 있으므로 적절한 설명이다.
④ '부인'의 명을 받아 '경액'을 마신 숙향은 '흐렸던 정신이 선명해지며, 전생의 월궁(月宮)의 선녀로 천상(天上)에서 놀던 일과 인간 세계에 내려와서 부모를 잃고 고생한 일을 역력히 알게' 되었다고 하였다. 따라서 '경액'은 숙향의 전생인 천상계에서의 기억을 떠오르게 하는 매개체이므로 적절한 설명이다.

✦ 작품정리　작자 미상, 〈숙향전〉
• 해제 : 조선 후기 작자 미상의 고전 소설로, 〈이화정기(梨花亭記)〉라고도 한다. 이 작품은 '영웅의 일대기 구조'를 따라 여성의 수난의 상황이 그려져 있는 것이 특징이다. 여주인공 숙향이 고귀한 혈통으로 태어나 어려서 고아가 되고 구출자를 만나 양육되었다가 다시 찾아오는 위기를 극복하고 마침내 행복한 삶을 누리게 되는 과정을 보여 준다. 또한 여주인공이 고난과 역경 속에서도 애정을 포기하지 않는다는 설정은 여성의 애정 성취 욕구를 반영한 것이며, 이는 여성 독자층의 요구나 의식과 밀접한 관계를 나타내는 것이라고 할 수 있다.
• 주제 : 고난과 시련의 극복을 통한 운명적 사랑의 성취

09

◇ [독해(작문) – 고쳐쓰기]

답 ④ '추가 내용'에는 예상되는 반론과 이에 대해 재반박하는 내용이 나타나지 않으므로 적절하지 않은 설명이다.

오답정리

① '추가 내용'의 둘째 문장인 '이처럼 유기농 식품이 ~ 부정적 영향을 준다.'에서 글 전체의 중심 내용을 한 문장으로 요약하여 제시하고 있으므로 적절한 설명이다.

② '추가 내용'의 마지막 문장인 '유기농 식품에 대한 ~ 할 수 있을 것이다.'에서 중심 내용이 지닌 긍정적 가치를 제시하며 마무리하고 있으므로 적절한 설명이다.

③ '추가 내용'의 첫째 문장인 '또한 과학 전문 잡지에 ~ 배출한다고 하였다.'에서 유기농 식품 생산이 환경에 미치는 부정적 영향을 추가해 중심 내용을 강조하고 있으므로 적절한 설명이다.

10

◇ [어문규정 – 표준어 규정]

답 ① 고유어 '푼돈'은 널리 쓰이고, 그에 대응되는 한자어 계열의 단어 '분전'은 용도를 잃었으므로 ㉠의 예시로 적절하다. 그리고 한자어 계열의 단어 '어질병'은 널리 쓰이고, 이에 대응되는 고유어 '어질머리'가 생명력을 잃어 ㉡의 예시로 적절하다.

오답정리

② 고유어 '홑벌'은 거의 쓰이지 않고, 한자어 계열의 '단벌'이 널리 쓰이므로 이 단어는 ㉠의 표준어 예시로 적절하지 않다. 한편 한자어 계열의 단어 '고봉밥'은 고유어 '높은밥'보다 더 널리 쓰이므로 ㉡의 예시로 적절하다.

③ 고유어 '가루약'은 널리 쓰이지만 그에 대응되는 한자어 '말약(末藥)'은 용도를 잃었으므로 ㉠의 예시로 적절하다. 또한 고유어 '잔돈'은 닐리 쓰이지만 그에 대응되는 한자어 계열의 '잔전'은 생명력을 잃었으므로 이 단어 역시 ㉠의 예시에 해당한다.

④ 한자어 계열 '양파'는 고유어 '둥근파'에 대응되는 한자어이고, 더 널리 쓰이므로 ㉠의 표준어 예시로 적절하지 않다. '총각무(總角–)'와 '알타리무' 중에서 '알타리무'는 간혹 쓰이나 그 쓰임이 '총각무'에 비해서는 훨씬 적으므로 표준어에서 제외되어 ㉡의 예시로 적절하다.

✦ 세상 어디에도 없는 추가해설

[제21항] 고유어 계열의 단어가 널리 쓰이고 그에 대응되는 한자어 계열의 단어가 용도를 잃게 된 것은 고유어 계열의 단어만을 표준어로 삼는다.

표준어(○)	비표준어(×)	비 고
가루–약	말–약	
구들–장	방–돌	
길품–삯	보행–삯	남이 갈 길을 대신 가 주고 받는 삯 ≒ 보행료, 보행전
까막–눈	맹–눈	
꼭지–미역	총각–미역	한 줌 안에 들어올 만큼을 모아서 잡아맨 미역
움–파	동–파	
잔–돈	잔–전	
푼–돈	분–전/푼–전	

[제22항] 고유어 계열의 단어가 생명력을 잃고 그에 대응되는 한자어 계열의 단어가 널리 쓰이면, 한자어 계열의 단어를 표준어로 삼는다.

표준어(○)	비표준어(×)	비 고
개다리–소반(小盤)	개다리–밥상	
겸상(兼牀)	맞–상	
고봉(高捧)–밥	높은–밥	그릇 위로 수북하게 높이 담은 밥
단(單)–벌	홑–벌	
양(洋)–파	둥근–파	
어질–병(病)	어질–머리	
윤(閏)–달	군–달	
장력(壯力)–세다	장성–세다	씩씩하고 굳세어 무서움을 타지 아니하다.
총각(總角)–무	알–무/알타리–무	

11

◇ [독해(문학) – 고전 운문의 내용 이해,
　　한자성어]

답 ② 첫째 구절에서 개국의 정당성을 논하면서 나라의 운명이 끝이 없다고 하였고, 둘째 구절에서는 후대 왕이 이를 이어 받아 ⊙과 같이 해야 왕조의 영원성이 더욱 굳어질 것이라고 하였다. 따라서 하늘을 공경하고 백성을 위하여 부지런히 일한다는 뜻을 지닌 '敬天勤民(경천근민)'이 들어가는 것이 가장 적절하다.

敬 공경 경, 天 하늘 천, 勤 부지런할 근, 民 백성 민

오답정리

① '論功行賞(논공행상)'은 어떤 사람의 공적을 평가하여 그에 알맞은 상을 준다는 뜻이다. 그러나 이 작품은 새 왕조 창업의 정당성과 왕조가 영원하기 위해서 후대 왕이 가져야 태도를 권계하는 내용으로 이루어져 있다. 따라서 '論功行賞'은 ⊙에 들어가기에 협소한 내용을 담고 있으므로 가장 적절한 한자성어는 아니다.

論 논할 논, 功 공 공, 行 행할 행, 賞 상줄 상

③ '驚天動地(경천동지)'는 하늘을 놀라게 하고 땅을 뒤흔든다는 뜻으로, 세상을 몹시 놀라게 함을 비유적으로 이르는 말이다. 이 작품의 맥락과 어울리지 않으므로 적절하지 않은 한자성어이다.

驚 놀랄 경, 天 하늘 천, 動 움직일 동, 地 땅 지

④ '切磋琢磨(절차탁마)'는 옥이나 돌 따위를 갈고 닦아서 빛을 낸다는 뜻으로, 부지런히 학문과 덕행을 닦음을 이르는 말이다. 이는 선비나 학자에게 권계할 만한 한자성어로 왕조의 영원한 번영을 위해 후대 왕에게 권계할 만한 내용으로 보기는 어렵다.

切 끊을 절, 磋 갈 차, 琢 다듬을 탁, 磨 갈 마

◆ 현대어 풀이

천 세대 전부터 미리 정하신 한양에, 어진 덕을 쌓아 나라를 여시어, 나라의 운명이 끝이 없으시니.
성스러운 임금이 이으시어도 하늘을 공경하고 백성을 부지런히 돌보셔야 더욱 굳으실 것입니다.
임금이시여, 아소서. 낙수에 사냥 가 있으며 할아버지를 믿었습니까?

12

◇ [어휘 – 성어]

답 ② 밑줄 친 부분에서 작가는 가을 나무를 통해 지금까지는 알지 못했던 새로운 진리를 볼 수 있을 것이라 기대하고 있다. 따라서 '안 보이던 눈이 보이게 되는 것, 또는 그동안 미처 몰랐던 사실이나 진리를 깨우쳐 비로소 사물이나 사건을 확연히 알게 되는 경지'를 의미하는 '개안(開眼)'이 가장 관련이 깊은 한자어이다.

開 열 개, 眼 눈 안

오답정리

① 고취(鼓吹)는 '북을 치고 피리를 분다는 것으로 용기(勇氣)와 기운(氣運)을 북돋우어 일으킴을 비유적으로 이르는 말'이다.

鼓 북 고, 吹 불 취

③ 다반사(茶飯事) '예사로운 일이나 항상 있는 일 등 별스럽지 않은 일'을 의미한다.

茶 차 다, 飯 밥 반, 事 일 사

④ 시금석(試金石)은 '가치, 능력, 역량 따위를 알아볼 수 있는 기준이 되는 기회나 사물을 비유적으로 이르는 말'이다.

試 시험 시, 金 쇠 금, 石 돌 석

13

◇ [독해(화법) – 발표 – 메모하며 듣기]

답 ③ 발표의 마무리 부분에서 시행 방법을 설명하며 길 이름을 푯말에 표기하여 설치하자고 하였으나, 유래를 밝힌다는 내용은 나오고 있지 않으므로 적절하지 않은 설명이다.

오답정리

① '우리말 길 이름 짓기'의 정책 목적을 두 가지로 제시하고 있다. 첫째는 학교 구성원들이 길 이름을 사용해 '편리하게 소통하기 위함'이고, 둘째는 이 정책을 학교의 특색으로 내세워 '학생들의 애교심을 고양하기 위함'이라고 밝히고 있다.

② 선정 과정은 길 이름에 대한 공모를 받고, 선정 위원회를 통해 후보군을 정한 후에 전체 투표로 최종안을 결정한다고 설명하였다.

④ 발표의 마지막 문장에서 '우리말 길 이름 짓기'가 우리 언어뿐만 아니라 문화와 정신을 가꾸는 첫걸음이 될 것이라고 정책의 의의를 언급하였다.

14

◇ [독해(문학) – 현대 산문의 형식 이해]

답 ① 건우의 별명은 '거미'인데, 이것이 물에서 날쌘 짐승이기 때문에 건우의 할아버지가 아명으로 지어주신 것이라고 하였다. 이 이름을 통해 '강가에 사는 사람들의 자식 아끼는 심정을 가히 짐작'할 수 있으나, 그 인물이 평탄한 삶을 살 것임을 암시하는 것은 아니므로 적절하지 않은 설명이다.

⊞ 오답정리

② "나릿배 통학생임더."와 "맹지면에서 나릿배로 댕기는 아입니더."에서 '나'를 제외한 등장인물들이 방언을 사용하고 있음을 알 수 있다. 이 소설의 공간적 배경이 낙동강 하류의 김해와 부산이므로 이 지역 주민들은 경상도 방언을 사용할 것이다. 따라서 방언의 사용은 작품의 사실성을 높여 주는 기능을 하므로 적절한 설명이다.

③ 이 작품의 서술자인 '나'는 건우의 선생님으로 작품 안에 등장하고 있다. 또한 서술자 자신의 이야기보다는 건우의 이야기를 들려주는 관찰자 역할을 하고 있으므로 적절한 설명이다.

④ '지각생이 많으면 교사는 짜증이 나게 마련이다.'와 '나는 건우란 소년에게 은근히 동정이 가게 되었다.'에서 인물의 심리가 직접적으로 드러나고 있으므로 적절한 설명이다.

✦ 작품정리 김정한, 〈모래톱 이야기〉

• **해제**: 이 작품은 조마이섬을 배경으로 하여 격동의 근현대사 속에서 줄곧 소외당하며 살아온 하층민들의 비참한 삶과 부조리한 현실에 대한 저항 의지를 담은 소설이다. 섬사람들은 선조에게 물려받은 삶의 터전을 일제 강점기에는 총독부 권력에 의해, 광복 후에는 유력자들에 의해 빼앗기는 수난을 당하며 억압받는다. 이러한 현실적 모순에 대해 저항해 보지만 그 결과는 중심인물이 공권력에 의해 끌려가는 것으로 나타나 농촌 현실의 모순을 해결하는 것이 그만큼 어려운 일이라는 것을 사실적으로 보여 준다.

• **주제**: 부당한 권력에 맞서 삶의 터전을 지키려고 하는 조마이섬 사람들의 시련과 저항 의지

• **줄거리**: K 중학교 교사로 부임한 '나'는 건우에게 관심을 가지게 되고 건우네 집에 가정 방문을 하게 된다. '나'는 윤춘삼 씨와 건우 할아버지인 갈밭새 영감으로부터 근현대사의 역사 속에서 부당한 권력에 의해 삶의 터전을 빼앗기며 고난을 겪어 온 조마이섬 사람들의 비참한 삶의 내력을 듣고 안타까움을 느낀다. 어느 날, 폭풍우로 인해 홍수가 나게 되고 조마이섬 주민들은 고립되어 죽음의 위기에 빠지게 된다. 그때 갈밭새 영감은 힘 있는 자들이 섬 매립을 목적으로 만들어 놓은 둑을 허물고 그것을 막는 사람과의 마찰로 살인까지 저지르게 된다. 폭풍우가 끝난 뒤 9월 새 학기에도 건우는 학교에 오지 않고, 조마이섬에는 군대가 머문다는 소문이 들린다.

• **특징**
– 구체적인 지역의 비참한 실상을 사실적으로 묘사함.
– 지식인으로 설정된 1인칭 서술자의 관찰을 통해 사건을 전달함으로써 객관성과 사실성을 확보함.
– 방언 사용을 통해서 사실성, 현장감, 향토성을 부여

15

◇ [독해(화법) – 협상]

답 ③ ⊙은 예산이 넉넉하지 않다는 ⓒ의 답변을 듣고, '정자를 한 동 **빼고** 어린이 놀이 시설을 설치하면 예산 내에서 가능하지 않을까요?'라며 새로운 제안을 하였다. 그러나 이것은 더 많은 자원을 확보할 수 있는 방안이 아니라 한정된 자원 내에서 자신들의 최초 요구 사항을 수정한 제안이므로 적절하지 않은 설명이다.

⊞ 오답정리

① ⊙은 '주민 대상 설문조사에서 어린이 놀이 시설 요청이 확연히 많았고, 이에 대한 민원도 많은 것으로 알고 있습니다.'에서 수요가 높은 점을 근거로 들어 어린이 놀이 시설의 필요성을 강조하고 있다.

② ⓒ은 '예산이 넉넉하면 그렇게 해드리겠지만 ~ 쉽지 않을 것 같습니다.'에서 한정된 예산으로 인해 상대방의 요구를 수용하기 어렵다고 답변하고 있다.

④ ⓒ은 정자 한 동 대신 어린이 놀이 시설을 설치하자는 ⊙의 제안에 대해 '미끄럼틀과 그네는 공간을 많이 차지해서 택일'해야 한다며 수용 가능한 범위를 제시하고 있다. 이처럼 이견을 좁힘으로써 '미끄럼틀과 시소'라는 협상안을 마련하게 되었으므로 적절한 설명이다.

16

◇ [독해(비문학) – 추론]

답 ① 첫째 문단에서 '마을 주민들의 개인적 욕심 때문에' 양의 개체수를 늘게 하고, 둘째 문단에서 '개인의 이익을 위해' 어류의 생산량을 증대하여 결국 어장과 초원 같은 공유 자원이 고갈되는 것이라고 하였다. 따라서 공유 자원의 비극은 사람들이 개인적 이익을 위해 이것을 남용하기 때문에 발생하는 것이다.

⊞ 오답정리

② '사람들이 자연의 자정 능력을 과소평가'한다는 말은 사람들이 자연의 자정 능력을 실제보다 떨어진다고 여기는 것이다. 그러나 사람들이 자연의 자정 능력을 과소평가한다면, 어장이나 초원을 남용하지 않을 것이므로 이는 ⊙에 들어가기에 적절하지 않다.

③ 공유 자원이 고갈된 원인은 사람들이 공공의 이익이 아닌 개인의 이익을 추구했기 때문이므로 ⊙에 들어가기에 적절하지 않다.

④ 공유 자원이 고갈된 원인은 사람들이 자원을 남용하여 발생한 것이라고 제시되고 있다. 정부의 규제 미비를 공유 자원이 고갈된 원인으로 삼을 만한 근거를 찾을 수 없으므로 ⊙에 들어가기에 적절하지 않다.

17

◇ [독해(비문학) – 추론]

답 ② 첫째 문단에서 편익은 소비자가 상품을 소비함으로써 얻는 정신적 만족감을 언급하였고, 둘째 문단에서는 한계편익은 '어떤 선택에 의해 추가로 발생하는 편익'이라고 하였다. 따라서 ㉠에 들어갈 내용은 추가로 얻는 만족감이다. 한계비용은 그 선택에 의해 추가로 발생하는 비용이라고 하였으므로 이는 ㉡에 들어갈 내용이다.

18

◇ [독해(비문학) – 일반 추론 부정 발문]

답 ④ 둘째 문단에서 '운동을 하면 다량의 혈액이 근육으로 몰려서 피부 혈관이 수축'되며, 이로 인해 비증발성 발열량은 평소보다 줄어든 상태를 오래 유지한다고 하였다. 따라서 운동 시에 ㉠이 비증발성 발열 작용을 활발하게 한다는 것은 적절하지 않은 설명이다.

⊞ 오답정리

① 첫째 문단에서 '정온 동물은 심부 온도가 일정 범위를 벗어나면 생명 유지에 필요한 대사 기능 장애가 초래된다.'고 하였다. 따라서 인체는 ㉠을 갖추어 심부 온도를 일정 범위 내에서 유지되도록 하는 것이므로 이것이 잘 작동하지 않으면 대사 기능 장애가 초래된다는 것은 적절한 설명이다.
② 첫째 문단 마지막 문장에서 ㉠은 운동으로 인해 근육 조직에서 다량의 산열이 발생하면 방열의 양을 늘리려고 한다고 하였으므로 적절한 설명이다.
③ 둘째 문단에서 평상시의 ㉠은 피부 온도와 같은 온열성 정보에만 의존하여 작동한다고 하였으므로 적절한 설명이다.

19

◇ [독해(비문학) – 추론]

답 ④ '무료 도로'는 누구나 이용할 수 있어서 비배제적이고, 교통체증이 없는 경우에는 누군가 이용해도 다른 사람의 이용에 아무런 지장이 없어 비경합적인 공공재에 해당한다. 그러나 선지에 제시된 '교통체증이 일어나는' 도로는 한 사람이 추가로 도로를 이용하면 그만큼 교통 혼잡을 유발하여 다른 사람이 이용하는 것을 방해하게 된다. 따라서 이 경우는 비배제적이고 경합성이 있는 '㉢ 공유 자원'에 해당한다.

⊞ 오답정리

① '중고용품점에서 판매하는 상품'은 대가를 치르지 않은 사람이 소비할 수 없고, 한 사람이 사게 되면 다른 사람은 그 상품을 소비할 수 없게 된다. 따라서 이 경우는 배제성과 경합성이 있는 '㉠ 사적 재화'의 예시로 적절하다.
② '요금을 부과하는 케이블 TV'는 요금을 지불하지 않은 사람들은 케이블 TV 시청으로부터 배제될 수 있지만, 누군가가 시청한다고 해도 동일한 방송에 대한 다른 사람들의 시청에 영향을 주지 않는다. 따라서 이 경우는 배제성은 있고, 비경합적인 '㉡ 클럽재'의 예시로 적절하다.
③ '개방된 해역에 서식하는 물고기'는 누구나 낚시를 통해 물고기를 잡을 수 있지만, 누군가 물고기를 많이 잡을수록 다른 사람이 잡을 수 있는 물고기의 수가 줄어든다. 따라서 이 경우는 비배제성과 경합성이 있으므로 '㉢ 공유 자원'의 예시로 적절하다.

20

◇ [독해(비문학) – 배열]

답 ① ㉠에서 '틸트타운'은 웹툰에 주로 응용되는 '트랜지션 중 하나'라고 하였으므로 ㉠은 '트랜지션'에 대한 설명이 내용이 나온 문단 이후에 올 수 있다.

⊞ 오답정리

㉡은 '이런 방법 외에 장면을 전환할 때에 주로 사용하는 트랜지션이 활용되기도 한다.'는 문장으로 시작한다. 따라서 '이런'이 지칭하는 내용이 이 문단 앞에 나와야 하고, 이는 장면을 전환하는 다른 방법이라는 것을 알 수 있다. 또한 트랜지션에 대한 정보를 서술하고 있으므로 ㉡ 뒤에 ㉠이 이어져야 한다.
㉢은 웹툰의 특성을 이용해 작가의 의도를 구현하는 방법 중 시간적 간극을 나타내는 방법에 대한 내용이다. '이런 웹툰의 특성'으로 시작하므로 ㉢의 앞에는 '웹툰의 특성'을 설명한 문단이 올 것이라는 것을 알 수 있다. 또한 '우선'이라는 접속어를 사용하여 시간적 흐름을 나타내는 방법을 서술하였으므로 ㉢의 뒤에는 다른 방법이 서술된 문단이 올 것이라는 것도 알 수 있다.
㉣은 웹툰의 정의와 특징을 설명하고 있는 문단이므로 글의 첫째 문단에 해당한다.
㉤은 웹툰의 특성을 이용한 다른 효과를 나타낸 것에 대한 내용이다. '한편'이라는 접속어와 '시간 변화뿐 아니라 다른 효과를 구현할 수도 있다.'는 내용을 통해 ㉢ 다음에 위치한다는 것을 알 수 있다.
따라서 웹툰의 정의와 특징(㉣) – 웹툰의 특징을 이용한 연출 방법(㉢ – ㉤) – 이러한 방법 외의 트랜지션 기법(㉡ – ㉠) 순으로 이어지는 것이 자연스럽다.

제7회 모의고사 정답 및 해설

✓ 제7회 모의고사 정답

01 ②	02 ④	03 ④	04 ②	05 ②
06 ③	07 ③	08 ②	09 ①	10 ①
11 ④	12 ④	13 ①	14 ①	15 ③
16 ②	17 ③	18 ③	19 ④	20 ①

01

◇ [이론 문법 – 음운론 – 음운 변동]

답 ② '덮개[덥깨]'는 '음절의 끝소리 규칙(교체)' 후에 '된소리되기(교체)'가 일어난다. '색연필[생년필]'은 'ㄴ첨가(첨가)' 후에 '비음화(교체)'가 일어난다. '걷히다[거치다]'는 '거센소리되기(축약)' 후에 '구개음화(교체)'가 일어난다. 따라서 세 단어에서 공통적으로 나타나는 음운 변동인 ⓒ은 '교체'이다. 그리고 '걷히다'는 음운의 변동 결과 하나의 음운이 줄어들었으므로 ⓔ은 '-1'이다.

한편 '날짐승[날찜승]'은 '날다'의 어간 '날-'과 '짐승'이 관형사형 전성어미 '(으)-ㄹ'로 연결된 합성어이다. 이 단어는 'ㄹ탈락(탈락)'과 '된소리되기(교체)'가 일어나므로 ㄱ에 들어갈 단어로 적절하다.

⊞ 오답정리

① '열쇠[열쐬]'는 '열다'의 어간 '열-'과 '쇠'가 관형사형 전성어미 '(으)-ㄹ'로 연결된 합성어이다. 이 단어는 'ㄹ탈락(탈락)'과 '된소리되기(교체)'가 일어나므로 ㄱ에 들어갈 단어로 적절하다. ⓒ도 '교체'가 적절하지만, ⓔ은 -1이 아닌 0이므로 적절하지 않다.

③ '핥다[할따]'는 '자음군 단순화(탈락)' 후에 '된소리되기(교체)'가 일어나므로 ㄱ에 들어갈 단어로 적절하다. ⓒ은 '교체'가 아닌 '첨가'이므로 적절하지 않고, ⓔ은 -1이 아닌 0이므로 적절하지 않다.

④ '닦다[닥따]'는 '음절의 끝소리 규칙(교체)' 후에 '된소리되기(교체)'가 일어나고 있으므로 ㄱ에 들어갈 수 없다. ⓒ도 '교체'가 아닌 '첨가'이므로 적절하지 않다.

✦ 세상 어디에도 없는 추가해설

1. 음절의 끝소리 규칙

음절의 끝소리 규칙 대표음화, 중화	받침이 음절 끝에 올 때에는 표기된 대로 발음되는 것이 아니라 대표음(ㄱ, ㄴ, ㄷ, ㄹ, ㅁ, ㅂ, ㅇ)으로 발음되는 현상		
	음절의 끝소리	대표음	예시
	ㄲ, ㅋ	ㄱ	예 밖[박], 키읔[키윽]
	ㅌ, ㅅ, ㅆ, ㅈ, ㅊ, ㅎ	ㄷ	예 낱낱[난낟], 낫고[낟꼬], 났대[낟때], 낮[낟], 낯[낟], 히읗[히읃]
	ㅍ	ㅂ	예 앞[압]

2. 된소리되기(=경음화)

된소리되기	• '안울림소리 + 안울림소리'의 구조에서 뒷소리가 된소리로 발음되는 현상 예 역도[역또], 닫기[닫끼], 극비[극삐]
	• 어간 받침 'ㄴ(ㄵ), ㅁ(ㄻ), ㄼ, ㄾ' 뒤에 예사소리로 시작되는 활용 어미가 이어지면 된소리로 발음되는 현상 예 넘다[넘:따], 신고[신:꼬], 넓게[널께], 핥다[할따]
	• 용언의 관형형 '-ㄹ' 뒤에서 뒷소리가 된소리로 발음되는 현상 예 사랑할 사람[사랑할싸람]
	• 한자어의 'ㄹ' 받침 뒤의 'ㄷ, ㅅ, ㅈ'가 된소리로 발음되는 현상 예 발달[발딸], 발생[발쌩], 발전[발쩐], 몰상식[몰쌍식], 갈등[갈뜽], 불세출[불쎄출], 예외) 불법[불법 / 불뻡]

3. 'ㄴ' 첨가

<table>
<tr><td rowspan="3">'ㄴ'
첨가</td><td>합성어나
파생어에서</td><td>앞말이 자음으로 끝나고 뒷말의 첫 음절이 '이, 야, 여, 요, 유'로 시작하는 경우에는 뒷말의 초성 자리에 'ㄴ' 소리가 첨가된다.
예 꽃 + 잎 → [꼰닙], 식용+유 → [시굥뉴], 솜+이불→[솜니불], 한- + 여름 → [한녀름], 홑 + 이불 → [혼니불]</td></tr>
<tr><td>합성어에서</td><td>앞말이 모음으로 끝나고 뒷말의 첫 음절이 '이, 야, 여, 요, 유'로 시작하는 경우에는 뒷말의 초성 자리에 'ㄴㄴ' 소리가 첨가된다.
예 뒤 + 윷 → 뒷윷[뒨뉻], 나무 + 잎 → 나뭇잎[나문닙], 깨 + 잎 → 깻잎[깬닙]</td></tr>
<tr><td>합성어에서</td><td>앞말이 모음이고 뒷말이 'ㅁ, ㄴ'으로 시작되면 앞말의 받침에 'ㄴ' 소리가 첨가될 수 있다.
예 코 + 날 → 콧날[콘날], 수도 + 물 → 수돗물[수돈물]
이 + 몸 → 잇몸[인몸]</td></tr>
</table>

4. 비음화

<table>
<tr><td rowspan="4">비음화</td><td colspan="2">비음이 아닌 자음이 비음을 만나 비음(ㄴ, ㅁ, ㅇ)으로 발음되는 현상</td></tr>
<tr><td>순행 동화</td><td>예 강릉[강능], 담력[담녁]</td></tr>
<tr><td>역행 동화</td><td>예 밥물[밤물], 닫니[단니]</td></tr>
<tr><td>상호 동화</td><td>예 백로[뱅노], 섭리[섬니], 몇 리 → [멷리] → [면니]</td></tr>
</table>

5. 자음 축약(=거센소리되기)

<table>
<tr><td>자음 축약
= 거센소리
되기
= 격음화</td><td>예사소리 'ㄱ, ㄷ, ㅂ, ㅈ'와 'ㅎ'이 결합되어 거센소리 'ㅍ, ㅋ, ㅊ, ㅌ'으로 소리나는 현상
예 쌓지[싸치], 잡히다[자피다], 좋던[조턴], 각하[가카], 법학[버팍]</td></tr>
</table>

6. 구개음화

<table>
<tr><td>구개음화</td><td>앞 음절의 끝소리 'ㄷ, ㅌ'이 형식 형태소인 모음 'ㅣ'나 반모음 'ㅣ'로 시작되는 모음(ㅑ, ㅕ, ㅛ, ㅠ) 앞에서 'ㅈ, ㅊ'으로 바뀌는 현상. 역행 동화만 해당된다.
예 굳이[구지], 해돋이[해도지], 닫혀[다처]</td></tr>
</table>

7. 'ㄹ' 탈락

<table>
<tr><td rowspan="2">'ㄹ'
탈락</td><td>용언이 활용되는 과정에서 어간 끝 음 'ㄹ'이 'ㅂ, ㅅ, ㄴ, ㄹ, 오'로 시작하는 어미와 결합할 때 탈락하는 현상
예 울+-(으)ㅂ니다 → 웁니다, 울+-(으)시는 → 우시는, 울+-는 → 우는, 울+ㄹ → 울, 울+오 → 우오</td></tr>
<tr><td>합성, 파생되는 과정에서 어근 끝 음 'ㄹ'이 'ㄷ, ㅅ, ㅈ, ㄴ' 앞에서 탈락하는 현상
예 말+소 → 마소, 불+나비 → 부나비, 솔+나무 → 소나무, 바늘+질 → 바느질, 딸+님 → 따님</td></tr>
</table>

8. 자음군 단순화

<table>
<tr><td rowspan="7">자음군
단순화</td><td colspan="3">음절의 끝에 겹받침이 올 때, 한 자음이 탈락되어 발음되는 현상</td></tr>
<tr><td colspan="2">첫째 자음만
발음된다.</td><td>• ㄳ, ㄵ, ㄶ, ㄽ, ㄾ ㅀ, ㅄ
예 넋[넉], 앉다[안따], 곬[골], 핥다[할따], 값[갑]</td></tr>
<tr><td colspan="2">둘째 자음만
발음된다.</td><td>• ㄻ, ㄿ, ㄿ
예 앎[암ː], 닭[닥], 읊다[읍따]</td></tr>
<tr><td rowspan="4">불규칙하게
탈락된다.</td><td rowspan="2">ㄺ</td><td>일반</td></tr>
<tr><td>예 맑다[막따], 굵지[국찌]</td></tr>
</table>

맑고[말꼬], 굵게[굴께]
'ㄹ'이 용언의 어간 말 음일 경우 'ㄱ' 앞에서 [ㄹ]로 발음한다.

여덟[여덜], 넓다[널따]

밟다[밥ː따], 넓둥글다[넙뚱글다], 넓죽하다[넙쭈카다], 넓적하다[넙쩌카다]

'넓다'의 경우 [널]로 발음하여야 하나, 파생어나 합성어의 경우에 '넓'으로 표기된 것은 [넙]으로 발음한다.

※ 음운 변동의 유형

교체 대치	한 음운이 다른 음운으로 바뀌는 것 XAY → XBY(교체)	① 음절의 끝소리 규칙 ② 된소리되기 ③ 자음 동화(비음화, 유음화, 구개음화, 연구개음화, 양순음화) ④ 모음 동화(모음 조화, 'ㅣ' 모음 순행동화, 'ㅣ' 모음 역행동화, 전설 모음화, 원순 모음화)
축약	두 음운이 합쳐져서 제3의 음운으로 바뀌는 것 XABY → XCY(축약)	① 자음 축약(거센소리되기) ② 모음 축약(음절 축약) '반모음화'
탈락	한 음운이 어떤 환경에서 없어지는 것 XAY → X∅Y(탈락)	① 자음군 단순화 ② 자음 탈락(ㅎ 탈락, ㄹ 탈락, ㅅ 탈락) ③ 모음 탈락(동일 모음 탈락, ㅡ 탈락)
첨가	어떤 환경에서 새로운 음운이 새로 생기는 것 X∅Y → XAY(첨가)	① 사잇소리 현상(된소리되기, ㄴ 첨가) ② 반모음 첨가 'ㅣ' 모음 순행 동화

02

◇ [이론 문법 – 형태론 – 어간과 어미, 어근과 접사]

[답] ④ '솟구치다'는 어근 '솟다(솟-)'에 사동의 뜻을 더하는 접미사 '-구-'가 결합하고, 강조의 접미사 '-치-'가 결합한 파생어이다. 따라서 어근에 두 개의 접사가 연이어 결합한 형태로 분석하는 것이 적절하다.

오답정리

① '씌우다'는 어근 '쓰다(쓰-)'에 사동의 뜻을 더하는 접미사 '-이우-'가 결합한 파생어이다. '씌우고', '씌우니' 등과 같이 쓰이므로 이 단어에서 활용 시 형태가 유지되는 어간 부분은 '씌우-'이다. 따라서 '씌우다'의 어간 '씌우-'와 어근 '쓰-'의 형태는 일치하지 않는다.
② '캐묻다'의 어간은 '캐묻-'이고, 이는 '캐다(캐-)'와 '묻다(묻-)' 두 개의 어근이 결합하여 이루어진 것이다.
③ '메마르다'의 동사 '마르다'에 '찰기가 없이 메진'의 뜻을 더하는 접두사 '메-'가 결합하여 품사가 형용사로 전성되었다.

03

◇ [이론 문법 – 문장론 – 부정문]

[답] ④ '비가 많이 내리는 날은 경기가 열리지 않는다.'에서는 긴 부정문인 '-지 아니하다'를 사용하고 있으므로 ㉠에 해당된다. 또한 단순한 사실을 부정하고 있으므로 ㉡에도 해당된다.

오답정리

① '나는 병원에 가려고 학교에 가지 않았다.'에서는 긴 부정문인 '-지 아니하다'를 사용하고 있으므로 ㉠에 해당된다. 그러나 의지 부정이므로 ㉡에는 해당되지 않는다.
② '동생은 힘이 부족해서 상자를 옮기지 못했다.'에서는 긴 부정문인 '-지 못하다'를 사용하고 있으므로 ㉠에 해당된다. 그러나 능력 부정이므로 ㉡에는 해당되지 않는다.
③ '우리가 묵은 방은 다섯 평이 채 못 된다.'에서는 부정 부사 '못'을 사용한 짧은 부정문이므로 ㉠에 해당되지 않는다. 다만, 주어의 상태를 부정하고 있으므로 ㉡에는 해당된다.

◆ 세상 어디에도 없는 추가해설

1. 길이에 따른 부정 표현

짧은 부정	부사 '아니(안)', '못'을 사용하여 실현되는 부정문 例 시험을 <u>안</u> 보다. 　시험을 <u>못</u> 보다.
긴 부정	어간에 '-지 아니하다(=않다)', '-지 못하다', '-지 말다'가 붙어서 실현되는 부정문 例 시험을 보<u>지</u> <u>않다</u>. 　시험을 보<u>지</u> <u>못하다</u>. 　시험을 못 보<u>지</u> <u>마라</u>.(=말아라)

2. 부정 표현의 종류

종류	의미	설명
'못' 부정	능력 부정	부사 '못'이나 어간에 '-지 못하다'가 붙어서 실현되는 부정문 例 역공녀는 남친을 <u>못</u> 사귄다. 역공녀는 남친을 사귀<u>지</u> <u>못한다</u>. → 어떠한 외부적 이유 혹은 능력이 없어 사귀지 못한다는 의미 어떠한 의지를 요구하는 서술어에는 '못' 부정을 쓸 수 없다. 例 너가 무사하기를 <u>바라지</u> <u>못한다</u>. 　→ <u>바라지</u> <u>않는다</u>.
'안' 부정	의지 부정	부사 '아니(안)'이나 어간에 '-지 아니하다'가 붙어서 실현되는 부정문 例 역공녀는 남친을 <u>안</u> 사귄다. 역공녀는 남친을 사귀<u>지</u> <u>않는다</u>. → 주어의 의지에 의해 안 사귄다는 의미
	단순 부정	부사 '아니(안)'이나 어간에 '-지 아니하다'가 붙어서 실현되는 부정문 例 비가 <u>안</u> 내린다. 비가 내리<u>지</u> <u>않는다</u>. 　역공녀는 <u>안</u> 예쁘다. 역공녀는 예쁘<u>지</u> <u>않다</u>. → 단순한 사실을 부정하는 의미
'말다' 부정	금지	동사 어간에 '-지 말다'가 붙되, 항상 명령형, 청유형으로만 활용되는 부정문 例 놀<u>지</u> <u>말아라</u>. 놀<u>지</u> <u>말자</u>.

3. 단순 부정의 의미
일반적으로 체언이나 형용사가 서술어인 문장을 부정할 때는 단순 부정의 뜻을 지닌다.
자연의 작용을 의미하는 경우에도 단순 부정의 뜻을 지닌다.
例 •역공녀는 개그맨이 아니다.
　•역공녀는 깡마르지 않다.
　•어제는 눈이 내리지 않았다.

04

◇ [이론 문법 – 문장론 – 부사어의 형태]

답 ② '지름길로'는 체언 '지름길'에 움직임의 방향이나 경로를 나타내는 부사격조사 '로'가 결합된 경우이다. 따라서 '지름길만'과 같이 체언에 특정한 의미를 더해 주는 보조사를 사용한 경우인 ⓒ의 예로 적절하지 않다.

▣ 오답정리
① '학교를'은 체언 '학교'에 목적격 조사 '을'이 결합된 경우이므로 ⊙의 예로 적절하다.
③ '무전여행'은 체언 단독으로 목적어 역할을 하는 경우이므로 ⓒ의 예로 적절하다.
④ '정도(正道)만을'은 체언 '정도'에 '단독'이라는 의미를 더해 주는 보조사 '만'과 목적격 조사 '을'이 함께 쓰인 경우이므로 ⓔ의 예로 적절하다.

◆ 세상 어디에도 없는 추가해설　부사격 조사

개념	부사어의 자격을 갖게 해 줌.	•산<u>에서</u> 야영을 한다. (처소) •가위<u>로</u> 색종이를 오린다. (도구) •동아리 대표<u>로</u> 모임에 참석했다. (자격) •비 오는 소리<u>에</u> 잠이 깼다. (원인) •나는 너<u>보다</u> 키가 크다. (비교) •아들<u>과</u> 함께 공원에 갔다. (동반, 함께함) •얼음이 물<u>로</u> 변했다. (바뀜) •세 시<u>에</u> 만나자. (때) •요즘 교회<u>에</u> 가니? (지향점) •소크라테스는 "악법도 법이다."<u>라고</u> 말했다. (인용)
요소	에, 에서, 에게, 로/으로, 와 보다, 처럼, 만큼, 같이, 라고, 고	

05

◇ [독해(작문) – 고쳐쓰기]

답 ② ⓒ의 주어가 무정명사인 '목표 금액'이므로 '목적한 것을 이루다'라는 뜻을 지닌 서술어 '달성하다.'와는 어울리지 않는다. 즉, '목표 금액'이 스스로 어떤 행위를 하는 것이 아니므로 '목적한 것이 이루어지다'라는 피동의 의미를 지니고 있는 원래의 표현을 그대로 사용하는 것이 적절하다.

▣ 오답정리
① 주어가 '크라우드 펀딩'이므로 개념을 설명한 뒤에 서술어로는 '~하는 것입니다.' 정도가 적절하다.
③ 문단의 내용이 '크라우드 펀딩'의 장점에 대한 것이고, 단점에 대한 내용이 제시된 적이 없으므로 글의 흐름에 어긋나는 문장이다. 따라서 삭제하는 것이 적절하다.
④ 효과가 입증되는 것을 근거로 적극 활용을 건의하고 있다. 따라서 인과를 드러내는 접속어가 들어가는 것이 적절하다.

06

◇ [독해(비문학) – 중심 화제]

답 ③ 첫째 문단에서 헤겔은 인간의 노동을 자기의식과 자기 정체성을 통일하는 과정이라고 보았으나 한계가 있다고 지적했다. 그리고 둘째 문단에서 마르크스는 헤겔의 노동관을 수용하면서, 노동을 통한 인간의 자아실현을 완성하려면 사회 구조를 변혁해야 한다고 강조했다. 이처럼 이 글은 헤겔과 마르크스가 인간의 노동에 대해 어떤 철학적 의미를 부여하였는지 설명하고 있으므로 '노동에 대한 헤겔과 마르크스의 철학적 관점'이 제목으로 가장 적절하다.

⊗ 오답정리

① 헤겔과 마르크스는 모두 노동을 통해 주객 통일이 가능하다고 보았다. 그러나 헤겔이 여기에는 한계가 있다고 지적한 것과 달리 마르크스는 노동이 가장 현실적인 주객 통일의 방법이라고 보았으므로 이 글의 제목으로 적절하지 않다.

② 헤겔은 주체와 객체가 분리되어 있다가 노동을 통해 통일을 이룬다고 보았고, 마르크스는 인간이 노동을 통해 만들어낸 노동 산물에서 정체성을 확보하고 나아가 자아를 실현하게 된다고 보았다. 이처럼 두 철학자 모두 노동을 통해 인간이 자아실현을 할 수 있다고 보았으나, 자아실현 과정에 따라 노동의 역할이 변화하고 있다고 하지는 않았으므로 제목으로 적절하지 않다.

④ '인간 해방을 위한 사회 구조 변혁의 필요성'은 마르크스의 관점에서만 나타나는 일부의 내용이므로 제목으로 적절하지 않다.

07

◇ [어문 규정 – 한글맞춤법 – 두음 법칙]

답 ③ 한글맞춤법 제10항 '다만, 다음과 같은 의존 명사에서는 '냐, 녀' 음을 인정한다.'에 따르면 '年度'가 의존 명사로 쓰인 경우는 두음 법칙이 적용되지 않는다. 이는 의존 명사는 독립적으로 쓰이기보다는 그 앞의 말과 연결되어 하나의 단위를 구성하기 때문이다. 따라서 두음 법칙이 적용된 '생산 연도'는 명사로 쓰인 것이고, 적용되지 않은 '2020년도'는 의존 명사로 쓰인 경우이다.

연도(年度):「명사」사무나 회계 결산 따위의 처리를 위하여 편의상 구분한 일 년 동안의 기간. 또는 앞의 말에 해당하는 그해 예 졸업 연도 / 제작 연도

년도(年度):「의존명사」(해를 뜻하는 말 뒤에 쓰여) 일정한 기간 단위로서의 그해 예 1985년도 출생자 / 1990년도 예산안

[제10항] 한자음 '녀, 뇨, 뉴, 니'가 단어 첫머리에 올 적에는, 두음 법칙에 따라 '여, 요, 유, 이'로 적는다.
다만, 다음과 같은 의존 명사에서는 '냐, 녀' 음을 인정한다.

냥(兩)	냥쭝(兩-)	년(年)(몇 년)

[붙임 1] 단어의 첫머리 이외의 경우에는 본음대로 적는다.
[붙임 2] 접두사처럼 쓰이는 한자가 붙어서 된 말이나 합성어에서, 뒷말의 첫소리가 'ㄴ' 소리로 나더라도 두음 법칙에 따라 적는다.

[제11항] 한자음 '랴, 려, 례, 료, 류, 리'가 단어의 첫머리에 올 적에는, 두음 법칙에 따라 '야, 여, 예, 요, 유, 이'로 적는다.
다만, 다음과 같은 의존 명사는 본음대로 적는다.

리(里): 몇 리냐?	리(理): 그럴 리가 없다.

[붙임 1] 단어의 첫머리 이외의 경우에는 본음대로 적는다. 다만, 모음이나 'ㄴ' 받침 뒤에 이어지는 '렬, 률'은 '열, 율'로 적는다.

⊗ 오답정리

① 한글맞춤법 제10항의 붙임 1항에서는 '단어의 첫머리 이외의 경우에는 본음대로 적는다.'고 하였다. 그러나 '신여성'은 두음 법칙이 적용된 명사 '여성'에 접두사처럼 쓰이는 한자인 '신(新)'이 붙은 경우이므로, 붙임 2항이 적용된 것이다.

② 한글맞춤법 제11항에서 확인할 수 있듯이, '力量'은 단어의 첫머리인 '력'에만 두음 법칙이 적용되어 '역량'이라고 표기해야 한다.

④ '百分率'의 경우, '백분율'로 표기하는 것은 '률'이 'ㄴ' 받침 뒤에 이어졌기 때문이다.

✦ 세상 어디에도 없는 추가해설

열/율	앞의 말이 모음이나 'ㄴ' 받침	나열, 내재율, 선율, 출산율
렬/률	앞의 말이 모음이나 'ㄴ' 받침 이외	강렬, 외형률, 명중률, 합격률

08

◇ [독해(화법) – 면접(말하기 방식)]

답 ② 지원 동기에 대한 답변에서 '방송부 활동을 통해 음악과 관련하여 소통'하고 싶다고 하거나, 월드 뮤직을 주제로 블로그를 운영하고 있다는 자신의 경험을 밝히고 있다. 그러나 관심사와 관련하여 타인과 소통한 경험을 언급하고 있지는 않으므로 적절하지 않은 설명이다.

⊞ 오답정리
① 마지막 질문에 대한 답변에서 자신의 블로그 운영 경험과 관련지어 동아리 활동 계획을 밝히고 있으므로 적절한 설명이다.
③ 첫째 질문에 대한 답변에서 평상시의 '월드 뮤직에 대한 관심사를 바탕으로 지원 동기를 밝히고 있으므로 적절한 설명이다.
④ 둘째 질문에 대해 '특별한 활동이라면 온라인 활동도 포함되나요?'라고 질문의 범위를 확인한 후 답변하고 있으므로 적절한 설명이다.

09

◇ [독해(비문학) – 일반 추론 긍정 발문]

답 ① 둘째 문단에서 인과 관계(A)는 상관관계(B)가 성립하기 위한 충분조건이라고 하였으므로 인과 관계(A)가 성립하는 두 변수 사이에는 상관관계(B)도 성립한다는 것을 알 수 있다.

⊞ 오답정리
② 첫째 문단 마지막 문장에서 'r의 값이 '0'인 영의 상관관계는 두 변수 사이에 상관관계가 성립하지 않는다는 의미'라고 하였다. '상관관계는 사건 간의 관련성이 있다'는 뜻이고, 영의 상관관계이면 인과 관계도 성립되지 않으므로 잘못된 설명이다.
③ 한 사건이 다른 사건의 직접적 원인이라는 것은 두 사건 사이에 인과 관계가 성립한다는 뜻이다. 상관관계는 인과 관계의 필요조건이므로 두 사건 사이에 인과 관계가 성립한다면 상관관계도 있으므로 잘못된 설명이다.
④ 상관관계를 인과 관계의 충분조건으로 보는 것은 인과의 오류이다. '누락된 변수'라는 오류의 원인 중 하나를 통제한다 하더라도, 인과의 오류를 바로잡을 수 있는 것은 아니므로 잘못된 설명이다.

10

◇ [독해(문학) – 현대 운문의 형식 이해]

답 ① '푸른 웃음'은 청각적 심상인 '웃음'을 시각적 심상인 '푸른'으로 수식하여 청각의 시각화라는 감각의 전이가 일어나고 있으므로 잘못된 설명이다.

⊞ 오답정리
② 3연에서 '입술을 다문 하늘아, 들아,'라고 자연물을 의인화하면서 '답답워라. 말을 해 다오.'라고 말을 건네는 방식을 사용하고 있다.
③ '~않구나! / 네가 끌었느냐, 누가 부르더냐. 답답워라. 말을 해 다오.'와 '무엇을 찾느냐, 어디로 가느냐, 웃어웁다. 답을 하려무나.' 등에서 격정적인 호흡과 영탄적 어조를 사용하고 있다.
④ 1연은 의문형 어미를 사용해 질문을 하고, 마지막 연은 이에 대한 답변을 하는 구조로 이루어져 있다. 또한 작품의 처음과 끝이 유사한 시구로 이루어져 있으므로 변형된 수미상관의 구조에 해당하므로 적절한 설명이다.

✦ 작품정리   이상화, 〈빼앗긴 들에도 봄은 오는가〉
• 해제 : '봄'은 사계절의 처음이다. 따뜻한 볕이 눈을 녹이고 새로운 생명이 싹트는 계절이 봄이다. 화자에게 생명력 넘치는 계절인 봄은 생명력 있는 삶을 살아갈 수 있게 하는 사회적 분위기, 그것이 가능한 민족의 현실을 의미하기도 하는 것이다. 화자가 들을 빼앗겨 봄조차 빼앗기겠다고 답답해하는 것은 화자에게 '봄'이 계절적 의미를 넘어, 당시 민족의 현실과 관련된 상징적 의미로 이해되는 것이기 때문이다. 자연의 섭리에 따라 봄은 왔으나 '봄'과 같이 민족이 삶다운 삶을 누릴 수 없었던 현실에 화자는 답답함을 느끼고 있는 것이다.
• 주제 : 국토를 빼앗긴 민족의 비통한 현실 / 국권 상실의 아픔과 국권 회복에의 염원과 의구심
• 구성
1연 – 국권 회복의 가능성에 대한 의구심
2연 – 조국의 아름다운 봄 경치
3연 – 봄을 느끼며 깨닫는 답답한 마음
4~8연 – 봄을 맞은 국토의 아름다움, 애정
9~10연 – 국권을 빼앗긴 조국의 현실에 대한 깨달음.
11연 – 절망적인 현실 속에서의 새로운 인식(봄을 빼앗길 수 없다는 애정과 의지의 역설)
• 표현상의 특징
 – 향토적 소재와 시어를 구사함.
 – 격정적인 호흡과 영탄적 어조를 사용함.
 – 시상의 흐름이 전후 관계에 따른 대칭 구조를 보임.
 – 시각적 심상, 직유법, 의인법
 – 형태상의 균형미, 수미상관의 구성(질문과 대답의 형식)

11

◇ [독해(비문학) – 비판적 추론 부정 발문]

답 ④ 연구팀에서 내측 안와 전두엽의 활성화 정도를 연구한 이유는 이 부위가 '의식적인 미적 체험과 밀접하게 관련되는 신경 해부학적 위치이며, 자극의 가치 판단에 관여하는 핵심 영역이기 때문이다.'라고 밝히고 있다. 따라서 내측 안와 전두엽 부위가 의식적인 미적 체험과 관련이 깊지 않을 수 있다는 비판은 적절하지 않다.

⊞ 오답정리

① 실험실 안의 통제된 환경에서 피험자들은 실험실 밖에서 가질 수 있는 미적·예술적 경험에 대해 선택권을 상실하게 된다. 따라서 특별하게 고안된 자극들을 통해 실험실에서 유도된 경험은 진정한 미적 경험이 아닐 수 있다는 비판은 적절하다.

② 신경 미학이 예술 작품을 실험적 통제가 가능한 단순한 요소들로 분해하고 이에 대한 반응을 평정 척도로 양화하는 것은, 실험 과학으로 미적 가치를 판단할 수 있음이 전제되어야 가능한 것이다. 따라서 분해와 양화의 통제 과정을 거치면서 미적·예술적 경험의 본성이 보존되는지의 여부가 보장되지 않는다는 비판은 적절하다.

③ 신경 미학의 '양화'는 그 척도들이 미적 경험의 본질을 방해하지 않고 미적 경험을 포착할 수 있다는 가정에 의존한다. 그렇다 하더라도 미(美) 또는 선호의 척도들이 미적 경험을 어느 정도까지 나타낼 수 있는지 정확하게 알 수 없으므로 이에 대한 비판은 적절하다.

12

◇ [독해(화법) – 인터뷰]

답 ④ 마지막 답변에서 사운드 디자인 시장이 앞으로 더욱 커지리라 생각한다는 부분을 통해 '사운드 디자이너의 직업적 전망'에 대한 답변임을 알 수 있다.

⊞ 오답정리

① 선배의 마지막 답변이 사운드 디자이너와 관련된 전공 학과에 대한 내용과 거리가 멀기 때문에 적절하지 않다. 또한 둘째 질문의 답변을 통해 사운드 디자이너가 되기 위해 '공학적 지식', '음향이나 음악'과 관련한 전공을 하면 좋다고 밝히고 있으므로 이는 불필요한 질문이다.

② 마지막 질문의 답변에서 우리나라의 전자 제품이 세계적으로 인정 받는다고 하였다. 그러나 이는 '사운드 디자이너'가 세계적으로 인정받는 것은 아니기 때문에 이것을 해외 취업 가능성에 대한 답변으로 연결하는 것은 적절하지 않다.

③ 학생의 첫째 질문에 대한 선배의 답변에서 제품에서 반복적으로 나는 소리가 소비자들에게 각인되어 '제품의 이미지가 결정되기 때문에 제조사에서는 사운드 디자인을 중요하게 인식'한다고 하였다. 이를 통해 사운드 디자이너를 중시하는 산업 분야는 '각종 기기를 만드는 제조사들'이라는 내용이 이미 나왔으므로 마지막 질문으로 적절하지 않다.

13

◇ [독해(비문학) – 한자 어휘]

답 ① ㉠은 '건설 기둥 밑에 기초로 받쳐 놓은 돌'이라는 의미를 지니고 있다. 그러나 '完成(완성)'은 '완전히 다 이룸.'이라는 의미를 지니고 있으므로 ㉠과 바꾸어 쓰기에 적절하지 않다. ㉠은 '어떤 사물의 기초를 비유적으로 이르는 말'인 '초석(礎石)'으로 바꾸어 쓸 수 있다.

完 완전할 완, 成 이룰 성 / 礎 주춧돌 초, 石 돌 석

⊞ 오답정리

② ㉡은 '갈라지지 않고 터지기만 한 흔적'이라는 의미를 지니고 있다. 또한 '龜裂(균열)'은 '거북의 등에 있는 무늬처럼 갈라져 터짐, 혹은 친하게 지내는 사이에 틈이 남.'라는 의미를 지니고 있으므로 ㉡과 바꾸어 쓸 수 있다.

龜 터질 균/거북 귀, 裂 찢을 열

③ ㉢은 '잘 알지 못했던 이치나 원리 따위를 깨달아 알게 되다.'라는 의미를 지니고 있다. 또한 '自覺(자각)하다'는 '현실을 판단하여 자기의 입상이나 능력 따위를 스스로 깨닫다.'라는 의미를 지니고 있으므로 ㉢과 바꾸어 쓸 수 있다.

自 스스로 자, 覺 깨달을 각

④ ㉣은 '위가 밑으로 되고 밑이 위로 되다.'라는 의미로 '뒤집다'의 피동사이다. 또한 '逆轉(역전)되다'는 '형세가 뒤집히다.'라는 의미를 지니고 있으므로 ㉣과 바꾸어 쓸 수 있다.

逆 거스를 역, 轉 구를 전

14

◇ [어휘 – 한자성어]

답 ① '花容月態(화용월태)'는 '아름다운 여인의 얼굴과 맵시를 이르는 말'을 뜻하며, 이 작품과는 관련이 없는 한자성어이다.

花 꽃 화, 容 얼굴 용, 月 달 월, 態 모습 태

⊞ 오답정리

② '鶴首苦待(학수고대)'는 '학처럼 목을 길게 빼고 기다린다는 뜻으로, 몹시 기다림을 이르는 말'이다. 꽃이 피기를 간절히 기다리는 서술자의 태도와 관련이 있는 한자성어이다.

鶴 학 학/흴 학, 首 머리 수, 苦 쓸 고, 待 기다릴 대

③ '萬花芳草(만화방초)'는 '온갖 꽃과 향기로운 풀'을 뜻하는 한자성어로 서술자가 기다리는 대상과 관련이 있다.

萬 일만 만, 花 꽃 화, 芳 꽃다울 방, 草 풀 초

④ '江湖之樂(강호지락)'은 '자연을 벗 삼아 살아가는 즐거움'을 의미한다. '그것들은 출석할 때마다 내 가슴을 기쁨으로 뛰놀게 했다.'와 '나에게 그것들을 부양할 마당이 있다는 걸 생각만 해도 뿌듯한 행복감을 느낀다.'고 하는 부분과 관련이 있는 한자성어이다.

江 강 강, 湖 호수 호, 之 갈 지, 樂 즐거울 락

15

◇ [독해(비문학) – 일반 추론 부정 발문]

답 ③ 첫째 문단에서 ㉠은 '국내 산업 보호'를 목적으로 하며, 이를 시행하면 생산자 잉여는 늘어난다고 하였다. 그리고 둘째 문단에서 ㉡으로 인해 '국내 생산자를 보호'한다고 하였다. 따라서 ㉠과 ㉡ 모두 국내 생산자를 보호하는 정책이므로 잘못된 서술이다. 또한 ㉠으로 인해 소비자 잉여는 줄어든다고 했으므로 소비자를 보호한다는 내용도 잘못된 것이다.

⊞ 오답정리

① 첫째 문단에서 '관세 정책이 장기화되면, 관세가 부과된 수입품을 원료로 하는 국내 제품의 가격 상승으로 이어져 이에 대한 소비가 줄어들고 결국 국내 경기가 침체될 수도 있다.'는 부분을 통해 확인할 수 있다.

② ㉡은 제한된 할당량까지는 자유 무역 상태에서 수입하고, 해당 기간 동안 할당량이 채워지면 수입을 전면적으로 금지하는 비관세 정책이라고 하였다. ㉠이 조세 수입 증대를 목적으로 하는 것과는 달리, ㉡을 시행하면 관세를 부과하지 않게 되므로 해당 수입품으로 인한 조세는 없어지게 된다.

④ 첫째 문단에서 ㉠의 목적 중에 '국내 산업 보호'를 언급하고, 넷째 문단 마지막 문장에서 ㉡이 '국내 생산자를 보호하는 기능'을 한다고 서술하고 있다. 이러한 보호 무역 정책은 '국제 교역을 감소'시킨다는 점을 고려할 때, ㉠과 ㉡ 모두 국제 무역 규모를 감소시킬 수 있다는 것은 적절한 설명이다.

16

◇ [독해(비문학) – 배치]

답 ② 가장 처음 부분의 내용을 보면, "환원주의자인 네이글은 환원의 '표준 모형'을 제시하여 통합 과학의 토대를 마련하고자 하였다."라고 한다. 이 뒤에는 ㄱ 혹은 ㄴ이 올 수 있다. ㄱ에서 '연결 가능성'을 처음으로 소개하고 ㄴ에서는 연결 가능성에 대해 구체적으로 설명하고 있으므로 ㄱ이 먼저 온다. ㄱ 뒤에 올 수 있는 것은 ㄴ 혹은 ㄷ이다. 그런데 ㄷ에서 '연결 가능성'과 '도출 가능성'의 개념을 설명하고 있으므로 ㄷ이 먼저 와야 한다. ㄷ에서 설명한 부분을 ㅁ에서 예를 들어 구체적으로 설명하고 있다. 또 ㄹ에서 '다리'라는 단서가 나오는데 이는 ㄴ의 교량 법칙의 필요성과 연결될 수 있다. 따라서 순서는 ㄱ–ㄷ–ㅁ–ㄹ–ㄴ이다.

17

◇ [독해(문학) – 고전 산문의 내용 이해]

답 ③ ©은 승상의 행동에 대해 영혜빙이 이의를 제기한 상황에서 승상이 반박을 하면서 나온 것이다. 승상은 '부인에게 쓸모없는 것이기에 주지 않았을 뿐'이고, 부인은 지금 가진 것만으로도 '충분히 넉넉하다 할 것'인데도 '이리 투정하시니 부인의 욕심이 지나치게 심하구려.'라고 하며 영혜빙의 의견을 받아들이지 않고 있다. 따라서 ©은 승상이 영혜빙의 이의 제기에 대해 일리가 있다고 여기며 웃은 것이 아님을 알 수 있다.

🖾 오답정리

① ①은 승상이 바친 글에 대한 보답으로 임금이 '손수 쓰신 책 두 권과 황금으로 된 서진 한 쌍, 그리고 칠보로 장식한 통천관(通天冠)'을 하사하는 장면에서 나온 것이다. 또한 임금은 '승상의 글로 금자 병풍을 만들어 침전에 치게 하시고, 볼 때마다 승상의 뛰어난 재주를 칭찬하셨다.'는 것을 통해 임금이 승상의 재주에 대한 만족감으로 인해 웃음 지었음을 알 수 있다.

② ⓒ은 방관주가 낙성에게는 천자로부터 하사받은 책과 서진을 주고 자신은 통천관을 쓰면서 영혜빙에게는 아무것도 주지 않는 행동 이후에 나온 것이다. 영혜빙이 '폐하께서 군자에게 상급하신 것을 아들과 그대는 나누어 가지되, 어찌하여 첩에게는 아무것도 주지 않나이까?'라고 물었다는 점에서, 방관주의 행동을 못마땅해 하는 부인의 심리가 쌀쌀맞은 웃음을 통해 드러내고 있음을 알 수 있다.

④ @이 나오기 이전에 부인과 방관주 사이의 의견 충돌이 있었다. 특히 부인은 '나에게 쓸모없는 것이 어찌 유독 그대에게만 쓸모가 있겠소? 그런데도 굳이 이렇게 쾌활한 척하십니까?'라고 비판하며 두 사람의 삶을 대등하게 바라보고 있음을 알 수 있다. 따라서 @은 부인이 방관주의 생각에 동의하지 않는 심리에서 나온 것으로 볼 수 있다.

✦ 작품정리   작자미상, 〈방한림전〉

- **해제** : 조선시대 때의 작자·연대 미상의 고대소설로, 명나라를 배경으로 여성 주인공 방관주의 이야기를 다룬 작품이다. 일명 '낙성전(落星傳)', '가심쌍완기봉', '쌍완기봉'이라고도 한다. 작품의 제목은 주인공이 낙성의 조짐을 보고 양자를 얻은 데에서 유래하였다. 여성 영웅이 등장하는 다른 작품의 주인공이 남장 영웅으로 활약하다가 결혼을 계기로 하여 여성으로 되돌아간다. 그러나 이 작품은 여성영웅소설이면서도 주인공 방관주가 끝까지 남자로 행세한다는 점, 두 여성이 기이한 결혼생활을 유지한다는 점, 애정의 문제가 개입하지 않는다는 점 등이 특징적이다. 또한 남성과 여성만의 관계만을 절대시하는 일반 사회의 고정관념이나 이를 반영하는 문학작품의 전형성을 탈피한다. 이 작품에서는 방관주와 영혜빙이라는 두 여성의 결혼생활을 통하여, 기존의 남성 중심적이고 가부장적인 사회와 결혼제도 내에서의 여성 억압을 거부한다. 또한 주체적이고도 자유 의지가 강한 여성들이 자아실현을 해가는 여성 존중적인 삶의 방식을 구현하고 있다.

- **주제** : 사회적 굴레를 벗어나 주체적 삶을 살고자 하는 여성의 모습

- **줄거리**(밑줄은 지문 수록 부분)

방관주는 여자로 태어나 어려서부터 남장을 하고 지냈다. 8세 때 부모를 여읜 후에도 남자로 행세하다가 12세 때 과거에 급제하여 한림학사가 된다. 한편 영혜빙은 남편의 구속을 받는 것이 싫어 결혼을 하지 않으려 한다. 하지만 방관주가 여자임을 눈치채고 평생지기가 되어 부부로 행세하기로 방관주와 약속한다. 이후 방관주는 위기에 빠진 나라를 구하게 되고, 우연한 기회에 낙성을 얻어 아들로 삼는다. 방관주는 승상의 지위에 오르고 낙성은 과거에 장원 급제하여 어사가 된다. 행복하게 지내던 어느 날 도사가 찾아와 방관주의 관상을 보고, 마흔을 넘기지 못한 것이라 말하고 사라진다. 이후 방관주가 병을 얻고, 죽음에 앞에서 황제를 기망한 죄를 사하여 주기를 바라는 상소를 올리고 죽자 영혜빙도 뒤따라 죽는다.

- **특징**
  - 여성과 여성의 혼인이라는 일반적이지 않은 소재를 다룸.
  - 당대 여성으로서의 보편적인 삶을 거부하는 여인들의 주체적 삶을 형상화함.
  - 일반적 여성영웅소설과 달리 죽을 때까지 남자로 행세하는 점이 특이함.

18

◇ [독해(문학) – 고전 운문의 형식 이해]

답 ③ (가)의 종장에서 두견새에게 '애끓는 마음이 너와 내가 다르지 않구나.'라고 하였으므로 두견새가 감정 이입의 대상임을 알 수 있다. 그러나 (나)에서는 꿈속에서 임과 재회한 화자의 잠을 깨우는 '오면된 계성'에 대한 원망만 나타나고 있을 뿐 감정 이입의 대상은 나타나지 않으므로 적절하지 않은 설명이다.

▦ 오답정리

① (가)에서는 '꿈에나 임을 보려'한다는 것이나 '애끓는 마음'을 통해 임에 대한 그리움이 나타나고 있다. 또한 (나)에서는 꿈속에서 임을 만났으나, 마음에 품은 말을 하지 못한 채 깨어난 것을 안타까워한다는 점에서 임을 그리워하고 있음을 알 수 있다.

② (가)에서 화자는 임을 만나지 못했지만, (나)에서는 화자가 꿈에서 만난 임을 '옥(玉)가튼 얼굴이 반(半)이나마 늘거셰라.'라고 묘사하고 있다.

④ (나)에서는 화자가 '풋잠'에 들어 임을 만났으나, (가)에서는 두견새 소리로 인해 잠들지 못해서 임을 만나지 못했다.

✦ 작품정리 (가) 호석균, 〈꿈에나 님을 보려~〉

- **해제** : 이 작품은 임에 대한 애틋하면서도 간절한 연모의 정을 표현한 것으로, 꿈에서라도 임을 보고자 하는 것에서 현실에서는 임을 만날 수 없는 상황에 있음을 짐작할 수 있다. 꿈속에서만 임을 만날 수 있는데, 자규의 울음소리 때문에 잠이 들지 못해 꿈을 꿀 수도 없고 임도 볼 수가 없는 안타까운 상황이 그려지고 있다. 그러나 화자는 임과의 꿈속 만남을 방해하는 자규를 원망하기보다는 자규의 애절한 울음소리에서 묻어나는 마음 또한 자신과 같을 것이라 생각하고 있다.
- **주제** : 이별한 임에 대한 그리움
- **표현상의 특징** : 화자의 처지와 심정을 '자규'에 이입하여 표현함.

✦ 작품정리 (나) 정철, 〈속미인곡〉

- **해제** : 이 작품은 정철이 정치적 반대 세력에 의해 임금이 있는 조정을 떠난 상황에서 자신의 정서와 태도를 대화체를 통해 드러낸 것이다. 정철은 현재의 상황에 대해 자책을 하고 나아가 이를 자신의 운명으로 받아들이고 있다. 또한 임금 곁에 머물 수 없는 상황에 대해 탄식하면서도 임금에 대한 변치 않는 충정을 드러내고 있다.
- **주제** : 임에 대한 그리움과 재회에 대한 소망
- **구성**(지문 수록 부분은 본사4)
  서사1 – 갑녀의 물음(백옥경을 떠나온 이유)
  서사2 – 을녀의 대답(자책과 채념)
  본사1 – 갑녀의 위로
  본사2 – 을녀의 하소연(임에 대한 염려)
  본사3 – 을녀의 안타까운 상황(임의 소식을 애타게 기다림.)
  본사4 – 을녀의 독수공방(꿈에서 임을 만남.)

결사 1 – 을녀의 소망(죽어서라도 임을 따르겠다는 다짐)
결사 2 – 갑녀의 위로

- **표현상의 특징**
  - 두 여인의 문답과 대화체로 시상이 전개됨.
  - 자연물에 상징적 의미를 부여하여 주제를 강조함.
  - 임금에 대한 한결같은 마음을 보여주기 위해 창작됨.
  - 순 우리말의 아름다움을 드러내 문학성이 뛰어난 가사 작품으로 꼽힘.

19

◇ [독해(문학) – 현대 산문의 내용 이해]

답 ④ 황제가 멕시코에 관리를 파견하는 것에 대해 묻자, 윤치호는 일본의 입장을 대변하는 대답을 한다. 이에 대해 "그것도 일본의 뜻에 따라야 하는가?"라는 묻는 황제에게 궁녀는 일본의 공적을 인정해야 한다는 말을 한다. 이를 통해 윤치호와 궁녀는 모두 멕시코에 관리를 파견하는 것에 대해 일본의 입장에서 조언하고 있음을 알 수 있다.

▦ 오답정리

① 일본 외무대신이 보낸 진상품에 감사의 서신을 보내며 "옳지! 일본 당국의 판단이 옳다고 봐야겠구먼…….", "그것도 일본의 뜻에 따라야 하는가?" 등 일본의 눈치를 보는 것을 통해 황제의 무능력한 모습을 드러내고 있다.

③ 황제가 궁녀와 한가롭게 점괘 놀이를 하는 황실의 모습과, 땡볕 아래서 애니깽 잎을 자르며 독사와 열대병으로 죽어 가는 조선 백성들의 절박한 상황이 대조를 이루면서 외세에 종속된 나라의 백성들이 겪어야 했던 비극을 강조하고 있다.

② 〈제비〉는 고국에 돌아갈 수 없는 슬픔을 노래한 멕시코 민요로, 광활한 애니깽 농장을 배경으로 이 노래를 삽입함으로써 조선으로 다시 돌아갈 수 없는 조선 백성들의 한과 그리움을 간접적으로 표현하고 있다.

◆ 작품정리 김상열, 〈애니깽〉

- **해제**: 이 작품은 외세에 종속된 황실로 인해 고통스러운 삶을 살아야 했던 우리 민족의 수난사를 보여 주고 있다. 구한말 멕시코에 노예로 팔려 간 조선인들의 혼을 위로하기 위해 쓰인 것이다. 멕시코로 이민 간 노동자들의 '이민-수난-귀환'이라는 구성과 고종의 '무기력한 일상-죽음'이라는 구성이 병치되어 나타나고 있다. 이를 통해 멕시코 농장에서 조선 노동자들이 겪는 비참한 현실을 고종의 무기력하고도 권태로운 일상과 대조하여 보여 줌으로써 외세에 종속된 국가의 백성들이 겪는 수난사를 부각하고 있다. 즉, 백성들의 안위를 돌보지 않는 황실과 고관들의 무능력하고 부도덕한 모습과 멕시코 농장에서 노예와 같은 삶을 살아야 했던 조선 백성들의 모습을 대조하여 비극성을 강조하는 것이다. 또한 애니깽 농장을 배경으로 한 장면에서 멕시코 민요 〈제비〉를 반복적으로 삽입해 등장인물이 처한 상황을 강조함과 동시에 그들의 심리를 간접적으로 드러내는 효과를 주고 있다.
- **주제**: 애니깽 농장 노동자로 이민을 갔던 조선인들이 겪은 비참한 현실과 비극적인 민족 수난사
- **전체 줄거리**: 1904년 8월 멕시코 국적을 가진 영국인 메이어즈는 멕시코 애니깽 농장의 노동력을 구하려고 동경 대륙 식민 회사의 서울 지부장인 오바가니찌를 찾아온다. 그는 불법 이민 송출 음모를 꾸미고 조선 노동자를 모집하여 유카탄 반도의 메리다 애니깽 농장으로 보낸다. 멕시코의 지독한 더위와 애니깽 가시의 독, 그리고 독사의 공격 등으로 상당수의 조선 노동자가 죽어 가기 시작한다. 허위 모집 광고에 속아 찾아간 멕시코 땅에서 노예 취급을 받으며 애니깽 농장에서 하루하루를 버티던 조선인들은 이 처참한 사실을 조선의 임금께 알려야 한다고 판단하고 네 명의 대표자를 뽑아 애니깽 농장을 탈출시킨다. 네 명의 조선인은 모진 역경을 헤치고 멕시코 애니깽 농장을 탈출한 지 30년 만에 드디어 샌프란시스코의 항구에서 일본행 상선에 숨어들어 밀항을 하게 된다. 하지만 도착한 조선 땅은 이미 나라도, 임금도 없는 일본 땅이 되어 있고, 이들은 멕시코 국적의 밀입국자로 체포되어 투옥된다.
- **특징**
  - '이민-수난-귀환'의 구조
  - 이민 노동자들의 비참한 현실과 고종의 권태로운 일상을 대조하여 민족의 수난사를 부각함.
  - 비극적 결말

20

◇ [독해(작문) – 기행문 쓰기 전략]

답 ① 첫째 문장에서 '군산'이 문학 기행의 답사지라는 것을 밝히고 있다. 그러나 '답사 준비를 하면서 ~ 알게 되었다.'고 서술하고 있는 내용이 군산을 답사지로 택한 구체적인 이유를 밝힌 것은 아니다.

⊞ 오답정리

② 둘째 문단에서 기차역에서 출발하여 기차를 타고 답사지에 도착하기까지의 여정이 나타나고 있다.

③ 셋째 문단에서 '채만식 문학관'에서 '작가의 삶의 흔적을 따라가며 관련 자료들'을 둘러보았으며, '『탁류』의 내용을 원고지에 필사'해 보는 체험을 했다고 서술하고 있다.

④ 넷째 문단에서 군산항에서 금강을 바라보며 '『탁류』의 인물들'을 떠올리고, '흐린 강물 같은 일제 강점기 삶의 질곡이 피부로 느껴졌다.'는 감상을 드러내고 있다.

제8회 모의고사 정답 및 해설

제8회 모의고사 정답

01 ①	02 ②	03 ④	04 ③	05 ①
06 ④	07 ①	08 ②	09 ③	10 ②
11 ④	12 ③	13 ④	14 ①	15 ③
16 ②	17 ④	18 ②	19 ②	20 ③

01

◇ [어문 규정 – 표준어 규정 – 복수 표준어]

답 ① '넝쿨/덩굴'은 '길게 뻗어 나가면서 다른 물건을 감기도 하고 땅바닥에 퍼지기도 하는 식물의 줄기'를 뜻하는 복수 표준어이다. 그러나 '덩쿨'은 비표준어이므로 표준어 규정 제26항에 해당하지 않는다.

오답정리

② '가엾다/가엽다'는 '마음이 아플 만큼 안되고 처연하다'는 의미의 복수 표준어이다. 이들 형용사의 어간에 관형사형 전성 어미 '–은'이 붙은 활용형은 '가엾은/가여운'이므로 적절한 예시이다.
③ '일찌감치/일찌거니'는 '조금 이르다고 할 정도로'라는 의미의 복수 표준어이므로 적절한 예시이다.
④ '이제껏'은 '이제까지 내내'라는 의미이고, '여태껏/입때껏'은 각각 '여태'와 '입때'를 강조하여 이르는 말로 모두 복수 표준어이므로 적절한 예시이다.

✦ 세상 어디에도 없는 추가해설

[제26항] 한 가지 의미를 나타내는 형태 몇 가지가 널리 쓰이며 표준어 규정에 맞으면, 그 모두를 표준어로 삼는다.

복수 표준어(○)	비 고
가는-허리/잔-허리	
가락-엿/가래-엿	
가뭄/가물	'가뭄철/가물철', '왕가뭄/왕가물' 도 복수 표준어
가엾다/가엽다	'가엾다'는 '가엾어, 가엾으니'와 같이 활용하는 규칙 활용 용언이다. '가엽다'는 '가여워, 가여우니'와 같이 활용하는 'ㅂ' 불규칙 활용 용언이다.
게을러-빠지다/ 게을러-터지다	
고깃-간/푸줏-간	'고깃-관, 푸줏-관, 다림-방'은 비표준어임.
곰곰/곰곰-이	
관계-없다/상관-없다	
꼬까/때때/고까	꼬까(때때/고까)신, 꼬까(때때/고까)옷
넝쿨/덩굴	'덩쿨'은 비표준어임.
땅-콩/호-콩	
뒷-갈망/뒷-감당	
서럽다/섧다	'서럽다'는 '서러워, 서러우니'와 같이 활용하고 '섧다'는 '설워, 설우니'와 같이 활용하므로 둘 다 'ㅂ' 불규칙 활용 용언이다.
성글다/성기다	물건의 사이가 배지 않고 뜨다.
여쭈다/여쭙다	'여쭙다'는 '여쭈워, 여쭈우니'와 같이 활용하는 'ㅂ' 불규칙 활용 용언이다. '여쭈다'는 '여쭈어(여쭤), 여쭈니'와 같이 규칙 활용한다.
여태-껏/이제-껏 /입때-껏	'여지-껏'은 비표준어임.
일찌감치/일찌거니	

02

◇ [이론문법 – 형태론 – 동사와 형용사 구분]

답 ② '길눈이 밝은'에서는 '감각이나 지각의 능력이 뛰어나다'라는 의미로 쓰였으므로 ㉠은 형용사이다. 그리고 '날이 밝아'에서는 '밤이 지나고 환해지며 새날이 오다'라는 의미로 쓰였으므로 ㉡은 동사이다.
'단단하게 굳어'에서는 '무른 물질이 단단하게 되다.'라는 의미로 쓰였으므로 ㉢은 동사이다. 그리고 '굳은 결심'에서는 '흔들리거나 바뀌지 아니할 만큼 힘이나 뜻이 강하다.'라는 의미로 쓰였으므로 ㉣은 형용사이다.
'있는 집 자손'에서는 '재물이 넉넉하거나 많다.'라는 의미로 쓰였으므로 ㉤은 형용사이다. 그리고 '그가 이런 험한 곳에 왜 있는 것인지'에서는 '사람이나 동물이 어느 곳에서 떠나거나 벗어나지 아니하고 머물다.'라는 의미로 쓰였으므로 ㉥은 동사이다.

동일한 품사끼리 묶으면 'ㄱ, ㄹ, ㅁ'은 형용사이고, 'ㄴ, ㄷ, ㅂ'은 동사이다.

✦ 세상 어디에도 없는 추가해설

1. '밝다'의 품사 통용

밝다	동사	밤이 지나고 환해지며 새날이 오다. 예 벌써 새벽이 <u>밝아</u> 온다.
	형용사	'새날이 오다' 이외의 의미 예 초저녁부터 달이 휘영청 <u>밝았다</u>. 벽지가 <u>밝아서</u> 집 안이 아주 환해 보인다. 인사성과 예의가 <u>밝다</u>, 밝은 목소리, 전 망이 <u>밝다</u>.

2. '굳다'의 품사 통용

굳다	동사	무른 물질이 단단하게 되다. 예 시멘트가 굳는다.
	형용사	흔들리거나 바뀌지 아니할 만큼 힘이나 뜻이 강하다. 예 철석같이 굳은 결심

3. '있다'의 품사 통용

있다	동사	① 사람이나 동물이 어느 곳에서 떠나거 나 벗어나지 아니하고 머물다. 예 그는 내일 집에 <u>있는다고</u> 했다. ② 사람이 어떤 직장에 계속 다니다. 예 딴 데 한눈팔지 말고 그 직장에 그냥 <u>있어라</u>. ③ 사람이나 동물이 어떤 상태를 계속 유지하다. 예 떠들지 말고 얌전하게 <u>있어라</u>. ④ 얼마의 시간이 경과하다. 예 앞으로 사흘만 <u>있으면</u> 추석이다.
	형용사	'동사의 있다' 이외의 의미 예 나는 신이 <u>있다고</u> 믿는다. 기회가 <u>있다</u>, 모임이 <u>있다</u>. 그는 <u>있는</u> 집 자손이다. 그 는 서울에 <u>있다</u>. 그는 철도청에 <u>있다</u>. 합 격자 명단에는 내 이름도 <u>있었다</u>.

03

◇ [이론문법 – 형태론 – 대명사]

답 ④ ㄹ은 화자 '가'와 청자 '나'를 아울러서 가리키는 일인칭 대명사 '우리'의 겸양 표현으로 사용되고 있으므로 적절한 설명이다.

⊞ 오답정리

① ㄱ은 장아찌의 출처를 알지 못하는 상황에서 쓰였다. 즉, 가리키는 장소나 대상을 알지 못할 때 쓰는 미지칭 대명사이므로 잘못된 설명이다.

② ㄴ은 일정하게 정해져 있지 않거나, 꼭 집어 댈 수 없는 곳을 가리키는 부정칭 대명사이므로 잘못된 설명이다.

③ ㄷ은 앞서 나온 '할머니'를 가리키는 재귀칭 대명사로 '자기'를 아주 높여 이르는 말이므로 잘못된 설명이다.

✦ 세상 어디에도 없는 추가해설

1. '저희'

저희	1인칭	'우리'의 낮춤말 예 <u>저희</u>의 책임입니다.
	3인칭	3인칭 재귀 대명사 (재귀칭 '저'의 복수형) 예 고슴도치들도 <u>저희</u> 새끼는 이뻐한다.

2. '당신'

당신	2인칭	청자를 단순히 가리키는 경우 예 그날 범인이 <u>당신</u>입니까? 청자를 높이는 경우 예 <u>당신</u>의 꿈이 그립습니다. 청자를 낮추는 경우 예 뭘 째려봐 <u>당신</u>!!!
	3인칭	3인칭 재귀 대명사 (재귀칭 '저'의 높임) 예 할아버지는 <u>당신</u>의 꿈을 이루고 갔다.

3. '어디'

어디	미지칭 대명사	특정 대상을 지시하지만 누군지 모름. 예 너는 <u>누구</u>를 좋아하니? 혜선이요. 너는 <u>어디</u>로 갈 거야? 박문각 역공국어로 갈 거야. <u>어느</u> 강의가 제일 좋아? 비문학 강의
	부정칭 대명사	특정 대상을 지시하지 않음. 아무나 지시 가능함. 예 너는 <u>누구</u>를 좋아하니? 아니. <u>누구</u>든 나를 도와줘. <u>아무</u>도 좋아하지 않아. 너는 <u>어디</u>로 갈 거야? 아니 안 갈 거야.

➔ 미지칭, 부정칭은 모두 3인칭에 해당한다.

04

◇ [어문규정 – 한글맞춤법]

답 ③ '들르러'는 어간 '들르-'에 어미 '-러'가 붙어 활용한 것이다. 활용 시 어간과 어미 모두 형태가 유지되고 있으므로 규칙활용에 해당한다.

⊞ **오답정리**

① '흘러'는 어간 '흐르-'에 어미 '-어'가 붙어 활용한 것이다. 어간의 '흐르-'가 '흘러-'로 바뀌었으므로 '르' 불규칙 활용에 해당한다.

② '새하얘서'는 어간 '새하얗-'에 어미 '-아서'가 붙어 활용한 것이다. 이는 어간과 어미가 모두 불규칙하게 바뀌는 'ㅎ' 불규칙 활용에 해당한다.

④ '이르러서'는 어간 '이르-[至]'에 어미 '-어서'가 붙어 활용한 것이다. 어미의 '-어서'가 '-러서'로 바뀌었으므로 '러' 불규칙 활용에 해당한다.

✦ **세상 어디에도 없는 추가해설**

1. 규칙 활용

종류	내용	예
일반적 규칙 활용	용언이 활용할 때 어간이나 어미의 모습이 바뀌지 않음.	좋다 : 좋고, 좋아, 좋으니
'ㄹ' 탈락	어간의 'ㄹ' 받침이 'ㅂ, ㅅ, ㄴ, ㄹ, 오' 등 특정 자음으로 시작하는 어미와 결합하면서 탈락함.	불다 : 부니, 부네, 부는, 불, 불수록, 붑니다, 부오
'ㅡ' 탈락	어간의 끝이 'ㅡ' 모음일 때 모음으로 시작하는 어미와 결합하면서 'ㅡ'가 탈락함.	쓰다 : 써, 썼다 잠그다 : 잠가, 잠갔다 잇따르다 : 잇따라, 잇따랐다
동음 탈락	어간의 끝과 어미의 처음이 동음인 경우 하나가 탈락함.	파다 : 파, 파서, 파도 싸다 : 싸, 싸서, 싸도

2. 불규칙 활용

종류		내용	불규칙 용언	규칙 용언
어간 바뀜	'ㅅ' 불규칙	'ㅅ'이 모음 어미 앞에서 탈락	잇 + 어 → 이어 짓 + 어 → 지어 낫다(勝, 癒), 붓다, 긋다	벗어, 씻어, 빗어, 웃어
	'ㄷ' 불규칙	'ㄷ'이 모음 어미 앞에서 'ㄹ'로 변함.	듣 + 어 → 들어 걷(步) + 어 → 걸어 묻다(問), 걷다, 긷다, 붇다, 깨	묻어(埋), 얻어, 걷어
	'ㅂ' 불규칙	'ㅂ'이 모음 어미 앞에서 '오/우'로 변함.	눕 + 어 → 누워 줍 + 어 → 주워 돕다, 덥다, 눕다, 굽다, 깁다	잡아, 뽑아, 좁아, 씹어
	'르' 불규칙	'르'가 모음 어미 앞에서 'ㄹㄹ'로 변함.	흐르 + 어 → 흘러 이르 + 어 → 일러(謂, 무) 빠르다, 부르다, 오르다, 나르다, 고르다, 바르다, 곧바르다, 올바르다, 벼르다	따라, 치러
	'우' 불규칙	'우'가 모음 어미 앞에서 탈락	푸 + 어 → 퍼 ('푸다'만 '우' 불규칙)	주어, 누어
어미 바뀜	'여' 불규칙	'하-' 뒤에 오는 어미 '-아'가 '-여'로 변함.	공부하 + 아 → 공부하여 '하다'와 '-하다'가 붙는 모든 용언	파 + 아 → 파
	'러' 불규칙	어간이 '르'로 끝나는 일부 용언에서, 어미 '-어'가 '-러'로 변함.	이르(至) + 어 → 이르러 누르 + 어 → 누르러 노르+어 → 노르러 푸르 + 어 → 푸르러	치르 + 어 → 치러
어간 어미 바뀜	'ㅎ' 불규칙	'ㅎ'으로 끝나는 형용사 어간에 '-아/-어'가 오면 어간의 일부인 'ㅎ'이 없어지고 어미는 'ㅣ'로 변함.	하얗 + 아서 → 하얘서 파랗 + 아 → 파래 빨갛 + 았다 → 빨갰다	좋 + 아서 → 좋아서 낳+은 → 낳은

3. 동음이의어 '이르다'의 활용

(1) 말하다

　　예 철수가 요점을 일러줬다. ('르' 불규칙 활용)

(2) 빠르다

　　예 그의 결혼은 일렀다. ('르' 불규칙 활용)

(3) 도착하다

　　예 드디어 목적지에 이르렀다. ('러' 불규칙 활용)

05

◇ [어휘 – 혼동 어휘]

답 ① '밝은 달이 강물을 <u>비치고</u> 있다.'에서는 '비추다'의 사전적 의미 1 '빛을 내는 대상이 다른 대상에 빛을 보내어 밝게 하다.'로 쓰이고 있다. 따라서 '비치고'가 아닌 '비추고'로 쓰는 것이 적절하다.

'따스한 빛이 창문으로 <u>비추고</u> 있었다.'에서는 '비치다'의 사전적 의미 1「1」 '빛이 나서 환하게 되다.'로 쓰이고 있다. 따라서 '비추고'가 아닌 '비치고'로 쓰는 것이 적절하다.

'비치다' : 1【…에】「1」 빛이 나서 환하게 되다.

'비추다' : 1【…을】【…을 …에】빛을 내는 대상이 다른 대상에 빛을 보내어 밝게 하다.

⊞ 오답정리

② '내일 입을 바지를 <u>다려</u> 걸어 두었다.'에서는 '다리다'의 의미로, '그때 딴 찻잎으로 차를 <u>달여</u> 마셨다.'에서는 달이다「2」의 의미로 적절하게 사용되었다.

  '다리다' : 【…을】옷이나 천 따위의 주름이나 구김을 펴고 줄을 세우기 위하여 다리미나 인두로 문지르다.

  '달이다' : 【…을】「2」 약재 따위에 물을 부어 우러나도록 끓이다.

③ '가로등이 큰 트럭에 <u>받혀</u> 휘어졌다.'에서는 '받히다'의 의미로, '~ 등이 <u>받쳐</u> 잠이 오지 않는다.'에서는 받치다'의 1「2」의 의미로 적절하게 사용되었다.

  '받히다' : 【…에/에게】 머리나 뿔 따위에 세차게 부딪히다. ('받다'의 피동사)

  '받치다' : 1【…이】「2」 단단한 곳에 닿아 몸의 일부분이 아프게 느껴지다.

④ '벼 포기에 이삭이 벌써 <u>배었다.</u>'에서는 배다²의 2「1」의 의미로, '울창한 숲의 나무를 <u>베었다.</u>'에서는 베다²「1」의 의미로 적절하게 사용되었다.

  '배다²' : 2【…에】【…을】「1」 식물의 줄기 속에 이삭이 생기다. 또는 이삭을 가지다.

  '베다²' : 【…을】「1」 날이 있는 연장으로 무엇을 끊거나 자르거나 가르다.

06

◇ [독해(비문학) – 배열]

답 ④ ㉠에는 '인공 초지능'이 등장하면 제어할 방법이 없을 것이라는 미래학자들의 부정적인 전망이 제시되고 있다.

㉡은 '인공 일반 지능' 출현 후에 지능 폭발에 의해 '인공 초지능'이 등장할 것으로 예측된다는 내용이다. 따라서 ㉠ 앞에 ㉡이 배치되어야 한다는 것을 알 수 있다. 또한 접속부사 '다만'으로 시작하고 있으므로 이 문장이 앞 문장에 대하여 예외적인 사항이나 조건 등을 덧붙이고 있음을 알 수 있다.

㉢에는 '인공 일반 지능'의 개념이 정의되고, 출현 가능성과 시기를 예측하지 못하고 있다는 내용이 담겨 있다. 따라서 ㉡의 앞에 배치되는 것이 자연스럽다. 그리고 '이보다'라는 표지를 통해 ㉢의 앞에는 '인공 일반 지능'의 이전 단계에 대한 설명이 올 것이라는 것을 알 수 있다.

㉣은 인과의 접속어 '따라서'로 문장이 시작되며, 인공 지능의 통제와 관련한 연구가 필요하다는 내용이다. 따라서 ㉣의 앞에는 인공 지능의 발달에 대한 부정적인 전망에 대한 내용이 배치되어야 하므로 '인공지능'에 대한 미래학자들의 부정적인 전망이 제시된 ㉠이 ㉣ 앞에 제시되는 것이 적절하다.

㉤에는 '머신 러닝'의 개념과 이것이 '협의의 인공지능(ANI)'에 속한다는 내용이 나오는데, '협의의 인공지능'이 ㉢에 제시된 '이'가 가리키는 대상임을 알 수 있다.

따라서 협의의 인공 지능(㉤) - 인공 일반 지능(㉢) - 인공 초지능의 등장(㉡) - 미래학자들의 '인공지능'에 대한 전망과 연구 필요성(㉠ - ㉣) 순으로 이어지는 것이 자연스럽다.

07

◇ [독해(화법) – 말하기 방식]

답 ① 주최자가 올해는 '독서 캠프 공식 누리집'을 활용하여 많은 사람들의 참여가 가능하다고 한 것에 대해, 사회자는 구체적인 진행 방식을 질문하고 있다. 이에 주최자는 온라인에서 책 선정, 토론 그룹 형성 후 토론 준비가 이루어지고, 오프라인에서는 실제 토론이 이루어진다고 답변하였다. 그 후 사회자는 답변 내용을 요약(재구성)하고, 토론 행사에 참석하지 못한 경우는 어떻게 되는지 질문하고 있다. 즉, 사회자는 주최자의 답변을 요약하고, 이와 관련한 추가 정보를 요구하고 있는 것이다.

⊞ 오답정리

② 상대의 답변에 대해 추가 정보를 요구하고 있으나, 구체적인 사례를 요구하는 것은 아니다.
③ 예상되는 문제점을 질문하는 것이 아니라 독서 캠프 행사와 관련한 구체적인 정보를 확인하기 위해 질문을 하고 있다. 또한 자신의 의견을 덧붙이고 있지 않다.
④ 상대가 제시한 정보를 요약, 재정리하고는 있으나 자신의 이해가 맞는지 상대에게 확인하고 있지는 않다.

08

◇ [독해(작문) – 내용 조직하기]

답 ② '이도의 글자'에 대한 작품 속 인물들의 생각 차이와 그로 인한 갈등이 나타나고 있으나, 이들에 대한 후세의 평가는 나타나고 있지 않다.

⊞ 오답정리

① 작품 속 인물들의 이름인 '이도'와 '정기준'을 인물 소개의 끝 부분에 배치함으로써 강렬한 인상을 주고 있다.
③ 작품 속 인물들의 고민이나 갈등은 상세하게 서술하고 있으나, 공연 일시와 장소는 글의 하단에 필요한 정보만 최대한 간결하게 제시하고 있다.
④ '이도'는 그의 글자를 '그들의 말을 담을 수 있는 완벽한 글자'라고 여기고, '정기준'은 '나라를 파국으로 이끌 것'이라고 생각한다는 부분을 통해 등장인물들의 입장 차이가 확연히 드러나고 있다.

09

◇ [독해(비문학) – 중심 화제]

답 ③ 첫째 문단에서 겔렌은 생존 능력이 떨어지는 인간이 이를 보완하기 위해 자연을 변형한 결과가 '문화'라고 보았다. 또한 둘째~넷째 문단에서는 인간이 본능에 해당하는 공격 욕구를 시대의 변화에 따라 변형시킨 결과, 스포츠 문화가 형성되었음을 설명하였다. 따라서 중심 화제는 '겔렌의 문화 개념으로 본 스포츠 문화의 형성 과정'이다.

⊞ 오답정리

① 둘째~넷째 문단에서 인간의 공격 욕구를 해소하는 방식이 시대의 변화에 따라 달라져 왔음을 설명하고 있다. 그러나 인간의 공격 욕구 자체가 변화했다는 의미는 아니며, 이에 따라 문명 발전의 역사를 다루고 있지도 않으므로 화제가 될 수 없다.
② 인간의 공격 욕구는 본능에 해당하지만, 공동체적 삶을 위해서 공격 욕구의 해소 방식을 시대에 따라 변형해 왔다는 점을 글 전체에 걸쳐서 설명하고 있다. 다만 이 과정으로 인해 스포츠 문화가 형성되어 왔음을 설명하려는 것이지, 인간이 본능적 존재에서 사회적 존재로 발전해 왔음을 보여 주기 위함이 아니므로 화제가 될 수 없다.
④ 첫째 문단 마지막 문장에서 인간이 '공동체적 삶을 위해서는 공격 욕구와 같은 본능을 인간의 조건에 맞게 변형시킬 필요'가 있다고 언급하고 있다. 또한 넷째 문단 마지막 문장에서는 '스포츠 문화는 인간의 공격 욕구 해소 방식이 상징적으로 진화한 결과'라고 요약하고 있다. 즉, 스포츠 문화가 사회공동체 유지에 기여하는 바가 있다고 추론할 수는 있지만, 스포츠 문화의 기능을 중심으로 설명하고 있지 않으므로 화제가 될 수 없다.

10

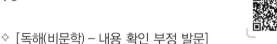

◇ [독해(비문학) – 내용 확인 부정 발문]

답 ② 노자는 덕목이 '이상적 목표가 아닌 개인의 욕망을 위한 수단'으로 변질되었다고 비판하면서 군주는 권력 유지를 위해 신하에게 신하다움을 강요한다고 하였다. 따라서 왕이 백성을 위해 신하에게 신하다움을 강요한다는 설명은 적절하지 않다.

圖 오답정리
① 첫째 문단에서 노자는 '실재가 개념보다 우선'한다는 관점을 가지며, '도(道)'는 실재이지만 '명(名)'은 개념에 불과하다고 하였으므로 적절한 설명이다.
③ 둘째 문단에서 '성인의 통치'를 드러내기 위해 '인(仁)한 것도, 덕(德)스러운 것도, 예(禮)를 갖추는 것도 아니라고 부정의 방식으로 설명하였다.'고 하였으므로 적절한 진술이다.
④ 첫째 문단 마지막에서 노자는 '명에 의해 세워진 기존 사회 질서를 비판'했다고 하였다. 또한 둘째 문단에서 사회 혼란을 해소하기 위한 정치적 대안으로 '성인의 통치'가 이루어지는 소규모 공동체를 제시하였으므로 적절한 설명이다.

11

◇ [독해(문학)–고전 운문의 형식 이해]

답 ④ (가)에서는 '도화(桃花)ᄂ 시름 업서 쇼츈풍(笑春風)ᄒᄂ다'에서 '도화(복숭아꽃)가 걱정 없이 봄바람에 웃는다'고 의인화한 모습과 외로움 때문에 잠 못 이루는 화자의 모습이 대비되고 있다. (나)에서는 '촉(燭)불 눌과 이별(離別)ᄒ엿관ᄃᆡ/ 것흐로 눈물 디고 속타ᄂ 줄 모르ᄂ고.'에서 '이별로 인해 눈물을 흘린다'고 하여 임과 이별한 화자의 정서가 이입되고 있다. 따라서 (가)의 '도화'는 객관적 상관물이고, 화자의 감정을 이입한 대상은 (나)에만 해당하므로 적절하지 않다.

圖 오답정리
① (가)의 '경경(耿耿) 고침상(孤枕上)애 어느 ᄌᆞ미 오리오'에서 설의법을 사용하여, 외로움으로 인해 잠이 오지 않음을 강조하고 있다. 또한 '쇼츈풍(笑春風)ᄒᄂ다'의 반복을 통해 그 의미를 강조한다.
② (나)의 종장에서 '우리'라는 화자가 작품 표면에 드러내고 있다.
③ (가)와 (나)는 아래와 같이 네 마디가 규칙적으로 반복되고 있어 4음보의 율격으로 나타나고 있다. (참고 : 고려가요 작품들은 일반적으로 3음보 형식이지만, (가)는 고려가요임에도 4음

보로 이루어져 있어 시조 갈래의 원형으로 보기도 한다.)
(가) 경경(耿耿)/ 고침상(孤枕上)애/ 어느 ᄌᆞ미/ 오리오/
서창(西窓)을/ 여러ᄒᆞ니/ 도화(桃花) ㅣ/ 발(發)ᄒᆞ도다/
도화(桃花)ᄂ/ 시름 업서/ 쇼츈풍(笑春風)ᄒᄂ다/ 쇼츈풍
ᄒᄂ다/
(나) 방(房) 안에/ 혓ᄂ 촉(燭)불/ 눌과 이별(離別)/ ᄒ엿관ᄃᆡ/
것흐로/ 눈물 디고/ 속타ᄂ 줄/ 모로ᄂ고./
우리도/ 뎌 촉(燭)불 갓ᄒᆞ야/ 속타ᄂ 줄/ 모르노라./

◆ 작품정리　작자 미상, 〈만전춘별사〉
• **해제** : 이 작품은 임에 대한 사랑의 감정을 진솔하게 나타낸 고려가요(속요)로서, 허식이 없고 감정과 정서의 표출이 매우 절절하다. 남녀 간의 애정을 진솔하게 그린 노래이며, 조선 시대에는 '쌍화점', '이상곡'과 함께 고려 가요 중 남녀상열지사(男女相悅之詞)의 대표적 사례로 꼽혔다. 그러나 남녀 간의 강렬한 사랑을 비유와 상징, 반어와 역설, 감각적 언어로 적절히 구사하고 있을 뿐만 아니라 감정의 표현이 진솔하여 문학성이 높은 편이다. 이 노래는 모두 5연으로 되어 있으나, 앞의 내용을 어우르면서 종결짓는 결사가 마지막에 추가되어 있어 이것을 독립된 연으로 볼 때, 6연이 된다. 임을 그리워하는 내용이라는 점을 제외하면 각 연은 형식상으로 불균형을 보이고 있고 시어도 이질적이어서 통일성이 결여되어 있다. 이로 인해 당시 유행이던 노래들이 궁중의 속악으로 흡수되면서 유사한 주제를 지닌 작품끼리 합쳐진 것으로 여겨진다.
• **주제** : 변치 않는 사랑에 대한 소망
• **구성**(지문 수록 부분 : 2연)
1연 – 임과 오래도록 함께하고 싶은 마음
2연 – 임을 생각하며 잠 못 이루는 밤
3연 – 임에 대한 원망
4연 – 임의 방탕한 생활
5연 – 임과의 재회에 대한 바람
6연 – 임과 평생 함께하고픈 소망
• **특징** : 비유와 상징, 반어와 역설, 감각적인 언어로 진솔한 감정 표현

◆ 작품정리　이개, 〈방 안에 혓는~〉
• **해제** : 단종의 복위를 꾀하다가 발각되어 처형된 사육신에 속하는 이개의 작품이다. 계유정난을 일으켜 왕위를 찬탈한 세조가 단종을 영월로 유배를 보내자, 충신으로서 남몰래 애태우는 심정을 촛불에 감정이입을 하여 표현하고 있다. 촛불을 의인화하고 그 초가 타는 형상을 이별로 인해 슬퍼하며 눈물을 흘리는 모습으로 형상화하였다.
• **주제** : 연군의 정, 또는 이별의 고통
• **구성**
초장 – 단종과의 이별
중장 – 이별의 슬픔
종장 – 이별로 인한 정한
• **특징** : 의인법, 감정이입

12

◇ [독해(비문학) – 어휘]

답 ③ 문맥상 적절한 한자 표기는 '예산(豫算)'이다.

예산(豫算: 豫 미리 예 算 셈 산): 비용을 미리 계산함

⊞ 오답정리

① '興駕'는 임금이 타던 가마를 의미하므로 이 문맥에 옳지 않다. '餘暇'가 적절하다.

여가(餘暇: 餘 남을 여, 暇 틈 가): 남은 시간(時間). 겨를. 틈.

② 萬 일만 만 (X)→滿 찰 만 (O) '滿足'이 적절하다.

만족(滿足: 滿 찰 만, 足 발 족): 마음에 모자람이 없어 흐뭇함.

④ 責 꾸짖을 책 (X)→ 策 꾀 책 (O) '策定'이 적절하다.

책정(策定: 策 꾀 책, 定 정할 정): 계획이나 방책을 세워 결정함.

13

◇ [독해(문학)–고전 산문의 내용 이해]

답 ④ ㉠, ㉡, ㉢은 황제에게 시를 지어 보낸 최치원(최랑, 최고운)을 지시한다. '서랑'이란 '남의 사위의 높임말.'이다. [앞부분의 줄거리]를 보면, 최치원은 승상의 딸 운영의 사위가 되었다.

⊞ 오답정리

'㉣ 나'는 최치원(최고운)의 아내 '운영'을 지시한다. 운영은 승상의 딸로서, 자신의 남편인 최치원이 천자를 보러 만리를 가는 것에 대한 염려를 드러내고 있다.

✦ 작품정리 작자 미상, 〈최고운전〉

• **해제**: 이 작품은 실존 인물인 최치원의 삶을 바탕으로 작자 및 창작 연대 미상의 작품이다. 최치원은 뛰어난 학식과 문장력으로 당나라까지 이름을 떨쳤으나 신라 말기의 혼란한 현실 속에서 신분적 한계로 인해 능력을 제대로 펼치지 못하고 은거한 것으로 전해진다. 이 작품에서 최치원은 부모에게 버림받은 뒤 하늘나라의 선비들과 교류하며 글을 익힌다. 그는 승상 나업의 사위가 된 후 중국으로 가서 비범함을 인정받고 황소의 난을 평정하지만, 중국 신하들의 모함으로 외딴섬에 유배되었다가 도술을 부려 중국 황제와 사람들을 놀라게 한다. 이후 신라로 돌아온 최치원은 가야산에 은거하며 일생을 마친다. 이 작품은 신라의 신선이라는 평가를 받던 대문장가 최치원을 주인공으로 삼아 당나라의 황제와 대결시킴으로써 우리 민족의 우월감과 자부심을 표현한 작품이라는 평을 받는다.

• **주제**: 최치원의 영웅적 일대기를 통한 민족적 우월감과 자부심의 표출

• **특징**
  – 영웅적 서사 구조로 이루어짐.
  – 한문 경구의 인용과 한시의 삽입
  – 다양한 전래 민담 화소들의 복합적 구성
  – 민족의 자부심과 주체성이 돋보임.

14

◇ [독해(문학) – 현대 산문의 형식 이해]

답 ① 부사어 '모름지기'와 서술어 '~해야 한다'는 호응하므로 고칠 필요가 없다.

⊞ 오답정리

② 서술어 '적합하다'는 '~에'라는 부사어와 호응하는 2자리 서술어이므로 '농사를 짓기에 적합하기도 하다'와 같이 바꾸는 것은 옳다.

③ '절대로'는 '어떤 일이 있어도 반드시'라는 의미로서, 긍정문에 쓰이는 사례도 있으므로 이 문장은 고칠 것이 없다.

④ '짜여져는'은 '짜-+이(피동접미사)+어지(피동 보조용언)+어'의 구성으로 이중 피동이다. 따라서 '짜여' 혹은 '짜저(짜+어지+어)'로 고쳐야 한다.

✦ 세상 어디에도 없는 추가해설

1. 부사어와 서술어의 호응

과연 ~로구나, 여간 ~지 않다, 결코 ~가 아니다(~해서는 안 된다), 전혀 ~없다(~아니다), 별로 ~지 않다, 차마 ~ 수 없다, 하물며 ~랴(~ㄴ가), 뉘라서 ~(으)ㄹ 것인가, 아마(틀림없이) ~(으)ㄹ 것이다, 만약(만일) ~더라도, 혹시(아무리) ~ㄹ지라도, 비록 ~지라도(~지만, ~더라도, ~어도), 모름지기(마땅히, 당연히, 반드시) ~해야 한다, 마치(흡사) ~처럼(~ 같이, ~과 같다)

2. 조사의 올바른 쓰임

• 그것은 <u>대회를</u> 임하는 선수의 정신 자세에 관한 문제이다. → 대회에
  예 ~에 임하다
• 우리나라가 <u>호주에게</u> 2 : 1로 이겼습니다. → 호주를
  예 ~을 이기다
• 아직도 그의 생생한 목소리가 나의 <u>귓전에</u> 울린다.
  → 귓전을
  예 ~을 울리다
• 바둑을 <u>인생과</u> 비유하는 데는 조금의 무리도 없다.
  → 인생에 ~에 비유하다

3. 피동 표현은 겹쳐 쓰지 않음

• 이 수익금은 불우한 이웃을 위해 <u>쓰여집니다.</u> → 쓰입니다, 써집니다.
  ➜ '쓰다'에 피동 접사 '-이'가 붙었는데, 또 '-어지다'를 붙이면 이중 피동이 되어 어색하다.

15

◇ [독해(화법) – 조건에 맞게 표현하기]

답 ③ 첫째 문장에서 '환경 문제를 해결하기 위한 실천의 첫걸음'을 언급하며 환경 문제를 주제로 삼은 동아리 체험전의 의의를 강조하고 있다. 또한 마지막 문장에서 설의적 표현을 통해 실천의 의미를 강조하고 있으므로 두 가지 모두 조건을 충족하는 적절한 서술이다.

⊞ 오답정리
① 첫째 문장에서 실천을 강조하고는 있으나 무엇에 관한 실천인지 구체적으로 제시되고 있지 않다. 또한 마지막 문장에서는 설의법이 아닌 '환경을 위해 할 수 있는 일'에 대한 답변을 요구하는 의문문이 사용되고 있으므로 두 가지 조건 모두 충족되고 있지 않다.
② 설의법이 쓰이지 않았다.
④ 첫째 문장에서 동아리 체험전을 통해 환경 문제에 더욱 관심을 갖기 바라는 발표자의 기대감이 나타고 있으나, 동아리 체험전의 의의를 밝히고 있지는 않다. 또한 마지막 문장은 구체적인 답변을 요구하는 의문문은 아니므로 설의법으로 볼 수 있으나, 실천의 의미를 강조하고 있지 않으므로 두 가지 조건 모두 충족되고 있지 않다.

16

◇ [독해(비문학) – 서술 방식 부정 발문]

답 ② 셋째 문단에서 '사람의 눈은 파란색을 더 잘 감지하기 때문에 하늘이 푸르게 보이는 것'을 통해 대기 색채를 사람의 시각을 사용하여 관찰하고 있음을 알 수 있다. 기기를 사용하여 대기의 색채를 관찰하는 것이 아니므로 잘못된 설명이다.

⊞ 오답정리
① 첫째 문단에서 19세기 과학자 클라우지우스가 대기 상층부에 물방울 기포가 존재하여 하늘이 푸른빛을 낸다고 하였다. 그러나 '이후 다른 과학자들의 비눗방울 실험에 의해 대기 상층부의 물방울에 기포가 생성될 수 없음이 증명됐다.'는 부분을 통해 그 시도가 반증되고 있다.
③ 대기의 색채에 대한 과학적 규명이 17세기 뉴턴, 19세기 클라우지우스와 틴들, 그 이후 레일리 등에 의해서 이루어진 것을 시대의 흐름에 따라 서술하고 있다.
④ 둘째 문단에서는 대기의 색채에 대한 틴들의 실험이, 셋째 문단에서는 레일리의 실험적 사례가 제시되고 있다.

17

◇ [독해(문학)–현대 운문의 내용 이해]

답 ④ 5연에서 새 한 마리 깃들어 / 지저귀지 않는 부정적 상황 속에서도 '잎사귀 달린 시', '과일을 나눠 주는 시', '초록과 금빛의 향기를 뿌리는 시'를 쓰고 싶은 화자의 바람을 열거하고 있다. 따라서 화자는 부정적 현실이 변화할 것이라는 기대감을 가지고 있는 것이 아니라, 부정적 현실 속에서도 시인으로서의 역할을 다하고픈 소망과 기대감을 드러내고 있으므로 잘못된 설명이다.

🖩 오답정리

① 1연에서 '무슨 무슨 주의의 엿장수'는 이념을 강요하는 폭력적인 세력을, '가위질'은 그런 세력의 폭력적 행위를 의미하며 이들은 부정적 현실 상황을 드러낸다. 또한 '흠집투성이 몸통'은 그로 인해 상처받은 화자의 모습을 의미한다.

② 2연에서 더 해 입을 것도 의무도 없는 '나'만의 공간으로 설정된 '허공'은 상처 입은 화자가 잠시나마 자신을 스스로 위로하는 공간이다. 화자는 이곳에서 사라진 '신목의 향기'를 맡으며 이념의 강요가 없는 순수한 세상을 꿈꾸고 있다. 그러나 '허공'에서 밤을 보내며 쉴 수 있던 화자의 영혼이, 3연에서 '깨어나면' 현실의 공간인 '국도변'에서 '원치 않는 깃발과 플래카드들'로 상징되는 온갖 이념으로 고통 받고 있는 모습이 나타난다. 즉, 이상 세계인 '허공'과 부정적 현실 세계인 '국도변'의 대비로 화자가 고통스러워하고 있음을 알 수 있다.

③ 4연에서 '봄기운'에 '생기'를 띠는 '낫'에 대응하여 '살벌한 몸통으로 서서 반역하는' 모습을 보여 주고 있다. 이를 통해 화자의 영혼을 위협하는 억압적이고 폭력적인 상황에 맞서 자신의 영혼을 지키고자 하는 화자의 대결 의지가 강조되고 있다.

✦ 작품정리   최승호, 〈내 영혼의 북가시나무〉

• 해제: 이 작품은 온갖 이념이 넘쳐나고 사상이 강요되는 폭력적 현실 속에서 참된 자유와 사랑이 담긴 시를 쓰고자 하는 화자의 순수한 결의를 노래하고 있다. 화자는 자신의 상처받은 영혼을 도로변에서 함부로 가위질 당하고 앙상한 몸통으로 고통받는 북가시나무에 빗대고 있다. 봄기운에 북가시나무도 싹을 틔우지만 '낫'과 '톱'으로 상징되는 부정적 현실은 북가시나무를 위협한다. 그럼에도 불구하고 화자는 북가시나무에 잎이 달리고 과일이 열리듯 참다운 자유와 사랑이 넘치는 시를 쓰기를 소망하고 있다.

• 주제: 부정한 현실 속에서 신념과 순수성을 지키려는 의지

• 구성
1연 – 현실의 횡포에 상처 입은 영혼
2연 – 이상을 향한 꿈과 지친 영혼의 위로
3연 – 현실의 횡포에 시달리고 고통 받는 영혼
4연 – 순수한 영혼을 위협하는 세력에 대한 저항
5연 – 아름다운 시에 대한 기대와 순수한 영혼의 고독

• 특징
 – 상징과 비유에 의한 표현
 – 대조적인 시어를 사용하여 시상을 전개함.
 – 단정적인 종결어미와 의지적인 목소리를 사용함.
 – 사물(북가시나무)을 통해 추상적이고 관념적인 내면 풍경을 형상화함.

18

◇ [어휘 – 한자성어]

답 ② 이 작품은 서민들의 근심과 애환을 그칠 줄 모르는 '한숨'으로 형상화하고 있는 사설시조이다. 화자는 한숨이 찾아오는 날이면 시름에 빠져 잠 못 들어 하는 모습을 보이고 있다. 따라서 이와 가장 거리가 먼 한자성어는 '지난날의 잘못이나 허물을 고쳐 올바르고 착하게 됨'이라는 의미를 지닌 '改過遷善(개과천선)'이다.

改 고칠 개, 過 지날 과 / 재앙 화, 遷 옮길 천, 善 착할 선

🖩 오답정리

① 輾轉反側(전전반측) : 누워서 몸을 이리저리 뒤척이며 잠을 이루지 못함.

　輾 돌아누울 전, 轉 구를 전, 反 돌이킬 반, 側 곁 측

③ 千思萬慮(천사만려) : 여러 가지로 생각하고 걱정함. 또는 그런 생각이나 걱정.

　千 일천 천, 思 생각 사, 萬 일만 만, 慮 생각할 려(여)

④ 寢不安席(침불안석) : 걱정이 많아서 잠을 편히 자지 못함.

　寢 잠잘 침, 不 아닐 부/불, 安 편안 안, 席 자리 석

✦ 현대어 풀이

한숨아 가느다란 한숨아, 네 어느 틈으로 들어오느냐?
고모장지, 세살장지, 가로닫이, 여닫이에 암톨쩌귀, 수톨쩌귀, 배목걸쇠 뚝딱 박고, 용과 거북 수놓은 자물쇠로 깊이깊이 채웠는데, 병풍이라 덜컥 접은 족자처럼 데굴데굴 마느냐? 네 어느 틈으로 들어오느냐?
어찌 된 일인지 네가 오는 날 밤이면 잠 못 들어 하노라.

19

◇ [독해(비문학) – 내용 확인 부정 발문]

답 ② ㉠은 도시 공공장소의 낯선 사람들 간에 동일한 초점을 가질 필요가 없는 상황에서 이루어지는 상호 작용인 반면, ㉡은 특정 화제에 대한 대화와 같은 상호 작용을 의미하므로 잘못된 설명이다.

⊞ 오답정리

① 둘째 문단을 보면, ㉠에서 '몸 관용구'를 개방함으로써 '낯선 타인과의 불필요한 만남을 피하려는 성향이 존재한다.'고 했다. 또한 셋째 문단에서 조우에 들어가려면 '면식이 없는 사람 간에는 합당한 이유를 설명할 필요가 있다.'고 하는 부분을 통해 ㉡ 역시 낯선 타인과의 의사소통에 비개방적이라는 것을 알 수 있다.

③ 화제에 대한 대화가 일어나는 ㉡과 달리, ㉠에서는 비언어적 신호인 '옷차림, 태도, 얼굴 표정 등'과 같은 '몸 관용구'를 사용한다는 것을 확인할 수 있다.

④ 둘째 문단에서 확인할 수 있듯이 ㉠의 '몸 관용구'는 '자아 영토에 대한 상호 접근 가능성을 최소화'하려는 양상으로 나타난다. 한편 ㉡의 '공안'은 '타인에게 보여 주고자 하는 사회적 자아 이미지'인데, 조우에 들어선 사람들은 '서로의 공안을 보호할 의무'를 다한다는 점을 셋째 문단의 마지막 두 문장을 통해 확인할 수 있다.

20

◇ [독해(문학) – 현대 산문의 형식 이해]

답 ③ 제시된 부분에서 공간적 배경과 관련한 서술은 '우리 둘이 한 번도 같이 와 본 적이 없는 눈 덮인 산골짜기에서~'에서 간략하게 나타나고 있다. 오히려 '나'의 내면 심리를 상세하게 서술하는 것으로 인해 사건 전개를 지연시키고 있으므로 잘못된 설명이다.

⊞ 오답정리

① 1인칭 시점에서 서술자인 '나'가 사형 집행장에서 'B'를 마주하여 느끼는 자신의 내면 심리를 묘사하고 있다. 사수와 사형 집행 대상의 관계로 마주한 직후, '복수의 만족감 같은 회심의 미소를 지을 뻔했던 것이다.'로 시작하여 사형 집행과 관련한 일부 서술을 제외하면 이어지는 서술의 대부분이 '나'의 주관적인 심리 묘사에 해당한다.

② '지금까지 한 번도 내 앞에서 졌다고 항복한 일이 없는 B다.'라고 서술하는 부분에서 과거에도 대결의 상황이 존재했다는 것을 알 수 있다. 또한 '눈 덮인 산골짜기에서 이렇게 대결하고 있는 것이다.', '나는 벌써 이 마지막 순간에도 이미 B에게 지고 있는 것이다.'라는 내용으로 미루어 볼 때, 현재까지도 'B'에게 대결 의식을 품고 있다는 것을 알 수 있다.

④ 짧고 간결한 문체를 사용하여, 'B'와 관련한 과거 회상 및 현재의 장면에 대한 '나'의 심리를 속도감 있게 서술하고 있다.

✦ 작품정리 전광용, 〈사수〉

- **해제** : 어렸을 때부터 친구였던 두 인물의 미묘한 경쟁 심리를 그려 낸 작품으로 1959년에 발표되었다. '나'가 친구인 B를 처형하는 사수가 되어 사형을 집행하고 나서 그 충격으로 병원에 입원하는 장면을 시작으로 과거를 회상하는 구조로 구성되어 있다. 이 작품은 외세에 의해 이루어진 민족 분단의 비극을 우의적으로 그린 것으로 해석되기도 한다.

- **주제** : 외부적 힘에 의해 이루어지는 운명적인 대결 의식

- **전체 줄거리** : 모반 혐의로 사형 집행장에 선 B를 사수로서 처형한 '나'는 B에 대한 패배감이 들면서 과거를 회상한다. 어렸을 적에 학교에서 선생님으로부터 서로의 뺨을 때리는 벌을 받았던 일, 경희를 차지하기 위해 공기총 쏘기 대결을 벌였던 일, 6·25 전쟁으로 셋이 다 헤어지지만, B의 계략으로 경희가 B와 결혼한 일 등을 겪으면서 '나'는 B에 대해 패배감을 느낀다. B는 이적 행위로 구속되고 '나'는 B의 사형 집행을 맡은 사수가 되는데 다른 사수들이 쏜 총에 B가 쓰러진 뒤 '나'도 B에 대한 패배감으로 총을 쏘지만 결국 의식을 잃고 쓰러진다.

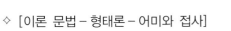

제9회 | 모의고사 정답 및 해설

☑ 제9회 모의고사 정답

01 ④	02 ③	03 ②	04 ③	05 ①
06 ④	07 ④	08 ②	09 ①	10 ④
11 ②	12 ③	13 ③	14 ②	15 ①
16 ①	17 ④	18 ①	19 ③	20 ④

01

◇ [이론 문법 – 음운론 – 구개음화]

답 ④ 합성어인 '밭일'의 '일'은 실질 형태소이다. 구개음화가 일어나려면 앞말의 받침 'ㅌ'이 '형식 형태소'인 단모음 'ㅣ'나 반모음 'ㅣ' 앞에 위치해야 하는데, '일'이 형식 형태소가 아니므로 구개음화가 일어나지 않는 것이다.

⊞ 오답정리

① '같이'는 앞말 'ㅌ'과 단모음 'ㅣ'가 만나 구개음화가 일어나므로 [가치]로 발음된다. 따라서 동화음은 반모음 'ㅣ'가 아니라 단모음 'ㅣ'이므로 잘못된 설명이다.

② '곁을'은 구개음화가 일어날 조건이 아니므로 [겨츨]이 아니라 [겨틀]로 발음해야 하는데, 구개음화를 과도하게 적용하고 있으므로 잘못된 설명이다.

③ '맏이'는 앞말 'ㄷ'과 단모음 'ㅣ'가 만나 구개음화가 일어나므로 [마지]로 발음된다. 따라서 동화음이 없기 때문에 [마디]로 발음하지 않는다는 것은 잘못된 설명이다.

✦ 세상 어디에도 없는 추가해설

구개음화	앞 음절의 끝소리 'ㄷ, ㅌ'이 형식 형태소인 모음 'ㅣ'나 반모음 'ㅣ'로 시작되는 모음(ㅑ, ㅕ, ㅛ, ㅠ) 앞에서 'ㅈ, ㅊ'으로 바뀌는 현상. 역행 동화만 해당된다. 예 굳이[구지], 해돋이[해도지], 닫혀[다처]

02

◇ [이론 문법 – 형태론 – 어미와 접사]

답 ③ '-음¹'이 붙은 말은 명사절이 되고, '-음²'가 붙은 말은 명사가 되므로 두 경우 모두 뒤에 격조사가 올 수 있다.

⊞ 오답정리

① '-음'은 명사형 어미로 용언의 어간 뒤에 붙어 명사형이 되고 용언의 품사는 변하지 않는다.

② '-음²'는 명사 파생 접미사로 이것이 붙은 말은 품사가 명사로 바뀌므로 관형어의 수식을 받을 수 있다.

④ '-음'은 '용언의 어간' 뿐만 아니라 (선어말) 어미 '-었-', '-겠-'의 뒤에 붙을 수 있다. 그러나 '-음²'는 '용언의 어간' 뒤에 바로 붙기 때문에 '-음'과 달리 선어말 어미와 결합할 수 없다.

✦ 세상 어디에도 없는 추가해설

	용언의 명사형	파생 명사
결합	명사형 어미 '-ㅁ/-기' → 품사는 그대로 동사나 형용사	명사화 접미사 '-ㅁ/-기' → 품사가 명사가 됨
구분	서술성 있음 (문장으로 표현 가능함)	서술성 없음 (문장으로 표현 불가능)
수식	부사어의 꾸밈 받음 예 잠을 많이 잠은 신기한 일이었다.	관형어의 꾸밈 받음 예 달콤한 잠을 많이 잠은 신기한 일이었다.
선어말 어미	결합 가능 예 잠을 많이 잤음[자+았+음]은 신기한 일이었다.	결합 불가능 예 잤음(×)을 많이 잠은 신기한 일이었다.

03

◇ [이론 문법 – 문장론 – 사동문]

답 ② '형이 동생에게 물통을 가득 채우게 했다.'는 주동문 '물통이 가득 차다'의 파생적 사동문인 '동생이 물통을 가득 채우다'에 '-게 하다'가 붙어서 이루어진 문장이다. 따라서 주동문에 '-게 하다'가 붙어서 이루어진 ㉡의 경우에 해당하지 않는 예문이다.

☒ 오답정리

① '시청에서 잘못된 표지판을 없앴다.'의 주동문은 '잘못된 표지 판이 없다'이다. 주동문의 서술어인 '없다'에 사동 접미사 '-애 -'가 붙어서 사동문이 되었으므로 ㉠의 경우에 해당하는 적절 한 예문이다.

③ '그는 달리기를 하다가 더위를 먹었다.'는 '그에게 더위를 먹 였다.'와 같이 사동문으로 바꿀 수 없는 주동문이다. 따라서 이는 ㉢의 경우에 해당하는 적절한 예문이다.

④ '언론이 사건에 대한 진실을 숨겼다.'는 '사건에 대한 진실이 숨었다'와 같이 대응하는 주동문이 없는 사동문이다. 따라서 이는 ㉣의 경우에 해당하는 적절한 예문이다.

✦ 세상 어디에도 없는 추가해설

1. 사동(使動)
 • 사동(使動)이란 주어가 남에게 동작을 시키는 것을 말한 다. (주어가 동작을 직접 하는 것을 주동(主動)이라고 함.)
 • 사동 표현은 주로 사동 접미사 혹은 보조 용언으로 실현 된다.

2. 사동(使動)의 종류

파생적 사동 (단형 사동)	① 용언의 어간+사동 접미사 '-이-, -히-, -리 -, -기-, -우-, -구-, -추-, -이키 -, -으키-, -애 -', 이중 사동 접 미사 '-이우-'	엄마가 아이에게 밥을 먹인다. [먹+-이-+-ㄴ-+-다]
		엄마가 아이에게 옷을 입힌다. [입+-히-+-ㄴ +-다]
		엄마가 아이에게 젖을 물렸다. [물+-리-+-었-+-다]
	② 서술성을 가진 명사+사동 접미 사 '시키다'	역공녀가 환경을 오염 시키다.
통사적 사동 (장형 사동)	본용언에 보조 용언 '-게 하다'가 붙어 실현 ⓞ 엄마가 아이에게 밥을 먹게 한다.	
어휘적 사동	'시키다, 보내다, 만들다'와 같이 사동의 뜻을 더하는 어휘가 붙어 실현 ⓞ 엄마가 아이에게 공부를 시킨다. 역공녀가 공시생들을 간절함으로 시험장에 보 낸다.(가게 한다)	

04

◇ [이론 문법 – 한글 맞춤법 – 띄어쓰기]

답 ③ '좋게 이루어지지 않다'의 의미의 동사로 사용되고 있 으므로 '안된다'와 같이 붙여 써야 한다. 한편, 금지나 실패의 의미로 쓰는 경우는 부사 '아니'의 준말 '안'과 동사 '되다'를 사용하여 '안 되다'로 띄어 쓴다.

☒ 오답정리

① '데'가 '곳, 장소, 일, 경우'의 뜻을 나타낼 때는 의존 명사이므 로 띄어 쓴다. '만드는 데'의 '만드는'은 동사의 관형형이고, '데'는 '경우'를 뜻하는 의존 명사이므로 띄어 쓰는 것이 옳다.

② 동사 '하다'의 어간 '하-'에 관형사형 전성어미 '-ㄹ'이 결합 하여 '할'이 된 것이다. 그리고 뒤에 오는 '거'는 의존 명사 '것'을 구어적으로 이르는 말이므로 띄어 쓰고, '야'는 서술격 조사 '이다'의 활용형인 '이야'의 준말이므로 '거야'의 형태로 붙여 쓴다.

④ 동사 '크다'의 어간 '크-' 뒤에 연결어미 '-ㄴ바'가 결합한 형 태이므로 붙여 쓴다. 연결 어미 '-ㄴ바'는 뒤 절에서 어떤 사실 을 말하기 위하여 그 사실이 있게 된 것과 관련된 과거의 어떤 상황을 미리 제시하는 데 쓰인다. 또한 연결 어미 '-ㄴ바'는 의존 명사 '바'와 달리 뒤에 조사가 붙지 않는다.

✦ 세상 어디에도 없는 추가해설

1. '데'

| 데 | 의존 명사 | '곳'이나 '장소', '일'이나 '것', '경우'의 뜻을 나타낼 때는 의존 명사이므로 띄어 쓴다. ⓞ 지금 가는 데가 어디인데? / 그 책을 다 읽 는 데 삼 일이 걸렸다. 사람을 돕는 데 애 어른이 어디 있겠습니 까? / 머리 아픈 데 먹는 약 이 그릇은 귀한 거라 손님을 대접하는 데 쓴다. |
| | 어미 | 연결 또는 종결 어미로 쓰이는 '-ㄴ데'는 붙 여 쓴다. ⓞ 여기가 우리 고향인데 인심 좋고 경치 좋은 곳이지. 나무가 정말 큰데 대체 몇 살인 걸까? |

2. '안되다' '못되다' '못하다'

부정문인 경우에는 '안 되다, 못 되다, 못 하다'로 띄어쓰지만 부정문이 아닌 경우에는 붙여 쓴다. 참고로, '안하다'는 이 세상에 없다. 무조건 '안 하다'로 띄어써야 한다.

	부정문	부정문이 아닌 경우
안 되다 / 안되다	완성이 아직 안 되었다. 조용히 해야 하니 말하면 안 돼.	• 공부가 안돼서 잠깐 쉬고 있다. (「동사」 일, 현상, 물건 따위가 좋게 이루어지지 않다.) • 학생이 안되기를 바라는 선생님은 없다. (「동사」 사람이 훌륭하게 되지 못하다.) • 우리 중 안되어도 세 명은 합격할 것 같다. (「동사」 일정한 수준이나 정도에 이르지 못하다.) • 그것참, 안됐군. (「형용사」 섭섭하거나 가엾어 마음이 언짢다.) • 몸살을 앓더니 얼굴이 많이 안됐구나.(「형용사」 근심이나 병 따위로 얼굴이 많이 상하다.)
못 되다 / 못되다	갑자기 나타나는 것을 보니 양반은 못 되는구나.	• 못되게 굴다. (「형용사」 성질이나 품행 따위가 좋지 않거나 고약하다.) • 그 일이 못된 게 남의 탓이겠어. (「형용사」 일이 뜻대로 되지 않은 상태에 있다.)
못 하다 / 못하다	목이 아파서 노래를 못 했다.	• 노래를 못한다. (「동사」 어떤 일을 일정한 수준에 못 미치게 하거나, 그 일을 할 능력이 없다.) • 음식 맛이 예전보다 못하다. (「형용사」 비교 대상에 미치지 아니하다.) • 잡은 고기가 못해도 열 마리는 되겠지.(「형용사」 아무리 적게 잡아도) • 그는 그녀를 기다리지 못하였다. ('-지 못하다'의 구성)

3. '바'

바	의존 명사	앞에서 말한 내용 그 자체나 일이나 방법 따위를 나타내는 의존 명사는 띄어 쓴다. 예 평소에 느낀 바를 말해라. / 어찌할 바를 모르다. 어차피 매를 맞을 바에는 먼저 맞겠다.
	어미	'~니까'의 의미를 갖는 어미 '-ㄴ바'는 붙여 쓴다. 예 서류를 검토한바 몇 가지 미비한 사항이 발견되었다. / 그는 나와 동창인바 그를 잘 알고 있다. / 너의 죄가 큰바 응당 벌을 받아야 한다.

05

◇ [음운규정 – 표준 발음법]

답 ① '외국의'는 표준 발음법 제5항의 '다만 4항'을 토대로 [외국의]로 발음해야 한다.([외국에]는 허용) 그러나 '사례'는 표준 발음법 제5항의 '다만 2항'을 토대로 [사레]가 아니라, [사례]로 발음해야 하므로 적절하지 않다.

표준 발음법 제5항 'ㅑ ㅒ ㅕ ㅖ ㅘ ㅙ ㅛ ㅝ ㅞ ㅠ ㅢ'는 이중 모음으로 발음한다.
다만 1. 용언의 활용형에 나타나는 '져, 쪄, 쳐'는 [저, 쪄, 처]로 발음한다.
다만 2. '예, 례' 이외의 'ㅖ'는 [ㅔ]로도 발음한다.
다만 3. 자음을 첫소리로 가지고 있는 음절의 'ㅢ'는 [ㅣ]로 발음한다.
다만 4. 단어의 첫음절 이외의 '의'는 [ㅣ]로, 조사 '의'는 [ㅔ]로 발음함도 허용한다.

🄼 오답정리
② '동생의'는 표준 발음법 제5항의 '다만 4항'을 토대로 [동생에]로 발음해야 한다.([동생에]는 허용) 그러나 '의견'은 표준 발음법 제5항을 '다만 3항'과 '다만 4항'에 해당하지 않는 경우이므로 표기 그대로 [의견]으로 발음해야 한다.
③ '통계'는 표준 발음법 제5항의 '다만 2항'을 토대로 [통:게]로 발음하고, '희망적'은 '다만 3항'을 토대로 [히망적]으로 발음해야 한다.
④ '다쳐서'는 용언의 활용형에 해당하므로 표준 발음법 제5항의 '다만 1항'을 토대로 [다처서]로 발음해야 한다. 또한 '실력'는 표준 발음법 제5항을 '다만 1항'에 해당하지 않는 경우이므로 표기 그대로 [실력]으로 발음해야 한다.

06

◇ [독해(화법) – 말하기 방식]

답 ④ 발표 도입부에서 '조리개의 원리'라는 지난 발표 주제를 잠시 언급하며 이번 발표의 주제를 제시하고 있다. 그러나 지난 발표의 내용을 요약하고 있지 않았으며, 마지막 문단에서 연습의 중요성을 강조하고 있을 뿐 다음 발표 내용을 예고하지 않았으므로 잘못된 설명이다.

🄼 오답정리
① 셔터 속도 및 조리개를 조절한 자료 1~3을 적절하게 제시하여 발표 내용에 대한 청중의 이해를 돕는다.
② 첫째 문단과 둘째 문단에서 청중에게 질문하고, 청중의 답변을 확인하는 상호작용을 하면서 발표를 이어나가고 있다.
③ 첫째 문단에서 고개를 끄덕이고, 둘째 문단에서 자료를 손으로 가리키는 비언어적 표현을 사용하며 발표를 진행하고 있다.

07

◇ [어휘 – 한자]

답 ④ '행사하다.'의 어근인 '행사(行使)'는 '부려서 씀'이라는 의미로 사용되고 있다. 이에 해당하는 한자 표기 중 '使(부릴 사)'가 '史(역사 사)'로 잘못 표기 되어 있다.

行 다닐 행, 使 부릴 사

▣ 오답정리

① 첫째 문단에서 지도는 실제 공간의 다양한 면모를 '누락'시킨다고 하였으므로, '누락(漏落)'은 '기입되어야 할 것이 기록에서 빠짐'이라는 의미를 가지고 있다.

漏 샐 루(누), 落 떨어질 락

② 첫째 문단에서 지도는 세계에 의미를 '부여'하는 장치라고 하였으므로 '부여(附與)'는 '사물이나 일에 가치·의의 따위를 붙여줌'이라는 의미를 가지고 있다.

附 붙을 부, 與 더불 여, 줄 여

③ 첫째 문단에서 지도를 문화적 산물로 '간주'한다고 하였으므로 '간주(看做)'는 '상태, 모양, 성질 따위가 그와 같다고 봄. 또는 그렇다고 여김'이라는 의미를 가지고 있다.

看 볼 간, 做 지을 주

08

◇ [독해(작문) – 성찰하는 글쓰기]

답 ② 글쓴이는 마라톤 중에 '한 무리의 사람들'을 만나서 그들과 함께 달리며 기존에 가지고 있던 생각에 변화를 얻게 되었다. 하지만 그 이후에 깨달음을 실제 삶에 적용했는지는 언급되어 있지 않다.

▣ 오답정리

① 글쓴이는 마라톤에서 겪은 경험을 바탕으로 '다른 사람들과 서로 의지하며 함께 했을 때 더 큰 성취감을 얻을 수 있다'는 깨달음을 서술하고 있다.

③ 마지막 문장에서 그동안의 생각과 마라톤을 계기로 달라진 생각을 대비하여 서술하고 있다.

④ 마라톤에서 지쳐 있을 때 다른 사람들과 함께 하여 힘든 과정에서 서로 정신적으로 의지하며 격려함으로써 즐거움을 얻었다고 하고 있다.

09

◇ [독해(문학) – 현대 운문의 형식 이해]

답 ① 2연에서 '간 해에는 당신의 얼굴이 달로 보이더니 오늘 밤에는 달이 당신의 얼굴이 됩니다.'라는 구절을 통해 과거에는 화자가 당신과 함께였고 현재는 그렇지 않음을 짐작할 수 있다. 따라서 과거와 현재가 대비되고는 있으나, 이를 통해 재회에 대한 확신이 드러난다고 보기는 어렵다.

▣ 오답정리

② 2연에서 화자에게 '달'이 '차차차 당신의 얼굴'처럼 보이더니 '역력히' '넓은 이마, 둥근 코, 아름다운 수염'처럼 보인다는 데서, 화자가 시적 대상인 '달'이 화자가 그리워하는 '당신의 얼굴'과 조응하고 있음을 알 수 있다.

③ 1연에서 화자는 '당신'이 그리워서 '달'을 한참 쳐다보니, 2연에서 '달'이 '당신의 얼굴'로 인식하게 된다. 그러다 3연에서 '아아 당신의 얼굴이 달이기에 나의 얼굴도 달이 되었습니다.'라고 감탄사를 사용하여 부재하는 대상과 합일하고 싶은 소망을 강하게 드러내고 있다.

④ 작품 전체에서 종결 어미 '–습니다', '–ㅂ니다'를 반복적으로 사용하여 운율을 형성하고 있다.

✦ 작품정리 한용운, 〈달을 보며〉

• 해제 : 이 글은 달을 보며 부재하는 대상인 '당신'을 그리워하는 시이다. '당신'을 생각하며 '뜰'로 나온 화자에게 '달'은 점점 '당신의 얼굴'로 보인다. 이 시는 화자의 얼굴 역시 '달'이 된다고 표현하여 '달'을 매개로 화자가 '당신'과 합일을 이루고자 함을 보여주고 있다.

• 주제 : 부재하는 당신에 대한 그리움

• 구성
1연 – 당신을 그리며 달을 봄.
2연 – 달이 된 당신을 봄.
3연 – '나'도 당신처럼 달이 됨.

• 특징
– 자연물을 매개로 하여 대상과의 합일을 소망함.
– 동일한 문장을 반복해 리듬감을 형성하고 그리움을 강조함.
– 감탄사를 활용해 화자의 정서를 강조함.
– 말을 건네는 방식을 취함.

10

◇ [어휘 – 한자성어]

답 ④ 화자는 '망고대'와 '혈망봉'을 의인화하여 충신의 지조와 절개를 표현하고 있다. 따라서 이와 관련한 한자성어는 '남들이 모두 절개를 꺾는 상황 속에서도 홀로 절개를 굳세게 지키고 있음을 비유적으로 이르는 말'인 '獨也靑靑(독야청청)'이 가장 적절하다.

獨 홀로 독, 也 어조사 야, 靑 푸를 청, 靑 푸를 청

⊞ 오답정리

① 暗中摸索(암중모색) : 어둠 속에서 손으로 더듬어 찾는다는 뜻으로, 어림짐작으로 추측하거나, 당장 해결점이 보이지 않는 막연한 상태에서 해법을 찾는 것

暗 어두울 암, 中 가운데 중, 摸 본뜰 모, 索 찾을 색

② 望雲之情(망운지정) : 구름을 바라보며 그리워한다는 뜻으로 타향에서 고향에 계신 부모를 생각함. 멀리 떠나온 자식이 어버이를 사모하여 그리는 정을 의미함.

望 바랄 망, 雲 구름 운, 之 갈 지, 情 뜻 정

③ 磨斧爲針(마부위침) : 아무리 어려운 일이라도 끊임없이 노력하면 반드시 이룰 수 있음.

磨 갈 마, 斧 도끼 부, 爲 할 위, 針 바늘 침

◆ 현대어 풀이

높기도 하구나 망고대여, 외롭기도 하구나 혈망봉이
하늘에 치밀어 무슨 일을 아뢰려고
오랜 세월이 지나도록 굽힐 줄을 모르는구나
아아, 바로 너로구나. 너 같은 이가 또 있겠는가?

11

◇ [독해(비문학) – 중심 화제]

답 ② 제시문은 저작물의 대작 관행과 관련하여 몇 가지 법적 쟁점들을 검토하고 있다. 첫째 문단에서는 대작의 개념과 저작권법상의 '창작자 원칙', 둘째 문단에서는 '성명 표시권', 마지막 문단에서는 '업무 방해죄' 및 '저작자 사칭 공표죄'에 대해 다루고 있다. 이러한 내용을 모두 포함하는 중심 내용은 '저작물 대작에 관한 법적 쟁점들'이다.

⊞ 오답정리

① 제시문은 '대작 관행'을 중심 내용으로 다루고 있으나, 현행법상의 쟁점들에 대해 설명하고 있을 뿐이며 규제의 필요성을 주장하고 있지는 않았다.
③ 대작 관행을 둘러싼 법적 쟁점 중에서 저작권법이 주로 다루어지고 있으나, 대작 작가의 권리를 설명하기 위한 내용은 아니다.
④ 마지막 문단에서 '저작자 사칭 공표죄'가 사회적 법익을 수호하려는 것이라는 취지를 설명하고 있다. 그러나 제시문의 전체에서 대작 계약과 사회적 법익의 관련성을 다룬 것은 아니므로 중심 내용으로 적합하지 않다.

12

◇ [독해(화법) – 공손성의 원리]

답 ③ '동의의 격률'은 자신의 의견과 다른 사람의 의견 사이의 차이점을 최소화하고, 일치점을 극대화하여 표현하는 방법인데, 학생과 가수의 인터뷰 내용에서는 찾아볼 수 없다.

⊞ 오답정리

① 학생이 '제가 배경 지식이 부족해서 ~ 조금 더 자세한 설명 부탁드려도 될까요?'라고 책임을 자신에게 돌림으로써 자신의 부담을 최대화하고 있다. 이는 화자가 자신에게 혜택을 주는 표현을 최소화하고, 부담을 주는 표현을 최대화하는 것으로 '관용의 격률'에 해당한다.
② 학생이 인터뷰를 시작하며 '가창력과 무대 매너를 두루 갖추신 가수님의 인터뷰를 직접 할 수 있어서 정말 영광입니다.'라고 말하며 상대방을 칭찬하는 표현을 극대화하고 있다. 이는 상대방을 비방하는 표현을 최소화하며 칭찬을 극대화하는 '찬동의 격률'에 해당한다.
④ 가수는 학생의 칭찬에 대해 '제가 아직 부족한 점이 많아요.'라고 말하며 자신에 대한 칭찬은 최소화하고 비방을 극대화하고 있으므로 이는 '겸양의 격률'에 해당한다.

13

◇ [독해(작문) – 고쳐쓰기]

답 ③ ㉢은 이 글의 중심 내용인 '구들장 논'을 만들 때 착안한 대상이므로 관련이 있다. 또한 그 뒤에 나오는 '구들장 논도 이러한 얇은 돌판과 그 아래 통로가 핵심이다.'라는 문장을 볼 때, '구들장 논'을 이해하는 데에 필요한 내용이므로 ㉢을 삭제하지 않는 것이 좋다.

⊞ 오답정리

① 청산도 농부들이 열악한 자연환경 속에서도 농사를 짓기 위해 '구들장 논'을 고안하였다. 따라서 '순순히 따르다.'라는 의미를 지닌 '순종하는'보다는 '일정한 조건이나 환경 따위에 맞추어 응하거나 알맞게 되다.'라는 의미의 '적응하는'으로 수정하는 것이 적절하다.
② '해결하다'는 타동사이므로 목적어가 필요한데, 생략되어 있다. 따라서 '문제를'이라는 적당한 목적어를 ㉡에 추가해야 한다.
④ '얹히다'는 '위에 올려져 놓이다.'라는 의미를 지닌 '얹다'의 피동사이다. '구들장이 얹힌다.'와 같이 주어와 서술어 구성으로 쓰여야 하는데, ㉣ 앞에 '구들장을'이라는 목적어가 나오고 있으므로 '구들장을 얹는다.'와 같이 능동문의 형태로 수정하는 것이 적절하다.

14

◇ [독해(문학) – 고전 산문의 형식 이해]

답 ② '이때에 원수가~', '그제야 멀리 바라보니' 등에서 장면 전환이 나타나고 있으나, 사건이 일어나는 배경이 달라지고 있을 뿐이다. 중심인물인 원수의 용감하고 충직한 성격은 변하고 있지 않으므로 잘못된 서술이다.

⊞ 오답정리

① '용의 울음소리가 구천에 사무치는지라 하늘이 어찌 무심하리요?', '청총마 그 임자의 충성을 모르리요?' 등과 같은 구절에서 작품 속 상황에 대한 서술자의 감상이나 느낌, 논평을 드러내는 서술자의 개입이 드러난다.
③ 원수가 천자를 급히 구하러 가는 길에 강물 앞에서 자신의 말에게 '물을 건네라.'고 한다. 그리자 원수의 말이 고개를 들고 청천을 우러러 한소리를 벽력같이 지르고 강을 건너뛰었다. 이는 '대성의 충심과 청총마 그 임자 아는 정을 하늘이 감동하사 건너게 함이라.'고 서술하여 전기적 요소가 나타나고 있다.
④ 원수가 장안으로 가서 호왕을 찾는 장면에서 '호왕은 없고 겸한이 삼군을 거느려 왔거늘 원수 분노하여 겸한을 한칼에 베고'라고 서술하고 있다. 이곳에서의 사건을 요약적으로 제시하여 위기에 처한 황제를 구하러 가는 과정이 한층 빠르게 전개되고 있다.

◆ 작품정리 작자 미상, 〈소대성전〉

• **해제** : 명과 호국의 전쟁에서 백성들과 명나라를 위기로부터 구한 영웅 소대성의 일대기를 다룬 소설이다. 이 작품에서 소대성은 명나라와 호국의 전쟁에 참전하여 탁월한 무공을 바탕으로 천자와 명나라를 위기에서 구한다. 본문에는, 소대성이 호왕에게 사로잡혀 통곡하며 쓰러진 천자를 구해내는 장면이 제시되어 있다.
• **주제** : 고난을 극복하고 지위를 회복한 영웅의 활약상
• **줄거리** : 소대성은 병부상서 소양이 노년에 얻은 아들로 원래 동해 용왕의 아들이었으나 비를 잘못 내린 죄로 적강(謫降)한 인물이다. 부모가 병으로 일찍 세상을 떠난 후 대성은 집을 떠나 품팔이와 걸식으로 연명하다가 소대성의 인물됨을 알아본 이상서를 만나 그의 딸 채봉과 약혼할 것을 약속하게 된다. 부인과 세 아들은 대성의 신분이 미천함을 들어 혼인을 반대하던 중, 이 승상이 갑자기 세상을 떠나자 자객을 보내 대성을 죽이려 하고, 대성은 도술로 위험을 피한 후 집을 떠난다. 방황하던 대성은 어떤 노승을 만나 병법과 무술을 공부한다. 5년 후 대성은 적군에게 둘러싸여 위태로운 지경에 있는 황제를 구하게 되고, 황제는 크게 기뻐하여 대성을 대원수로 임명한다. 이후 노왕이 된 대성은 청주로 가서 채봉을 맞아 인연을 성취한다. (지문 수록 부분 : 밑줄 친 부분)
• **특징**
  – 영웅, 군담 소설의 모티프를 수용하고 변용함.
  – '홍길동전'과 '유충렬전'을 잇는 교량 역할을 함.
  – 소대성의 비범한 능력을 돋보이게 하기 위해 전기적 요소를 사용함.

15

◇ [독해(비문학) – 배치]

답 ① ㉠은 '회의론의 핵심 이론과 특성'을 설명하는 문단이다. 첫째 문장에서 접속어 '그런데'로 시작되며, 회의론이 '일원론과 다원론 모두에 반대한다.'고 하였으므로, 두 이론이 먼저 제시되고 이어지는 내용임을 알 수 있다.

㉡은 '예술 작품의 의미와 관련한 다양한 해석 방법론'이 있다고 제시하는 문단이다. 따라서 글의 첫머리에 오는 것이 적절하다.

㉢은 '다원론의 핵심 이론과 특성'을 설명하는 문단이다. 첫째 문장에서 '해석의 절대적 고정성을 부인'하고, '비어즐리의 견해'를 비판한다고 하였으므로 이 내용의 다음에 이어질 문단임을 알 수 있다.

㉣은 '회의론자인 바르트의 견해'를 다루고 있다. 따라서 '회의론의 핵심 이론과 특성'을 다루었던 ㉠의 뒤에 이어지는 것이 적절하다.

㉤은 '일원론의 핵심 이론과 특성'과 대표 학자인 '비어즐리의 견해'를 설명하고 있다. 따라서 이 문단은 ㉢의 앞에서 다루어져야 한다.

즉, ㉡(예술 작품의 의미와 관련한 다양한 해석 방법론)이 가장 먼저 제시되고 ㉤(일원론의 핵심 이론과 특성, 비어즐리의 견해)부터 소개한 뒤, 이에 대해 비판하는 ㉢(다원론의 핵심 이론과 특성)이 이어져야 한다. 그 후에 일원론과 다원론을 모두 반대하는 입장인 ㉠(회의론의 핵심 이론과 특성)과 ㉣(회의론자인 바르트의 견해)을 연이어 배열하는 것이 적절하다.

16

◇ [독해(작문) – 전개 과정]

답 ① 첫째 문단에서 '경찰서의 자료'를 활용하여 평일 등교 시간의 교통사고 발생률이 더 높다는 근거를 제시하고 있다. 이러한 구체적인 통계 수치를 활용하여 문제의 심각성을 강조하고 있으나, 해결 방안을 제시하고 있는 것은 아니다.

② 첫째 문단에서 '많은 학생들의 자가용 등교로 인해 여러 문제가 발생'하고 있으며, '학교 앞 도로가 유난히 좁아' 교통사고가 빈번하게 발생한다고 이유를 밝히고 있다. 이를 통해 등굣길이 위험하다는 문제 상황을 제시하고 있다.

③ 둘째 문단에서 자가용 등교를 자제했을 때 '모두 여유롭게' 등교를 할 수 있으며, '규칙적인 생활 습관이 몸에 배게 될 것'이라는 예상되는 긍정적인 변화를 구체적으로 서술하고 있다.

④ '~주변을 살피며 걸어 주세요.'에서 명령형 문장을, '~상상이 아닌 현실로 만듭시다.'에서 청유형 문장을 사용하여 문제 해결을 위한 실천을 촉구하고 있다.

17

◇ [독해(비문학) – 일반 추론 부정 발문]

답 ④ 둘째 문단의 마지막 문장에서 ㉡의 한계를 지적하고 있다. 도덕적 갈등을 해결하는 방법으로 제시되는 '상위 원리를 도출하는 것이 쉽지 않으며', 이것을 '마련하는 과정에서 또 다른 갈등이 발생할 수 있다.'고 하였다. 따라서 '도덕적 갈등의 해결 방안을 마련하는 과정에서 갈등이 발생할 수 있다는 한계가 있다.'는 진술은 ㉡에 해당하는 내용이므로 잘못된 설명이다.

⊞ 오답정리

① ㉠은 '갈등 발생 시, ~ 도덕 법칙에 따라 행동'함으로써, ㉡은 '상위 원리를 통해 법과 같은 현실적인 규범을 만들고 이를 준수'함으로써 도덕적 갈등상황을 해결할 수 있다고 보았다.

② ㉠은 '합리적 이성을 통해 찾을 수 있는 선험적인 도덕 법칙이 존재'한다고 봤고 '주관적 욕구나 개인의 상황이 아닌 도덕 법칙에 따라 행동'해야 한다고 보았다. 또한 ㉡은 '개인들이 합의하여 도출한 상위 원리를 바탕으로 갈등을 해결'할 수 있다고 보았다. 따라서 도덕적 갈등을 해결하기 위해 ㉠, ㉡ 모두 도덕적 가치의 우선순위를 판단할 수 있다고 볼 것이다.

③ ㉠은 합리적 이성을 통해 찾을 수 있는 선험적인 도덕 법칙이 존재한다고 보았다. 그러나 둘째 문단의 첫째 문장에서 도덕적 원칙주의자와 달리, ㉡은 선험적인 도덕 법칙이 존재하지 않는다고 보았다는 점을 확인할 수 있다.

18

◇ [독해(비문학) - 추론]

답 ① 첫째 문단에서 부피가 있는 물체는 각 부위마다 천체와의 거리가 달라 차등중력이 발생하며, 이것에 의해 기조력이 생긴다고 하였다. 또한 모든 물체는 부피가 있으므로 차등중력이 발생할 수밖에 없다. 따라서 천체로부터 떨어진 모든 물체에 발생하는 '차등중력'에 의해 '기조력'이 생긴다고 하는 것이 적절하다.

⊞ **오답정리**

② 첫째 문단에서 천체와 물체 간 '거리의 제곱에 반비례하는 중력이 작용한다.'고 하였다. 따라서 물체의 질량이 같을 때, 천체로부터의 거리가 두 배 차이가 나면 천체에서 가까운 물체에 작용하는 중력은 먼 쪽에 비해 네 배 크게 작용하므로 적절한 설명이다.

③ 첫째 문단에서 '천체와 일정 거리만큼 떨어져 있는 물체에는 천체와 물체의 질량에 비례'한다고 하였다. 따라서 천체로부터 같은 거리만큼 떨어진 물체의 질량이 두 배 크면, 중력 또한 이에 비례하여 두 배 크게 작용하므로 적절한 설명이다.

④ 둘째 문단에서 '기조력에 의해 천체 주변의 물체는 천체 쪽으로 늘어난다.'고 하였으므로 천체와 마주한 부위가 기조력에 의해 변형된다는 것은 적절한 설명이다.

19

◇ [독해(문학) - 고전 운문의 내용 이해]

답 ③ '관어대'에서 자연물인 '갈매기들'을 인격체로 간주하여 '묻노라, 갈매기들아. 옛일을 아느냐.'라는 질문을 던지고 있다. 이는 뒤에 이어지는 자연에 은거한 '엄자릉'의 고사를 언급하기 위한 질문으로써 화자가 자연에 동화되려는 마음을 드러내는 것이다. 따라서 자연물인 '갈매기들'의 덕성을 본받고자 하는 것으로 보기에는 적절하지 않다.

⊞ **오답정리**

① 공자의 제자들인 안회, 증상, 자유, 자하라든가 사마온공 등과 같은 역사적 인물들이 언급되고 있다. '왼쪽엔 안회 증상, 오른쪽엔 자유 자하'에서 이언적의 모습을 공자에 비유하고, '사마온공 독락원이 아무리 좋다 한들 그 속의 참 즐거움 이 독락에 견줄쏘냐.'에서 사마온공의 독락원에 견주어 이언적의 독락당을 칭송하고 있다. 따라서 중국의 고사에 등장하는 인물과 장소에 견주어 대상을 예찬하고 있다는 것을 확인할 수 있다.

② 수많은 긴 대나무 시내 따라 둘러 있는 독락당 외부의 자연 경관과 만 권의 서책이 네 벽에 쌓여 있는 내부의 모습을 묘사하여 독락당을 보고 받은 인상을 표현하고 있다.

④ 화자는 독락당, 양진암, 관어대로 공간을 이동하며, 각각의 장소에서 자신의 소회를 드러내고 있다. 화자는 '독락당'에서 이름의 뜻을 풀어내는 '깨우친 것을 혼자서 즐기도다'라는 구절을 통해 그곳이 학문 수양 중심의 공간임을 부각하고 있다. '양진암'에 돌아들어 '내 뜻도 뚜렷하다'고 진술함으로써 이언적이 가졌던 후학 양성의 뜻에 대한 공감을 표현하고 있다. 또한 '관어대'에서 이언적이 도모하던 '성현의 길'을 흠모하고 있다. 따라서 화자의 정서와 태도가 공간의 이동에 따라 이루어지고 있음을 알 수 있다.

✦ **작품정리** 박인로, 〈독락당〉

• **해제** : 이 글은 박인로가 회재 이언적의 유적인 경주 옥산서원의 독락당을 찾아가 지은 가사로, 회재의 유지를 흠모하고 선현의 풍모를 기리는 정을 노래하고 있다. 나이가 들어서야 독락당을 찾게 된 감회를 읊는 것으로 시작하여, 독락당의 아름다운 경치에 대한 찬탄과 이언적을 사모하는 심회를 중국의 고사에 견주어 풀어내는 것으로 이어 가고 있다. 마지막으로 이언적의 유훈(遺訓)을 가슴 깊이 새겨 오래도록 받들 것을 권면하는 것으로 끝을 맺고 있다. 제시된 부분은 작품의 초반부로, 화자가 독락당과 양진암, 관어대를 둘러보면서 이언적의 자취를 더듬으며 그의 풍채와 덕행을 추앙하는 부분이다.

• **주제** : 독락당의 경치에 대한 예찬과 회재 선생에 대한 추모

• **구성**
1~10행 - 독락당의 경치와 이언적의 모습
11~28행 - 양진암과 관어대에서의 감회
29~47행 - 영귀대, 폭포, 징심대, 탁영대에서의 감회

• **특징**
- 공간의 이동에 따른 시상 전개
- 대상에 대한 예찬
- 한자 성어와 중국 고사를 많이 인용

20

◇ [독해(문학) – 현대 산문의 내용 이해]

답 ④ '안악굴' 주민들은 첫째, 둘째 문단에서 확인할 수 있듯이 '경찰' 및 '산지기와 관청'의 통제를 받고 있다. 이들의 통제로 멧돼지 함정이나 여우 덫을 놓을 수 없지만, 초식만 하며 살아갈 수는 없어 함정을 팠다. 즉, 주민들이 판 함정은 이들을 통제하는 자들에게 저항하기 위함이 아니라 생계를 유지하기 위한 것임을 알 수 있다.

⊞ 오답정리

① 둘째 문단에서 '안악굴' 주민들이 생계를 유지하고자 '노루의 함정'을 파는 것처럼 금지된 행동을 할 수밖에 없는 처지에 대해 서술하고 있다. 셋째 문단의 '안악굴 사람들은 ~ 엄밀하게 따지려면 늘 범죄의 생활자들이었다.'라는 서술에서 이들의 행동이 범죄로 여겨질 수 있다는 점을 확인할 수 있다.

② 셋째 문단에서 장군이가 경찰서에 잡혀간 사건이 일어난다. 경찰서에 '저희 집 관솔불이나 상사발에 대어서는 너무나 문화적인 전기등'이 있다는 서술을 통해 '안악굴'은 '전기등'이 들어오지 않는 환경이라는 것을 알 수 있다.

③ 첫째 문단에서 장군이네 '자기 아버지 대에까지는 굶지는 않고' 살아왔으며, 이후에는 '화전이나 파먹고 숯이나 구워 먹고 덫과 함정을 놓아 산짐승이나 잡아먹던 구차한 살림'이었다. 그러나 '둘레가 백 리도 더 될 큰 산을 삼정회사에서 샀노라고~'하는 부분에서 산의 소유권이 바뀌면서 '부대를 파지 못한다, 숯을 허가 없이 굽지 못한다.'와 같은 생계유지 활동에 제약이 생겼다는 것을 알 수 있다.

✦ 작품정리   이태준, 〈촌뜨기〉

- **해제**: 이 작품은 1930년대를 배경으로 화전을 일구며 생계를 유지하는 산골 주민 '장군이'를 주인공으로 삼아, 그가 살림을 지키고자 시도하고 실패하기까지의 과정을 그린 소설이다. 제시된 장면에는 근대 초기의 과도기적 사회의 모습과, 사회 변화에 적절한 방식으로 대응하지 못하여 실패를 겪는 인물의 모습이 잘 드러나고 있다. 이 작품의 제목인 '촌뜨기' 역시 이러한 인물의 처지를 비유한 것이다.
- **주제**: 일제의 수탈과 근대화로 삶의 터전을 잃은 우리 민족의 아픔
- **구성**(지문 수록 부분: 발단)
  발단 – 유치장에서 나오며 마을을 떠날 결심을 하는 장군이
  전개 – 장군이의 평소 생활 모습과 유치장에 갇히게 된 사연
  위기 – 장군이의 아내 모습과 물방앗간의 실패
  절정 – 마을을 떠나 서로 다른 길로 가는 장군이와 그의 아내
  결말 – 아내를 불러 장에서 떡을 사 먹이고 헤어지는 장군이
- **특징**
  - 근대화 시기의 과도기적 삶의 모습과 다양한 대응 방식이 반영됨.
  - 제목을 통해 근대화를 따라가지 못하는 인물의 처지를 드러냄.
  - 강원도 방언을 사용

제10회 모의고사 정답 및 해설

제10회 모의고사 정답

01 ③	02 ③	03 ④	04 ②	05 ①
06 ④	07 ③	08 ③	09 ①	10 ①
11 ①	12 ②	13 ②	14 ④	15 ③
16 ④	17 ②	18 ④	19 ②	20 ①

01

◇ [이론 문법 – 고전 문법 – 중세 국어의 특징]

답 ③ ':히·ᅇᅧ'와 '便뼌安한·킈 ᄒᆞ·고·져'는 각각 현대어로 '하여금'과 '편하게 하고자'라는 의미를 지닌다. 따라서 두 가지 모두 피동 표현이 아니라 사동 표현이 쓰이고 있으므로 적절하지 않다.

오답정리

① ':말ᄊᆞ·미'는 명사 ':말ᄊᆞᆷ'과 주격 조사 '이'가 결합하여 연음이 된 것이 표기에 반영된 것이다. 또한 '百·ᄇᆡᆨ姓·셩·이'도 명사 '百·ᄇᆡᆨ姓·셩'과 주격 조사 '이'가 결합한 것이므로 주격 조사의 형태가 '이'로 동일하게 사용되었다.

종류	환경
이	받침으로 끝난 체언 뒤 예 말ᄊᆞᆷ+이 → 말ᄊᆞ미(말이)
ㅣ	'ㅣ'외의 모음으로 끝난 체언 뒤 예 부텨+ㅣ → 부톄(부처가)
ø[zero]	'ㅣ'모음으로 끝난 체언 뒤 예 불휘 기픈(뿌리가 깊은)

② '中듕國·귁'과 '펴·디'는 각각 현대어로 '중국'과 '펴지'로 표기한다. 구개음화는 'ㄷ, ㅌ'이 'ㅣ'나 반모음 'j'를 만나서 'ㅈ, ㅊ'으로 바뀌는 음운의 변동이다. 그런데 이 단어에 쓰인 'ㄷ' 뒤에 각각 반모음 'j'와 'ㅣ'가 이어지고 있음에도 'ㅈ'으로 바뀌지 않았다. 중세 국어에서는 발음대로 표기하는 표음주의 표기법을 사용하므로 이 단어들을 통해 중세 국어에서 구개음화가 일어나지 않았음을 알 수 있다.

현대 국어의 구개음화	중세 국어의 구개음화
현대 국어는 1개의 실질 형태소와 1개의 형식 형태소가 만나 구개음화가 일어났다. 예를 들어 '굳이=굳(실질 형태소)+이(형식 형태소)'의 표준발음은 구개음화가 일어나 [구지]가 된다.	중세 국어의 구개음화는 하나의 형태소 안에서 구개음화가 일어났다. 예를 들어 '펴디'에서 '디'라는 어미 안에서 구개음화가 일어나 '펴지'가 되었다. 또한 텬지(天地)의 '텬' 안에서 구개음화가 일어나 '천'이 되었다.

④ '·ᄡᅮ·메'는 '쓰다'라는 의미를 지닌 동사의 어간 'ᄡᅳ–'와 명사형 어미 '–움'이 결합하여 명사절을 이루고, 부사격 조사 '에'가 이어진 것이다. 따라서 여기에 쓰인 명사형 어미 '–움'은 현대 국어의 명사형 어미 '–음', '–기'와 형태가 다르다.

현대 국어의 명사형 어미	중세 국어의 명사형 어미
'–음', '–기'	'–옴/움' ('–기'는 근대 국어가 되어서야 널리 쓰이기 시작했다.)

02

◇ [이론 문법 – 통사론 – 품사와 문장 성분]

답 ③ ㉢의 밑줄 친 부분은 '그가 성실하–'가 명사형 어미 '–ㅁ'과 결합하여 명사절이 되었다. 명사절 뒤에 부사격 조사 '에'가 결합되었으므로 이 명사절은 문장에서 부사어로 쓰였다는 것은 적절한 설명이다.

→ 명사절의 문장 성분은 명사절 뒤에 붙은 격 조사에 의해 결정된다.

오답정리

① ㉠에서는 밑줄 친 부분과 호응하는 서술어가 '되다'이므로 명사 '직장인'은 조사와 결합 없이 보어로 쓰인 것이다.

② ㉡의 밑줄 친 부분인 부사 '아주'가 형용사의 관형사형 '큰'을 수식하는 부사어로 쓰이고 있다. 부사는 주로 용언을 수식하는 기능을 가지고 있지만, 때에 따라 관형사나 다른 부사 등도 수식할 수 있다.

④ ㉣의 밑줄 친 부분인 수 관형사 '다섯'이 의존 명사 '마리'를 수식하는 관형어로 쓰이고 있다. '다섯'은 품사 통용이 일어나는 단어로 수사 혹은 관형사로 쓰이는데, 이 문장에서는 명사를 수식하고 있으므로 관형사에 해당한다.

✦ 세상 어디에도 없는 추가해설

1. 명사절을 안은 문장

개념	전체 문장 속에서 명사형 문장이 주어, 목적어, 보어, 부사어의 기능을 하는 문장이다.	
특징	명사형 전성 어미 '음'이나 기'가 붙어 실현된다.	
예시	주어	[그가 범인임]이 밝혀졌다. ('이'=주격 조사)
	목적어	역공녀는 [공시생이 많이 오기]를 바란다. ('를'=목적격 조사)
	부사어	모두들 [역공녀가 미인임]에 놀랐다. ('에'=부사격 조사)

2. 보어

개념	서술어 '되다, 아니다'를 보충해 주는 성분	
표지	보격 조사 '이/가' (주격 조사와 헷갈리지 말기)	예 철수가 <u>아빠가</u> 되었다.
	보조사	예 역공녀는 <u>미인도</u> 아니다.
	생략	예 역공녀는 <u>미인</u> 아니다.

3. 부사

부사(名詞) : 주로 용언을 꾸밈(수식언, 체언도 꾸밀 때가 있음)

(1) 특징

형태가 변하지 않는 불변어 / 주로 용언을 꾸밈 / 보조사와 결합 가능

(2) 종류 : 수식 범위에 따라

종류		내용	예
성분부사 (한 성분 수식)	성상부사	'어떻게'의 의미를 지님.	매우, 아주, 잘, 자주
	지시부사	앞에 나온 말을 지시함.	이리, 그리, 저리, 내일
	부정부사	용언의 의미를 부정함.	안, 못
	의성부사	사람이나 사물의 소리를 흉내 냄.	칙칙폭폭, 광광
	의태부사	사람이나 사물의 모양이나 움직임을 흉내 냄.	펄럭펄럭, 까불까불
문장부사 (문장 전체 수식)	양태부사	화자의 다양한 심리적 태도를 나타냄.	과연(그것이 사실이었구나.), 확실히 (역공녀는 귀엽다.), 제발, 의외로
	접속부사	단어와 단어, 문장과 문장을 이어 줌.	그리고, 그러나, 그런데, 그래서, 하지만, 및

4. 수사와 수 관형사의 구별

수사	구분법	체언 뒤에는 조사가 결합됨.
	적용	나는 배 하나를 먹었다.
수 관형사	구분법	수 관형사 뒤에는 꾸밈을 받는 명사가 옴. 수사가 아니므로 조사가 결합하지 못함.
	적용	난 배 한 개를 먹었다.

03

◇ [어문규정 – 표준발음법과 음운의 변동]

답 ④ [짓밟고 → (음절의 끝소리 규칙, 자음군 단순화) → 진밥고 → (된소리되기) → 진빱꼬]

⊞ 오답정리

① '얼굴은 낯익은데 이름은 모르겠다.'의 밑줄 친 부분은 음절의 끝소리 규칙에 의해 'ㅊ'이 'ㄷ'으로 교체되고, 둘째 음절의 'ㅣ' 모음 앞에서 'ㄴ첨가'가 일어나 앞말 받침 'ㄷ'이 'ㄴ'으로 비음화가 된다. 따라서 '낯익은데'는 [난니근데]로 발음해야 한다.

'ㄴ' 첨가

합성어나 파생어에서	앞말이 자음으로 끝나고 뒷말의 첫음절이 '이, 야, 여, 요, 유'로 시작하는 경우에는 뒷말의 초성 자리에 'ㄴ' 소리가 첨가된다. 예 꽃 + 잎 →[꼰닙], 식용+유 → [시굥뉴], 솜+이불 → [솜ː니불], 한– + 여름 → [한녀름], 홑+이불 → [혼니불]
합성어에서	앞말이 모음으로 끝나고 뒷말의 첫음절이 '이, 야, 여, 요, 유'로 시작하는 경우에는 뒷말의 초성 자리에 'ㄴㄴ' 소리가 첨가된다. 예 뒤 + 윷 → 뒷윷[뒨ː뉻], 나무 + 잎 → 나뭇잎[나문닙], 깨 + 잎 → 깻잎[깬닙]

② '그렇게 몰상식한 사람은 처음 봤다.'의 밑줄 친 부분은 한자어 'ㄹ' 받침 뒤에 연결되는 'ㄷ, ㅅ, ㅈ'은 된소리로 발음한다는 표준어 규정 제26항에 따라 [몰쌍시칸]으로 발음해야 한다. 이때 셋째 음절의 받침 'ㄱ'과 넷째 음절의 'ㅎ'은 거센소리되기에 의해 'ㅋ'으로 축약된 것이다.

[제26항] 한자어에서 'ㄹ' 받침 뒤에 연결되는 'ㄷ, ㅅ, ㅈ'은 된소리로 발음한다.

갈등[갈뜽]	발동[발똥]	절도[절또]	말살[말쌀]
불소[불쏘](弗素)	일시[일씨]	갈증[갈쯩]	물질[물찔]
발전[발쩐]	몰상식[몰쌍식]	불세출[불쎄출]	

다만, 같은 한자가 겹쳐진 단어의 경우에는 된소리로 발음하지 않는다.

허허실실[허허실실](虛虛實實) 절절-하다[절절하다](切切--)

자음 축약 = 거센소리되기 = 격음화	예사소리 'ㄱ, ㄷ, ㅂ, ㅈ'와 'ㅎ'이 결합되어 거센소리 'ㅍ,ㅋ,ㅊ,ㅌ'으로 소리나는 현상 **예** 쌓지[싸치], 잡히다[자피다], 좋던[조턴], 각하[가카], 법학[버팍]

③ '옆집에 희넓적한 청년이 이사를 왔다.'의 밑줄 친 부분에서 '희'는 자음을 첫소리로 가지고 있는 음절의 'ㅢ'는 [ㅣ]로 발음한다는 표준어 규정 제5항의 다만 3에 따라 [히]로 발음해야 한다. 또한 '넓적한'은 겹받침 중 'ㄹ'이 탈락하고 뒤의 'ㅂ'이 발음되며, 앞 음절 받침 'ㄱ'과 뒤 음절 초성 'ㅎ'이 거센소리되기에 의해 'ㅋ'으로 축약된다. 따라서 '얼굴이 허옇고 넓적하다'라는 의미를 지닌 형용사의 활용형인 '희넓적한'은 [히넙쩌칸]으로 발음해야 한다.

다만 3. 자음을 첫소리로 가지고 있는 음절의 'ㅢ'는 [ㅣ]로 발음한다.

늴리리[닐리리]	닁큼[닝큼]	무늬[무니]
티어[티어]	희어[히어]	희떱다[히떱따]
띄어쓰기[띠어쓰기]	씌어[씨어]	
희망[히망]	유희[유히]	

→ 자음을 초성으로 갖는 'ㅢ'는 표준 발음으로 [ㅣ]로만 발음된다. 하지만 이 규정은 '협의, 신의' 등과 같이 앞말의 받침이 뒷말의 초성으로 이동하여 'ㅢ' 앞에 자음이 오게 되는 경우에는 적용되지 않는다(다만 4 참조).

✦ 세상 어디에도 없는 추가해설

음절의 끝소리 규칙 대표음화, 중화	받침이 음절 끝에 올 때에는 표기된 대로 발음되는 것이 아니라 대표음(ㄱ, ㄴ, ㄷ, ㄹ, ㅁ, ㅂ, ㅇ)으로 발음되는 현상		
	음절의 끝소리	대표음	예시
	ㄲ, ㅋ	ㄱ	**예** 밖[박], 키읔[키윽]
	ㅌ, ㅅ, ㅆ, ㅈ, ㅊ, ㅎ	ㄷ	**예** 낱[낟], 낫고[낟꼬], 났다[낟따], 낮[낟], 낯[낟], 히읗[히읃]
	ㅍ	ㅂ	**예** 앞[압]

자음군 단순화	음절의 끝에 겹받침이 올 때, 한 자음이 탈락되어 발음되는 현상			
	첫째 자음만 발음된다.	• ㄳ, ㄵ, ㄶ, ㄼ, ㄽ, ㅀ, ㅄ **예** 넋[넉], 앉다[안따], 곬[골], 핥다[할따], 값[갑]		
	둘째 자음만 발음된다.	• ㄻ, ㄺ, ㄿ **예** 앎[암ː], 닭[닥], 읊다[읍따]		
	불규칙하게 탈락된다.	ㄺ	일반	맑다[막따], 굵지[국찌]
			예외	맑고[말꼬], 굵게[굴께]
				'ㄺ'이 용언의 어간 말음일 경우 'ㄱ' 앞에서 [ㄹ]로 발음한다.
		ㄼ	일반	여덟[여덜], 넓다[널따]
			예외	밟다[밥ː따], 넓둥글다[넙뚱글다], 넓죽하다[넙쭈카다], 넓적하다[넙쩌카다]
				'넓다'의 경우 [널]로 발음하여야 하나, 파생어나 합성어의 경우에 '넙'으로 표기된 것은 [넙]으로 발음한다.

된소리되기	• '안울림소리 + 안울림소리'의 구조에서 뒷소리가 된소리로 발음되는 현상 **예** 역도[역또], 닫기[닫끼], 극비[극삐] • 어간 받침 'ㄴ(ㄵ), ㅁ(ㄻ), ㄼ, ㄾ' 뒤에 예사소리로 시작되는 활용 어미가 이어지면 된소리로 발음되는 현상 **예** 넘다[넘ː따], 신고[신ː꼬], 넓게[널께], 핥다[할따] • 용언의 관형형 '-ㄹ' 뒤에서 뒷소리가 된소리로 발음되는 현상 **예** 사랑할 사람[사랑할싸람] • 한자어의 'ㄹ' 받침 뒤의 'ㄷ, ㅅ, ㅈ'가 된소리로 발음되는 현상 **예** 발달[발딸], 발생[발쌩], 발전[발쩐], 몰상식[몰쌍식], 갈등[갈뜽], 불세출[불쎄출] **예외)** 불법[불법 / 불뻡]

04

◇ [독해(화법) – 직접 · 간접 발화 행위]

답 ② 비를 맞고 온 손님에게 "여기 따뜻한 차입니다."라고 말하는 것은 평서문을 통해 청자에게 차를 마실 것을 권유하는 간접 발화 행위이므로 ⓛ에 해당한다.

⊠ 오답정리

① 기차를 기다리며 "이제 기차 올 시간 다 됐나?"라고 말하는 것은 의문문을 통해 기차가 올 시간이 다 되었는지 청자에게 질문을 하는 직접 발화 행위이므로 ㉠에 해당한다.

③ 길에 쓰레기를 버리는 아이에게 "얘, 여기가 쓰레기통으로 보이니?"라고 말하는 것은 의문문을 통해 길에 쓰레기를 버린 청자의 행동에 대해 비난하는 간접 발화 행위이므로 ⓛ에 해당한다.

④ 피아노를 시끄럽게 치는 옆집에 "아기가 피아노 치는 소리 때문에 잠을 못 자네요."라고 말하는 것은 평서문을 통해 청자에게 조용히 할 것을 요청하는 간접 발화 행위이므로 ⓛ에 해당한다.

05

◇ [독해(비문학) – 중심 화제]

답 ① 이 글에서는 국민의 알 권리에 대해 개념을 정의하고, 시대의 변화에 따라 언론의 역할이 중요해지고 있다고 하였다. 또한 국민의 알 권리를 위협하는 취재 및 보도 방식에 대해 비판적으로 검토하고 있다. 따라서 '국민의 알 권리 보장을 위한 언론의 책무'를 이 글의 중심 내용으로 요약할 수 있다.

⊠ 오답정리

② '발표 저널리즘에 의한 보도'는 속보와 특종에 대한 경쟁 때문에 취재원에게서 얻은 정보를 그대로 보도하거나 선정적으로 보도하는 무책임한 보도 방식이다. 이 글에서는 이것의 허용 범위에 대해 다루고 있지 않으므로 중심 내용으로 적절하지 않다.

③ 정보가 방대해지고 전문화됨에 따라 국민들이 정보에 접근하기 점점 어려워지고 있다고 하면서 언론의 역할이 더욱 중요해진 배경을 설명하고 있다. 그러나 '정보화 시대 속 국민들의 권익 보호 방안'은 중심 화제인 '국민의 알 권리'보다 지나치게 광범위하므로 중심 내용으로 적절하지 않다.

④ 국민의 알 권리가 '법적으로 보호받는 권리'라고 하였으나, 헌법상 보장되는 권리인지 이 글을 통해서는 알 수 없다. 또한 이 글에서 중요하게 다루어진 언론의 보도 방식과 취재 관행에 대한 내용은 배제되므로 '헌법상 보장되는 국민의 알 권리'는 글의 중심 내용으로 볼 수 없다.

06

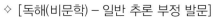

◇ [독해(비문학) – 일반 추론 부정 발문]

답 ④ 경쟁 상황에서 인간은 항상 합리적인 선택을 한다는 것은 ㉠에서의 가정이며, 이에 대한 반론으로 나온 것이 ⓛ이다.

⊠ 오답정리

① 둘째 문단에서 ⓛ이 '개체군 대부분이 선택한 전략'인 진화적 안정 전략을 쓰고, ㉠은 '어떤 전략을 쓰든지 간에 모든 전략에 대해서 최선이 되는 전략인 우월 전략'을 쓴다고 하였다.

② ㉠은 '우월 전략을 씀으로써 자신에게 최대의 이익이 되도록 행동한다'고 했으며, ⓛ은 '모든 개체는 자신의 성공을 최대화할 수 있는 전략을 선택'한다고 하였다. 따라서 두 이론 모두 인간이 자신의 성공에 유리한 전략을 선택한다고 보는 것은 적절하다.

③ ⓛ은 인간이 사회적 생존에 유리한 전략을 본능적으로 선택한다고 보았다. 이는 '모든 개체는 자신의 성공을 최대화할 수 있는 전략을 선택'하기 때문에 개체군 대부분이 선택한 전략이 성공하기에 가장 유리한 전략이라고 본다.

07

◇ [독해(화법) – 토의 – 말하기 방식]

답 ③ 주민 3은 주민 2가 우려하는 부분에 대해 공감하는 취지의 말을 하고, '운영상의 어려움도 고려'해야 한다고 덧붙여 말하고 있다. 또한 '적외선 살균기' 구입 의견에 대해 동의하면서 동화책과 같은 서적도 공유하면 어떤지 의견을 제시하고 있다. 그러나 다른 사람들의 제안에 비판적으로 반응하고 있지 않으므로 적절하지 않은 설명이다.

⊠ 오답정리

① 주민 1은 '부녀회가 주축이 되어서 '장난감 공유 센터'를 만들어서 운영'하자는 제안을 하고 주민 2와 주민 3의 의견을 구하고 있다.

② 주민 2는 주민 1의 제안에 대해 동의하지만, '감염병 전파가 심각한 상황이라 입주민들이 참여'가 이루어질 수 있을지 우려를 표하고 있다.

④ 주민 2는 장난감 소독에 대한 해결 방법으로 '적외선 살균기를 저렴하게 구입'하는 것을 제안하였고, 마지막에 주민들의 의견을 구하기 위한 제안서를 작성해 보자고 하였다.

08

◇ [독해(작문) – 고쳐쓰기]
답 ③ ⓒ의 바로 앞 문장에서는 '물 중독'이 제시되고 있다. 따라서 '물 중독 환자들의 모습'을 담은 다큐멘터리에 대한 내용인 ⓒ은 앞의 내용과 관련이 있는 문장이므로 삭제하지 않는 것이 좋다.

⊞ 오답정리

① ㉠의 뒤에 나열되는 절은 '관절의 충격을 흡수하며', '장기와 조직을 보호하는'으로 목적어와 서술어의 관계로 이루어져 있다. 따라서 ㉠도 역시 동일한 형식인 '노폐물을 배출하고'로 수정하는 것이 적절하다.

② ㉡은 '모자람이 없이 넉넉하게'라는 뜻을 지니고 있다. 그러나 '물 중독'을 일으키는 물의 섭취 정도를 표현해야 하므로 '일정한 한도를 넘어 정도가 심하다.'라는 부정적인 뜻을 지닌 '지나치다'의 부사형 '지나치게'로 수정하는 것이 적절하다.

④ ㉣로 시작하는 문장은 '목마르지 않은 데도 물을 마신 경우'로 앞 문장과는 대조적인 실험 결과를 제시하고 있으므로 역접의 의미를 지닌 접속어 '반면'으로 수정하는 것이 적절하다.

09

◇ [독해(문학) – 고전 운문 및 한자성어]
답 ① '苦肉之策(고육지책)'은 적을 속이기 위하여 자신의 괴로움을 무릅쓰고 꾸미는 계책이라는 의미이다. '두터비'는 '백송골'을 속이기 위해 '두험' 아래로 넘어진 것이 아니므로 이 작품과는 관련이 없는 한자성어이다.

苦 쓸 고/땅 이름 호, 肉 고기 육, 之 갈 지, 策 꾀 책/채찍 책

⊞ 오답정리

② '苛斂誅求(가렴주구)'는 가혹하게 세금을 거두거나 백성의 재물을 억지로 빼앗는다는 의미이다. '두터비'는 부패한 양반이나 관리, '파리'는 힘없는 백성, '두험'은 부정 축재를 상징하므로 이 작품은 탐관오리들의 부패상을 풍자한 것이다. 따라서 '苛斂誅求'는 이 작품과 관련이 있는 한자성어이다.

苛 가혹할 가, 斂 거둘 렴(염), 誅 벨 주, 求 구할 구

③ '啞然失色(아연실색)'은 뜻밖의 일에 얼굴빛이 변할 정도로 놀란다는 의미이다. '두터비'는 '백송골'을 보고 '가슴이 금즉하여' 뛰어내린 모습과 관련이 있는 한자성어이다.

啞 벙어리 아, 然 그럴 연, 失 잃을 실, 色 빛 색

④ '厚顔無恥(후안무치)'는 뻔뻔스러워 부끄러움이 없다는 의미이다. 종장의 '모쳐라 날낸 낼싀망정 에헐질 번하괘라.'라며 수치스러운 상황임에도 자신이 날쌔기 때문에 피멍이 들지 않았다는 두꺼비의 모습과 관련이 있는 한자성어이다.

厚 두터울 후, 顔 낯 안, 無 없을 무, 恥 부끄러울 치

✦ 현대어 풀이

두꺼비가 파리를 입에 물고 두엄 위에 치달아 앉아
건너편 산을 바라보니 하얀 송골매가 떠 있거늘, 가슴이 섬뜩하여 풀쩍 뛰어서 내달리다가 두엄 아래에 넘어져 나뒹굴었구나. 다행히도 날쌘 나이기에 망정이지 멍이 들 뻔하였구나!

10

◇ [독해(비문학) – 배열]
답 ① 주어진 문단에서 '반의 관계의 조건'이라는 화제를 제시하고 있다.

㉠에서 반의 관계가 '이러한 동질성의 조건 속에서 하나의 매개 변수만 다른 이질성의 조건이 필요하다.'고 하였다. '이러한'이라는 지시어를 사용하고 있으므로 ㉠은 동질성의 조건을 다룬 내용의 뒤에 이어져야 함을 알 수 있다. (선지 ③ 탈락)

㉡에는 반의어의 품사와 형태가 동일해야 함을 뒷받침하는 예시가 나온다. 따라서 반의어의 조건 중 품사와 형태의 동일성을 다룬 중심 내용 바로 다음에 ㉡이 이어져야 함을 알 수 있다. (선지 ② 탈락)

㉢에서는 '우선'이라는 접속어를 사용하며 반의어는 동일 의미 성분을 공유해야 한다고 하였다. 따라서 화제를 제시하고 있는 주어진 문단의 바로 다음에 이어져야 하는 내용임을 알 수 있다.

㉣에서는 '그리고'라는 접속어를 사용하고, 반의어는 동일 의미 영역에 속하면서 단어의 품사와 형태가 같아야 한다는 내용이 나온다. 따라서 ㉣은 ㉡의 바로 앞에 나와야 한다. (선지 ④ 탈락)

㉤에서는 동일 의미 영역에 속하는 단어의 예시를 들고 있으므로 ㉢다음에 이어져야 한다.

종합하면, '반의 관계의 첫째 조건: 동일 의미 영역과 예시' (㉢ – ㉤) – '반의 관계 둘째 조건: 동일 어휘 범주와 예시'(㉣ – ㉡) – '반의 관계 셋째 조건: 이질성의 조건과 예시'(㉠)의 순서가 가장 자연스럽다.

11

◇ [독해(작문) – 감상문]

답 ① 둘째 문장에서 '치매'가 1970~1980년대 소설에서 전통적 가족 가치관의 변모와 균열을 보여주는 제재로 기능하고 있음을 설명하고 있다. 그러나 동일한 소재를 다룬 작품들과의 관계는 언급되고 있지 않으므로 적절하지 않은 설명이다.

⊞ 오답정리

② 첫째 문장에서 '치매 노인의 부양 문제'에 대해 언급하며 이 작품이 창작된 산업화 이후의 사회적 배경을 설명하고 있다.
③ 셋째 문장에서 '노인의 숭고한 생명 존중 정신의 가치를 깨달은 가족들이 치매 노인을 가정으로 끌어안는 과정을 보여줌으로써 균열의 회복 가능성을 제시'한다는 작품의 주제 의식을 서술하고 있다. 또한 작품을 전반부와 후반부로 나누어 서사 구조를 분석하고 있으므로 적절한 설명이다.
④ 마지막 문장에서 '우리 사회의 문제였던 남아 선호 주의를 비판적으로 바라볼 수 있고, 생명 존중의 가치를 다시금 깨닫게 되었다.'는 부분에서 사회 문제에 관해 깨달은 점이 서술되고 있으므로 적절한 설명이다.

12

◇ [어문규정 – 한글맞춤법 – 준말]

답 ② '간호사가 환자를 침대에 <u>뉘였다</u>.'의 밑줄 친 부분은 동사 '뉘다'에 과거 시제 선어말 어미 '-었-'이 쓰인 것이다. 이때 '뉘다'는 동사 '눕다'의 어간 '눕-'과 사동 접미사 '-이-'가 결합한 사동사 '누이다'의 준말이다. 따라서 '뉘였다'가 아니라 '뉘었다'로 쓰는 것이 적절하다.

⊞ 오답정리

① '신발이 작아서 발이 꽉 <u>쬈다</u>.'의 밑줄 친 부분은 동사 '죄다'에 과거 시제 선어말 어미 '-었-'이 쓰인 것이다. 'ㅚ' 뒤에 '-어, -었-'이 어울려 'ㅙ, ㅙㅆ'으로 될 때 준 대로 적는다는 한글맞춤법 제35항 붙임 규정에 따라 예문과 같이 '쬈다'로 표기하는 것이 적절하다.
③ '언덕을 내려오며 풀숲을 <u>톺아봤다</u>.'의 밑줄 친 부분은 동사 '톺아보다'에 과거 시제 선어말 어미 '-았-'이 쓰인 것이다. 모음 'ㅗ, ㅜ'로 끝난 어간에 '-아/-어, -았-/-었-'이 어울려 'ㅘ/ㅝ, ㅘㅆ/ㅝㅆ'으로 될 적에는 준 대로 적는다는 한글 맞춤법 제35항에 따라 예문과 같이 '톺아봤다'로 표기하는 것이 적절하다.
④ '그 아이는 한글을 스스로 <u>깨쳤다</u>.'의 밑줄 친 부분은 동사 '깨치다'에 과거 시제 선어말 어미 '-었-'이 쓰인 것이다. 모음 'ㅣ' 뒤에 '-어'가 와서 'ㅕ'로 줄 적에는 준 대로 적는다는 한글 맞춤법 제36항에 따라 예문과 같이 '깨쳤다'로 표기하는 것이 적절하다.

◆ 세상 어디에도 없는 추가해설

[제28항] '-하다'나 '-거리다'가 붙는 어근에 '-이'가 붙어서 명사가 된 것은 그 원형을 밝히어 적는다.(ㄱ을 취하고, ㄴ을 버림.)

꼬아 → 꽈   보아 → 봐   쏘아 → 쏴   두어 → 둬
쑤어 → 쒀   주어 → 줘   꼬았다 → 꽜다 보았다 → 봤다
쏘았다 → 쐈다 두었다 → 뒀다 쑤었다 → 쒔다 주었다 → 줬다

→ 이때에도 줄어든 형태와 줄어들지 않은 형태를 모두 쓸 수 있다. 예를 들어 "밥을 보아라."와 "밥을 봐라."는 둘 다 옳은 표현이다. 다만 '오다'는 '-아' 계열 어미가 결합하여 '오아, 오아라, 오았다' 등과 같이 줄어들지 않은 형태로 쓰는 것은 인정하지 않고, '와, 와라, 왔다'처럼 줄어든 형태만 인정한다.

[붙임 1] '놓아'가 '놔'로 줄 적에는 준 대로 적는다.

→ '놓다'는 '-아'와 결합하면 다음과 같이 줄어들 수 있다.
예 놓아(→ 노아) → 놔, 놓아라(→ 노아라) → 놔라, 놓았다(→ 노았다) → 놨다
'놓아 → 놔'가 되는 것은 '좋아 → 좌'가 되지 않는 것과 비교할 때 예외적인 현상이라고 할 수 있다.

[붙임 2] 'ㅚ' 뒤에 '-어, -었-'이 어울려 'ㅙ, ㅙㅆ'으로 될 적에도 준 대로 적는다.

괴어 → 괘   되어 → 돼
쐬어 → 쐐   괴었다 → 괬다
쇠었다 → 쇘다   쐬었다 → 쐤다
쬐었다 → 쬈다   사뢰었다 → 사뢨다
뵈어 → 봬   쇠어 → 쇄
되었다 → 됐다   뵈었다 → 뵀다
꾀었다 → 꽸다   되뇌었다 → 되뇄다

→ • 되다 : 이렇게 만나게 돼서(← 되어서) 반갑다.
　• 뵈다 : 오랜만에 부모님을 봬서(← 뵈어서) 기뻤다.
　　2022년에 공무원이 돼요(← 되어요).
　　그럼 내일 함께 부모님을 봬요(← 뵈어요).
　　어느덧 가을이 됐다(← 되었다).
　　어제 부모님을 뵀다(← 뵈었다).

이 밖에 '꾀다, 외다, 죄다, 쬐다'와 '되뇌다, 사뢰다, 선뵈다, 아뢰다, 앳되다, 참되다' 등도 여기에 해당해서, '-어/-었-'이 결합하면 '꽤/꽸다, 쫴/쬈다, 되뇌/되뇄다, 사뢔/사뢨다' 등과 같이 줄여서 쓸 수 있다.

[제36항] 'ㅣ' 뒤에 '-어'가 와서 'ㅕ'로 줄 적에는 준 대로 적는다.

가지어 → 가져   견디어 → 견뎌   다니어 → 다녀
막히어 → 막혀   버티어 → 버텨   치이어 → 치여
가지었다 → 가졌다 견디었다 → 견뎠다 다니었다 → 다녔다
막히었다 → 막혔다 버티었다 → 버텼다 치이었다 → 치였다

과도한 사동 접사 '이'의 사용

의미상 필요하지 않다면, 사동 접사 '이'를 남용하면 안 된다.

과도한 사동 접사 '이'의 사용 예시	기본형
그녀는 목메인 목소리를 냈다. [목메+이+ㄴ] → 목멘(○)	목메다
동이 트였다. [트+이+었+다] → 텄다(○)	트다
넌 끼여들지마. [끼+이+어 +들+지+마] → 끼어들지마(○)	끼다
역공녀를 보면 마음이 설레였다. [설레+이+었+다] → 설레었다/설렜다(○)	설레다
비 개인 거리를 나홀로~ 우산을 쓰고 걸어갔어~ [개+이+ㄴ] → 갠 (○)	개다
도시를 헤매이는 아이들 [헤매+이+는] → 헤매는(○)	헤매다

13

◇ [독해(비문학) – 중심 화제]

답 ② 이 글은 화폐의 개념을 정의하며 우리가 쓰는 화폐인 '법정 불환 지폐'와 과거에 사용했던 금과 같은 '상품 화폐'에 대해 설명하고 있다. 따라서 이 글의 중심 화제는 '화폐의 두 가지 유형'이다.

⊞ 오답정리

① '법정 불환 지폐'는 법률에 따라 화폐로 확정되었기 때문에 통용될 수 있다고 하며 그 조건을 설명하고 있다. 그러나 이는 글의 일부 내용이므로 중심 화제가 될 수 없다.

③ '현대 사회에서 화폐의 중요성'은 이 글과 관계가 없는 내용이므로 중심 화제로 적절하지 않다.

④ 현재 우리가 사용하는 화폐와 과거에 사용했던 '상품 화폐'에 대해 설명하고 있다. 그러나 화폐 체제가 변화해 온 과정을 다루고 있는 것은 아니므로 중심 화제로 적절하지 않다.

14

◇ [독해(문학) – 고전 운문의 내용 이해]

답 ④ <초당춘수곡>의 '아아 내 일이야 잠을 깨어 생각하니 / 세상의 모든 일이 모두가 허랑(虛浪)하다'라는 구절에서 화자가 봄날에 늦게 일어나 속세의 일을 허랑하게 여기고 있음을 알 수 있다. 또한 '백화주 두세 잔에 산수에 정이 들어 / 홍도 벽도 난발한데 지팡이 짚고 들어가니 / 산은 첩첩 기이하고 물은 청청 깨끗하다'라는 구절에서 술을 마시고 봄날의 자연을 즐기러 나가는 과정과 산세의 풍경 등이 제시되어 있다. 따라서 이 작품의 주제는 '자연을 벗 삼아 즐기는 삶'이라고 정리할 수 있다. 한편, 시조 '말 업슨 청산이요~' 역시 '자연을 벗 삼는 즐거움'을 형상화하고 있는 작품이다. 청산, 유수, 청풍, 명월로 대변되는 자연의 속성을 열거하면서 화자는 그 속에서 걱정 없이 늙어가겠다고 한 점을 통해 확인할 수 있다.

⊞ 오답정리

① '묏버들 골히 것거~'의 주제는 임에게 보내는 사랑, 이별의 슬픔, 혹은 임에 대한 그리움이다. 화자는 산 버드나무 가지를 골라 꺾어서 임에게 보냄으로써 임과 함께 하고 싶은 마음을 드러내고 있다. 또한 임이 화자의 분신과 같은 산 버들을 보며 자신을 생각해 주기를 바라고 있다는 내용을 통해 확인할 수 있다.

② '이화에 월백호고~'는 봄밤에 느끼는 애상적인 정감을 감각적으로 형상화하고 있는 작품이다. 하얀 배꽃과 환하게 비추는 달빛, 은하수 등 고독과 애상의 정서를 흰색의 시각적 이미지로 표현하고, 소쩍새의 울음을 통해 화자가 느끼는 한의 정서를 청각적으로 나타내고 있다는 점에서 확인할 수 있다.

③ '청산는 엇뎨호야~'는 학문 수양에 대한 변함없는 의지를 형상화 하고 있는 작품이다. 청산과 유수라는 자연의 불변성을 제시한 후, 그러한 자연을 닮아 학문수양에 정진하여 만고상청한 삶을 살겠다는 의지를 드러내고 있다는 점에서 확인할 수 있다.

✦ 작품정리 남석하, 〈초당춘수곡〉

- **해제** : 조선 후기 추담(秋潭) 남석하(南碩夏, 1773~1853)가 지은 총 172구의 중편 가사이다. 제목에서 알 수 있듯이 초가집에서 봄날에 낮잠을 자다가 일어나 봄을 만끽한 사연과 그에 따른 회포를 해박한 지식과 함께 그려내었다. 악양루·황강루 등 중국의 정자와 그와 관련된 승경 놀이를 끌어들여 봄날 자신의 고향에서 맛보는 봄날의 풍류를 그리고 있다. 또한 이 작품은 부귀는 세속 선비의 일시적인 영화이지만, 산수는 영구적인 친구라는 물아일체(物我一體)적 자연관을 드러내고 있다.
- **주제** : 봄날의 자연에서 느끼는 흥취
- **구성(수록 부분)**
  1~10행 – 늦은 봄날의 애상적 정취
  11~20행 – 산수를 둘러보며 자연을 즐김
- **특징**
  – 대구법을 활용함.
  – 영탄적 어조를 통해 화자의 정서를 부각함.
  – 중국의 지명과 인명을 활용해 풍류를 즐기는 화자의 정서를 효과적으로 드러냄.

◆ 현대어 풀이

① 산 버드나무 가지를 골라 꺾어 임에게 보내오니,
주무시는 방의 창문가에 심어두고 살펴 주십시오.
행여 밤비에 새 잎이라도 나거든 마치 나를 본 것처럼 여기소서.

② 하얀 배꽃 핀 달 밝은 밤, 은하수는 깊은 밤을 알리는 때에
한 가닥 봄밤의 애상을 소쩍새가 알겠는가마는
다정도 병인 듯하여 잠을 이룰 수가 없구나.

③ 청산은 어찌하여 항상 푸르며
흐르는 물은 또 어찌하여 밤낮으로 그치지 않는가?
우리도 저 물과 같이 그치지 말아서 영원히 높고 푸르게 살아가리라.

④ 말이 없는 것은 푸른 산이요, 모양 없는 것은 흐르는 물이로다.
값 없는 것은 바람이요, 주인 없는 것은 밝은 달빛이라.
이 아름다운 자연에 묻혀 사는 병 없는 이 몸은 걱정 없이 늙으리라.

15

◇ [독해(비문학) – 한자 어휘]

답 ③ ㉢은 '어떤 기회나 정세를 알아차림'이라는 의미의 단어로 한자 표기는 '捕捉'이라고 쓴다. 따라서 한자어 표기와 문맥상 의미가 모두 적절하게 쓰인 것이다.

捕 잡을 포, 捉 잡을 착

▣ 오답정리

① ㉠은 문맥상 '어떤 일이 생기려는 기운이 싹틈'이라는 의미로 쓰인 단어이며 한자 표기는 '胎動'이라고 쓴다. '態'는 '태도 태'자이므로 옳지 않다.

胎 아이밸 태, 動 움직일 동

② ㉡은 문맥상 '보통과 다름'이라는 의미의 '별반(別般)'이 쓰인 것이다. 한자어 표기가 '반달 모양의 소반'이라는 의미의 '별반(別盤)'으로 제시되어 있어 적절하지 않다.

別 다를 별, 般 옮길 반 / 別 다를 별, 盤 소반 반

④ ㉣은 문맥상 '널리 펴서 말함. 또는 그런 내용'이라는 의미의 '선언(宣言)'이 쓰인 것이다. '선언(善言)'은 '교훈이 될 만한 좋은 말'이므로 적절하지 않다.

宣 베풀 선, 言 말씀 언 / 善 착할 선, 言 말씀 언

16

◇ [독해(비문학) – 내용 확인 부정 발문]

답 ④ 이행 불능 시에 '계약을 해제하지 않고 자신의 의무를 모두 이행한 후 전보 배상을 청구할 수도 있다.'고 하였다. 따라서 전보 배상을 청구하기 위해서는 계약을 해제하지 않아야 하므로 적절하지 않은 설명이다.

▣ 오답정리

① 이행 불능 시 '계약을 해제하고 이미 지급한 돈이나 물건의 반환과 함께 손해 배상을 청구'할 수 있다고 하였다.

② '이행 불능은 강제 집행이 가능한 이행 지체와 달리'라고 하였으므로 이행 지체는 강제 집행이 가능하며, 이행 불능은 불가능하다.

③ 이행 지체는 '채무의 이행기가 도래하였고 이행이 가능한데도 채무자가 채무를 이행하지 않는 것'이며, 이행 불능은 '채권 성립 후에 채무자의 귀책으로 인해 채무 이행 자체가 불가능해진 상태'를 말한다. 따라서 채무 불이행은 채무의 이행 가능 여부에 따라 이행 지체와 이행 불능으로 구분된다.

17

◇ [독해(비문학) – 서술 방식]

답 ② 첫째 문단에서 관리들의 계회인 '요계'의 종류를 그 성격과 계기에 따라 동관 계회, 도감 계회, 동방 계회로 나누어 설명하고 있다. 이러한 서술 방식은 일정한 기준을 바탕으로 하위 종류를 분류하는 것이지 대상을 이루는 구성 요소를 분석한 것이 아니므로 적절하지 않은 설명이다.

▣ 오답정리

① 첫째 문단에서 고려시대의 계회는 '연대감을 강화하려는 모임'이라고 하였고, 조선시대의 계회는 '친목과 더불어 관리들의 결속이라는 공리적 기능'이 있었다고 서술하고 있다. 이처럼 '계회'의 성격이 점차 확대되었으며, 이를 시대에 따라 서술하고 있으므로 적절한 설명이다.

③ 둘째 문단에서 계회도는 대개 화폭을 삼단으로 나누어 상단부에는 표제, 화폭 중간에는 계회 장면, 하단부에는 좌목을 기록하였다고 구체적으로 설명하고 있다.

④ 마지막 문장에서 계회도가 문화사적으로 의미를 지니며, 회화사적으로도 매우 유용한 가치를 지닌다고 밝히고 있으므로 적절한 설명이다.

18

◇ [독해(문학) – 고전 산문의 내용 이해]

답 ④ ⓒ은 ㉠에게 가마에 오르라고 말하고 있을 뿐, 상황의 변화를 이유로 들며 ㉠을 설득하지는 않았다. "부인이 인간 세상에서는 가난하고 어려우셨으나 용궁에서는 귀하신 몸입니다."라고 하며 ㉠이 가마를 타도록 설득하는 것은 ⓒ임을 확인할 수 있다.

⊞ 오답정리

① ㉠은 "나는 인간 세상의 천한 사람인데 용왕이 이렇듯 염려해 주시니 황공하고 감사합니다."라고 하며 자신을 구해준 것에 대해 감사 인사를 하고 있다.

② ⓒ은 ㉠에게 "부인의 고행(苦行)도 하늘이 정하신 바요, 이제 용왕이 부르심 또한 정해진 운명이오니~"라고 하며 운명론적 세계관을 바탕으로 말하고 있다.

③ ㉠은 "나는 인간 세상의 천인인데 어찌 이것을 타겠습니까?"라고 하며 자신의 신분이 천하므로 가마를 탈 수 없다며 사양하고 있다.

✦ 작품정리　　작자 미상, 〈심청전〉

• **해제**: '심청전'은 판소리 '심청가'가 소설로 정착된 판소리계 소설로, '효녀 지은 설화', '거타지(居陀知) 설화', '인신공희(人身供犧) 설화'를 바탕으로 하고 있다. 이 작품은 '심청'이라는 인물을 중심으로 심청의 희생과 환생, 심 봉사의 개안(開眼)이라는 내용 전개를 통해 유교적 관념인 '효(孝)'를 형상화하고 있다. 이 작품은 크게 현실 세계가 중심을 이루는 전반부와 환상의 세계가 중심을 이루는 후반부로 나눌 수 있다. 전반부는 심청이 자라서 눈먼 아버지를 봉양하고 공양미 삼백 석에 몸이 팔려 인당수 제물이 될 때까지로, 부모에 대한 효라는 윤리적인 가치가 중점적으로 드러난다. 후반부는 인당수에 빠졌다가 다시 살아난 심청이 황후가 되어 아버지를 만나고, 아버지가 눈을 떠서 행복하게 살게 되는 내용으로, 효에 대한 인과응보(因果應報)라는 주제 의식이 드러난다. 즉, 이 작품은 죽음과 재생이라는 화소를 통해 현실성과 초월성이라는 두 세계를 접합하면서 작품을 전개하고 있다. 그리고 심청이 황후가 되어 부귀영화를 누리게 되는 것은 가난하고 미천한 사람도 자기희생이나 효행에 대한 보상으로 고귀한 신분에까지 오를 수 있다는 민중들의 신분 상승 욕구를 반영하고 있다고 볼 수 있다.

• **주제**: ① 부모에 대한 지극한 효심 ② 인과응보(因果應報)

• **구성**:

발단 – 심 봉사의 부인 곽씨는 딸 심청을 낳고 7일 만에 죽는다. 심 봉사는 어린 딸을 동냥젖을 얻어 먹여 키우고, 심청은 자라서 심 봉사를 극진히 봉양한다.

전개 – 어느 날 물에 빠진 심 봉사는 자신을 구해 준 몽은사 중이 공양미 삼백 석을 시주하면 눈을 뜰 수 있는 말을 듣고 시주를 약속한다. 이 사실을 알게 된 심청은 공양미 삼백 석을 얻기 위해 남경 상인들의 인당수 제물로 팔려 간다.

위기 – 인당수에 빠진 심청은 용왕에게 구출되어 어머니 곽씨 부인과 재회하고, 이후 연꽃 속에 들어가 다시 세상으로 환생한다.

절정 – 뱃사람들이 연꽃을 신기하게 여겨 천자에게 바치자 천자는 그 속에서 나온 심청을 아내로 맞이한다. 황후가 된 심청은 아버지 심 봉사를 그리워하여 맹인 잔치를 벌인다.

결말 – 맹인 잔치 소식을 듣고 상경한 심 봉사는 우여곡절을 겪은 끝에 심청과 재회하여 눈을 뜨게 된다.

• **특징**

– 유교적 덕목인 '효'를 강조함.

– 유불선(儒佛仙) 사상이 복합적으로 드러남.

– 현실 세계를 중심으로 펼쳐지는 전반부와 환상적인 이야기 중심의 후반부로 내용이 구분됨.

19

◇ [독해(문학) – 현대 산문의 내용 이해]

답 ② '나'는 저승사자가 둘째 삼촌을 데려간다고 생각하여 용기를 내어 그에게 대항했다. 그러던 중에 그는 '나'의 둘째 삼촌이 '동부 전선서 하사로 싸우고 있다'는 말을 듣고 ⓒ과 같이 말을 하였다. 이는 둘째 삼촌을 걱정하는 '나'를 안심시키기 위한 것이며, 사실 그는 '나'의 둘째 삼촌을 잡으러 온 저승사자가 아니므로 '나'의 행동으로 인해 저승사자의 마음이 바뀌었다는 것은 적절하지 않다.

⊞ 오답정리

① 할머니가 했던 말과 비슷한 말을 하는 모습은 저승사자에 대한 할머니의 인식이 '나'에게도 그대로 영향을 주었음을 ㉠을 통해 보여 준다.

③ ⓒ의 앞에 '할머니의 장례 덕분에 나는 난생처음 북망산을 내 발로 직접 밟아 볼 수 있었다. 그곳은 결코 이 세상의 끝이 아니었다.'라는 서술이 나온다. '나'는 할머니의 죽음을 통해 '내가 알고 있던 것보다 훨씬 더 광대한 세계'가 있음을 알게 되었으므로 세계에 대한 인식을 확장하는 계기가 되었음을 보여 준다고 할 수 있다.

④ 둘째 삼촌이 ⓔ과 같이 '나'와 할머니가 두려워하던 저승사자의 모습으로 나타난 것은 그가 저승사자와 같은 아픔을 겪게 되었음을 나타낸다. 그 시대를 살아가는 많은 이들이 전쟁으로 인한 상처와 아픔을 공통적으로 겪고 있음을 상징적으로 보여 주는 것이다.

◆ 작품정리   윤흥길, 〈묘지 근처〉

- **해제**: 이 작품은 『소라단 가는 길』이라는 작품집에 실린 11편의 연작 소설 중 하나이다. 이 연작 소설은 환갑을 목전에 둔 초등학교 동창생들이 초등학교 운동장에 모여 저마다 겪은 한국 전쟁과 관련된 이야기를 돌아가며 하는 형식으로 되어 있다. 그중 〈묘지 근처〉는 '유만재'라는 인물이 겪은 어린 시절의 이야기이다. 이 작품은 전쟁의 비극성을 어린 아이의 눈을 통해 다각적으로 전달한다. 전쟁의 폭력성에 의해 신체의 손상을 입게 된 인물이 겪는 아픔과 가족의 무사 귀환을 바라는 인물의 간절한 그리움, 그리고 전쟁의 상황 속에서 심리적 불안감과 인식의 혼란을 느끼는 어린 인물의 모습까지 진실하게 그려지고 있다.
- **주제**: 전쟁을 경험한 인물들의 상처를 통해 드러나는 전쟁의 비극성
- **줄거리**: 할머니와 어린 '나'는 밤마다 집 앞을 지나며 울부짖는 절름발이 사내가 '둘째 삼촌'을 데려갈 저승사자라고 생각한다. 그래서 할머니와 '나'는 환하게 불을 밝히고 매일 밤 그와 맞서며 적대감을 키워 간다. 그러던 어느 날 '나'는 친구인 주호를 따라 시립 병원에 가서 전쟁에 나가 다리를 잃은 한 청년을 보게 된다. '나'는 다리를 잃은 그의 모습과 귀에 익은 울부짖음의 소리를 듣고 그가 매일 밤 집 앞을 지나가던 '저승사자'라고 믿게 된다. 며칠 후 다시 집 앞을 지나며 울부짖는 사내와 대면을 하게 된 '나'는 '저승사자'가 시립 병원의 그 사내가 아니었음을 알게 된다. 결국 할머니는 해토머리까지 '저승사자'로부터 아들을 지키겠다는 소망을 이루지 못하고 봄이 오기 전에 세상을 뜨게 된다. 해토머리가 온 어느 날 그토록 기다렸던 삼촌은 결국 '저승사자'와 같은 상이군인의 모습으로 나타난다.(밑줄은 수록 부분)
- **특징**
  - 사투리의 사용으로 사실성과 토속성을 부여함.
  - 인물들의 말과 행동 묘사를 통해 전쟁으로부터 상처받고 고통받는 전쟁의 폭력성을 드러냄.
  - 순수한 어린 아이의 시선을 통해 전쟁의 비극을 그려냄.

20

◇ [독해(문학) – 현대 운문의 내용 이해]

답 ① 화자는 '소금 굽는 사람'이 땀에 절어가며 일하는 모습을 관찰하면서 이를 '무료한 노동'이라 하고, '진종일 빈 허벅만 퍼올린 듯 소금 보이지 않네'라고 하였다. 그러나 무의미하고 헛되게 보이던 노동의 결과물인 '구워진 소금'이 세상을 건강하게 한다는 사실을 깨닫고 삶의 의미를 회복하는 모습을 보이고 있다. 따라서 화자가 대상의 무의미한 행동을 비판적으로 바라본다는 것은 적절하지 않다.

> **▣ 오답정리**
> ② 화자는 '썩어서 부식토가 되는 나뭇잎이 자연을 이롭게 한다'고 하며 자연물로부터 삶의 의미를 발견하고 있다.
> ③ '날마다 소금에 절어 가며'는 일상의 고단함에 찌들어 있는 화자의 모습이 나타난다. 또한 '찌든 염록의 세상 너덜토록 / 풍화시킨 쉰 살밖에 없어 / 후줄근한 퇴근길의 오늘 새삼 춥구나'에는 의미 없이 소멸해 가는 자신의 삶에 대해 성찰하며 자괴감을 표출하고 있다.
> ④ '소금 보이지 않네'라는 인식에서 '하나, 구워진 소금 어느새 썩는 살마다 저며 와'로 전환되면서 화자의 무기력이 극복되는 양상을 보인다. 또한 '그 눈물 다시 쓰린 소금으로 뭉치려고 / 드넓은 바다로 돌아서게 하네'에는 화자 자신의 삶을 긍정하며 삶의 의지를 다지는 모습이 나타난다.

◆ 작품정리   김명인, 〈소금 바다로 가다〉

- **해제**: 이 시는 고된 일상의 삶 속에서도 올바른 삶의 자세에 대한 성찰을 담고 있는 작품이다. 화자는 땀을 흘리며 고된 삶을 살아가지만 일상에 젖어 썩어 가는 자신을 지탱하기가 힘들다. 자연스럽게 썩지도 못하고, 그렇다고 자신을 신선하게 유지하지도 못한 채 그저 세월에 낡아갈 뿐이다. 그렇게 자신의 삶에 자괴감을 느끼던 차에 화자는 '소금 굽는 사람'을 보게 된다. 그저 무의미하고 헛된 삶을 산다고 여겼던 '소금 굽는 사람'의 행동이 세상과 그 속의 존재들을 건강하게 하는 역할을 한다는 사실을 깨달으면서, 화자는 자신의 삶을 긍정적으로 바라보게 되고 세상에 대한 대결 의지도 갖게 된다.
- **주제**: 고된 일상 속에서의 올바른 삶의 자세에 대한 성찰
- **구성**
  1~2행 – 자신의 삶에 대한 성찰
  3~7행 – 자신에 대한 자괴감
  8~15행 – 소금 굽는 사람을 통해 본 자신의 삶의 의미
  16~17행 – 삶의 자세를 추스르고 삶의 의지를 회복함.
- **특징**
  - '~네', '~구나'라는 어미의 사용으로 친근감을 드러냄.
  - 두 개의 장면을 병치함.
  - '사람이 있네'의 앞뒤에 쉼표를 함으로써 소금을 만드는 사람이야말로 사람이라는 것을 강조하며 소금이 되는 일을 해야 함을 강조함.

PART 04

국어

기출문제
해설편

- 2021.04.17. 시행 국가직 9급
- 2021.06.05. 시행 지방직 9급

NETclass

정답 및 해설

박문각 ▶ NETclass
혜선 국어

2021년 국가직 9급 국어 기출문제 정답 및 해설

☑ 2021년 국가직 9급 국어 정답

01 ②	02 ③	03 ①	04 ②	05 ④
06 ④	07 ②	08 ②	09 ③	10 ④
11 ③	12 ③	13 ③	14 ①	15 ④
16 ①	17 ②	18 ④	19 ④	20 ①

01

◇ 문법 쌍끌이와 동형에서 수없이 강조했던 사이시옷 표기에서 기출되었습니다.

답 ② 흡입량(○), 구름양(○), 정답란(○), 칼럼난(○)

• '량/양' : 한자어 명사 뒤에는 '량'을 쓰지만 고유어와 외래어 명사 뒤에는 '양'을 쓴다.
'흡입(吸入)'은 한자어이므로 '흡입량'은 옳다. '구름'은 고유어이므로 '구름양'은 옳다.

• '란/난' : 한자어 뒤에는 '란'으로 쓰지만, 고유어나 외래어 뒤에는 '난'을 쓴다. '정답(正答)'은 한자어이므로 '정답란'은 옳다. '칼럼'은 외래어이므로 '칼럼난'은 옳다.

⊞ 오답정리

① 꼭지점(×) → 꼭짓점(○) : '꼭지점'이 틀렸으므로 이 선택지는 옳지 않다. 고유어 '꼭지'와 한자어 '점(點)'이 결합된 합성어이면서 뒤의 소리가 된소리로 발음되므로 사이시옷을 표기하여 '꼭짓점'으로 고쳐야 한다. 나머지는 모두 옳다.

③ 딱다구리(×) → 딱따구리(○) : '딱다구리'가 틀렸으므로 이 선택지는 옳지 않다. '한글맞춤법 제5항 한 단어 안에서 뚜렷한 까닭 없이 나는 된소리는 다음 음절의 첫소리를 된소리로 적는다.'에 의해 '딱따구리'가 옳다.

④ 홧병(×) → 화병(○) : '화병(火兵)'은 2글자 한자어이므로 사이시옷을 표기할 수 없다. 2글자 한자어의 경우 표기할 수 있는 것은 6개 단어밖에 없다.

• 두 음절로 된 유일한 한자어 6개

곳간(庫間)	셋방(貰房)	숫자(數字)
찻간(車間)	툇간(退間)	횟수(回數)

✦ 세상 어디에도 없는 추가해설

• 고유어나 외래어 뒤+'연(蓮)'이나 '양(量)' → 두음 법칙 적용
  예 가시-연(蓮), 구름-양(量),
    허파숨-양(量), 먹이-양(量),
    벡터(vector)-양(量),
    에너지(energy)-양(量)

• 한자어 뒤+'련(蓮)'이나 '량(量)' → 두음 법칙 적용 ×
  예 운-량(雲量), 노-량(露量)
    운행-량(運行量),
    수출-량(輸出量)

• 고유어나 외래어 뒤+'능(陵)'이나 '난(欄)'→ 두음 법칙 적용
  예 아기-능(陵), 어린이-난,
    어머니-난, 가십(gossip)-난

• 한자어 뒤+'릉(陵)'이나 '란(欄)'→ 두음 법칙 적용 ×
  예 동구-릉(東九陵), 서오-릉(西五陵),
    공-란(空欄), 투고-란(投稿欄)

[제30항] 사이시옷은 다음과 같은 경우에 받치어 적는다.

1. 순우리말로 된 합성어로서 앞말이 모음으로 끝난 경우
  (1) 뒷말의 첫소리가 된소리로 나는 것

고랫재*	귓밥	나룻배	나뭇가지
냇가	댓가지	뒷갈망*	맷돌
머릿기름	모깃불	못자리	바닷가
뱃길	볏가리*	부싯돌	선짓국
쇳조각	아랫집	우렁잇속*	잇자국
잿더미	조갯살	찻집	쳇바퀴
킷값	핏대	햇볕	혓바늘

  * 고랫재 : 방고래(방 구들장 밑으로 낸 고랑)에 모여 쌓여 있는 재
  * 뒷갈망 : 일의 뒤끝을 맡아서 처리하는 일. 뒷감당
  * 볏가리 : 벼를 베어서 가려 놓거나 볏단을 차곡차곡 쌓은 더미
  * 우렁잇속 : 내용이 복잡하여 헤아리기 어려운 일을 비유적으로 이르는 말

  (2) 뒷말의 첫소리 'ㄴ, ㅁ' 앞에서 'ㄴ' 소리가 덧나는 것

멧나물	아랫니	텃마당	아랫마을
뒷머리	잇몸	깻묵	냇물
빗물			

(3) 뒷말의 첫소리 모음 앞에서 'ㄴㄴ' 소리가 덧나는 것

도리깻열*	뒷윷	두렛일	뒷일
뒷입맛	베갯잇	욧잇	깻잎
나뭇잎	댓잎		

* 도리깻열 : 도리깨의 한 부분. 곧고 가느다란 나뭇가지 두세 개로 만들며, 이 부분을 아래로 돌리어 곡식을 두드려 낟알을 떤다.

2. 순우리말과 한자어로 된 합성어로서 앞말이 모음으로 끝난 경우

(1) 뒷말의 첫소리가 된소리로 나는 것

귓병	머릿방	뱃병	봇둑*
사잣밥	샛강	아랫방	자릿세
전셋집	찻잔	찻종*	촛국*
콧병	탯줄	텃세	핏기
햇수	횟가루	횟배	

* 봇둑(洑-) : 보(흐르는 냇물을 가두어 놓은 곳)를 둘러 쌓은 둑
* 찻종(-鍾) : 차를 따라 마시는 종지. 찻잔
* 촛국(醋-) : 초를 친 냉국

(2) 뒷말의 첫소리 'ㄴ, ㅁ' 앞에서 'ㄴ' 소리가 덧나는 것

곗날	제삿날	훗날	툇마루
양칫물			

(3) 뒷말의 첫소리 모음 앞에서 'ㄴㄴ' 소리가 덧나는 것

가욋일*	사삿일*	예삿일	훗일

* 가욋일(加外-) : 필요 밖의 일
* 사삿일(私私-) : 개인의 사사로운 일

3. 두 음절로 된 다음 한자어

곳간(庫間)	셋방(貰房)	숫자(數字)	찻간(車間)
툇간(退間)	횟수(回數)		

02

◇ 동형에서 매우 강조하고 반복했던 유형이 출제되었습니다.

답 ③ 문맥적 의미가 같은 것을 찾는 문제는 앞의 단어의 성격을 보면 쉽게 답을 찾을 수 있다. ㉠의 '선물을 포장지에 싸다'의 '싸다'는 '【…을 …에】【…을 …으로】물건을 안에 넣고 보이지 않게 씌워 가리거나 둘러 말다.'의 중심적 의미를 가진다. 이와 의미가 같은 것은 ③이다. 관형절로 풀어보면, '몇 권의 책을 (보퉁이에) 싸다'이므로 여기에서의 '싸다'는 ㉠의 '싸다'와 같다. 포장지와 보퉁이(=보자기)는 비슷하게 무엇인가를 쌀 때 쓰는 물건이기 때문이다.

▦ 오답정리
① '안채를 겹겹이 싸다'의 '싸다'는 '어떤 물체의 주위를 가리거나 막다.'의 주변적 의미를 갖는다.
② '봇짐을 싸다'의 '싸다'는 '어떤 물건을 다른 곳으로 옮기기 좋게 상자나 가방 따위에 넣거나 종이나 천, 끈 따위를 이용해서 꾸리다.'의 주변적 의미를 갖는다.
'봇짐'은 물건을 보자기에 싸서 꾸린 짐을 의미한다.
④ '책가방을 미리 싸다'의 '싸다'는 '어떤 물건을 다른 곳으로 옮기기 좋게 상자나 가방 따위에 넣거나 종이나 천, 끈 따위를 이용해서 꾸리다.'의 주변적 의미를 갖는다.

03

◇ 올바른 피동표현 관련 문제가 출제되었습니다.

답 ① '날씨가 선선해지다'는 어법상 옳다. 또한 책이 '읽음'을 당하는 의미를 갖기 때문에 피동 접미사 '히'가 붙어 '읽힌다'로 표현할 수 있다.

▦ 오답정리
② '이렇게 어려운 책을 속독으로 읽는 것'에서 '속독'이란 '책 따위를 빨리 읽음.'을 의미하므로 뒤의 '읽는'과 중복된다. 따라서 '이렇게 어려운 책을 빨리 읽는 것은'으로 고쳐야 한다.
③ 필수 성분이 누락되었다. 직접 찾는 대상이 있어야 하므로 '직접 찾기로' 앞에 목적어 '책임자를'을 추가해 주어야 한다.
④ 접속조사로 대등하게 연결되는 두 말이 어색하다. '그는 시화전을 홍보하는 일과 진행하는 일에 아주 열성적이다'로 간결하게 고쳐야 한다.

04

◇ 설명 방식에 대한 문제는 동형에서 매주 다뤘던 내용입니다.

답 ② 이 글은 '빛 공해'의 개념과 빛 공해가 심한 우리나라의 심각성, 빛 공해의 문제점을 나열한 글이다. 하지만 빛 공해의 주요 요인인 인공조명의 누출 원인에 대해서는 제시하지 않고 있다.

▦ 오답정리
① 맨 앞에서 "빛 공해란~상태를 말한다"고 제시하고 있다.
③ '국제 과학 저널인 사이언스 어드밴스의 전 세계 빛 공해 지도'라는 자료를 인용하여 빛 공해가 심각한 나라로 우리나라를 제시하고 있다.
④ 맨 마지막 문장에서 "빛 공해는 멜라토닌 부족을 초래해~등의 문제를 일으킨다"라는 사례를 들어 빛 공해의 악영향을 제시하고 있다.

05

◇ '활용'에 대한 부분은 문법 쌍끌이와 동형에서 매주 다루었습니다.

답 ④ '푸다, 이르다, 빠르다, 노랗다, 하다, 치르다, 붓다, 바라다' 모두 다루었기 때문에 틀려서는 안 되는 문제이다.

'㉠ 어간만 불규칙하게 바뀌는 부류'는 'ㅅ' 불규칙, 'ㅂ' 불규칙, '르' 불규칙, '우' 불규칙, 'ㄷ' 불규칙이 있다. (외우는 방법은 수업 시간에 다룸)

'㉡ 어미만 불규칙하게 바뀌는 부류'는 '여' 불규칙, '러' 불규칙, '오' 불규칙이 있다.

④ ㉠ 우물물을 품에서 기본형은 '푸다'이다. '푸다'는 모음 어미가 오는 경우 'ㅜ'가 탈락되는 '우' 불규칙 용언이다. (푸다, 푸지, 푸고, 퍼(←푸+어)) 따라서 '㉠ 어간만 불규칙하게 바뀌는 부류'이므로 옳다.

㉡ 목적지에 이름에서 기본형은 '이르다'이다. '이르다'는 모음 어미 '어'가 오면 '러'로 교체되는 '러' 불규칙 용언이다. 따라서 '㉡ 어미만 불규칙하게 바뀌는 부류'이므로 옳다.

※ 오답정리

	㉠ : 어간만 불규칙하게 바뀜	㉡ : 어미만 불규칙하게 바뀜
①	'르' 불규칙 ○ (빠르다, 빠르지, 빨라(빠르(→빨ㄹ)+아)) '빠르다'는 모음 어미가 오면 '─'가 탈락되고 'ㄹ'이 덧생겨 'ㄹㄹ'형으로 바뀌는 '르' 불규칙 용언이므로 ㉠의 예이다.	'ㅎ' 불규칙 × (노랗다, 노랗지, 노래(←노랗+아)) '노랗다'는 모음 어미가 오면 어간과 어미 모두 바뀌는 'ㅎ' 불규칙 용언이므로 ㉡의 예로 옳지 않다.
②	'─' 규칙 × (치르다, 치르지, 치러((치르(→치ㄹ)+어)) '치르다'는 모음 어미 '어'가 오면 '─'가 탈락되는 '─' 규칙 용언이므로 ㉠의 예로 옳지 않다.	'여' 불규칙 ○ (하다, 하지, 하여(하+어(→여)) '하다'는 모음 어미 '어'가 올 때, 모음 어미 '여'로 교체되는 '여' 불규칙 용언이므로 ㉡의 예이다.
③	'ㄷ' 불규칙 ○ (붇다, 붇지, 불어(붇(→불)+어)) '붇다'는 '물에 젖어서 부피가 커지다.'를 의미하는 'ㄷ' 불규칙 용언이다. '붇다'는 모음어미가 오면 'ㄷ'이 'ㄹ'로 교체되는 'ㄷ' 불규칙 용언이므로 ㉠의 예이다.	동음 탈락 규칙 × (바라다, 바라지, 바라(바라+아→'ㅏ' 탈락)) '바라다'는 모음어미 '아'가 오면 동음 'ㅏ'가 탈락되는 동음 탈락 규칙 용언이므로 ㉡의 예로 옳지 않다.

06

◇ 쌍끌이 고전문법 27쪽에서 다룬 부분이었습니다.

답 ④ '무슴'은 현대어의 '무엇'이다. 따라서 '무슴다'는 '무심하구나'가 아니라 '무엇 때문에'라는 뜻이다.

※ 오답정리

① '혀다'가 현대어로 '켜다'이다. '켜다'는 '성냥·라이터 등으로 불을 일으키다. 또는 촛불·등불 따위에 불을 붙이다.'를 의미한다. (★ 문학 무료 특강 6쪽에서 다루었습니다.)

② 'ㅈ─ㅿ'은 현대어로 '모습'이다. (★ 문학 무료 특강 3쪽에서 다루었습니다.)

③ '닞어'의 기본형은 '닞다'로 현대어의 '잊다'이다.

✦ 작품정리   작자미상, 〈동동〉

이 작품은 현존하는 작품 중 가장 오래된 월령체(月令體) 노래로 전 13연으로 되어 있다. 계절의 변화에 따라 임을 떠나보낸 여인의 애절한 그리움을 효과적으로 표현하고 있다.

• 갈래 : 고려 가요
• 성격 : 연가(戀歌)적, 민요적, 서정적
• 제재 : 달마다 행하는 세시 풍속
• 주제 : 임에 대한 송도(頌禱)와 연모(戀慕)의 정
• 특징 :
  ① 분절체 형식으로 서사인 1연과 본사인 12개 연으로 구성됨.
  ② 영탄법, 직유법, 은유법을 사용함.
  ③ 세시 풍속에 따라 사랑의 감정을 읊음.
• 의의 : 현전하는 최고(最古)의 월령체(달거리) 노래
• 연대 : 고려 시대(12~14세기 경)
• 출전 : "악학궤범"

✦ 현대어 풀이

이월 보름에 아! (내 님은) 높이 켠 등불 같아라.
만인 비치실 모습이로다. 아으 동동다리
삼월 나면서 핀 아! 늦봄 진달래꽃이여
남이 부러워할 모습을 지니고 나셨도다. 아으 동동다리
사월 아니 잊어 아! 오셨네, 꾀꼬리여.
무슨 일로 녹사님은 옛 나를 잊고 계신가. 아으 동동다리
　　　　　　　　　　　　　　　－ 〈동동〉 작자미상 －

07

답 ② 야박(野薄 : 野 들 야, 薄 야박할 박)은 '야멸치고 인정(人情)이 없음'을 의미하는 것으로 한자 표기가 옳다.

⊠ 오답정리

①, ③, ④는 각각 한 글자의 표기가 옳지 않다.

① 室 집 실(×) → 實 열매 실(○)
현실(現實 : 現 나타날 현, 實 열매 실) : 현재(現在)의 사실(事實)이나 형편(形便)

③ 謹 삼갈 근(×) → 根 뿌리 근(○)
근성(根性: 根 뿌리 근, 性 성품 성) : 뿌리가 깊게 박힌 성질(性質)

④ 債 빚 채(×) → 採 캘 채(○)
채용(採用 : 採 캘 채, 用 쓸 용) : 인재(人材)를 등용(登用·登庸)함. 사람을 채택(採擇)하여 씀

08

◇ 막판 동형에서 다루었던 사회자의 역할을 묻는 독해형 결합 문제입니다.

답 ② 이 토의는 학술적, 전문적인 특정 주제에 대해 그 분야의 전문가나 권위자(3~6명)가 강연식으로 발표한 후 청중과 질의 응답하는 심포지엄이다. 심포지엄은 특정 주제를 여러 측면에서 발표하는 것이기 때문에 사회자가 발표자 간의 이견을 조정할 필요가 없다. 실제로 제시문에서도 사회자가 발표자 간의 이견을 조정하여 의사결정을 유도하는 부분은 나오지 않는다.

⊠ 오답정리

① '통일 시대의 남북한 언어가 나아갈 길'이라는 학술 주제에 대해 발표 형식으로 진행하여 최 교수와 정 박사가 각각 발표를 하고 있다.

③ 정 박사는 '남북한 언어의 동질성 회복 방안'이라는 자신의 발표에서 앞으로 통일을 대비해 남북한 언어의 다른 점을 줄여나가야 한다는 견해를 밝히고 그 뒤에 청중에게 정보를 제공하고 있다.

④ 청중 A는 "남북한 언어의 차이와 이를 극복하는 방안을 말씀하셨는데요"라며 발표 내용을 확인하고 있다. 또한 "그렇다면 통일 시대에 대비한 언어 정책에는 무엇이 있을까요?"라며 주제와 관련된 질문을 제기하고 있다.

09

◇ 막판 동형에서 여러 번 다루었던 공손성의 원리입니다.

답 ③ "네 목소리가 작아서 내용이 잘 안 들렸는데"라고 하는 것은 상대방에게 큰 부담을 주는 발언으로 공손성의 원리에 아예 어긋난다. ㉢처럼, 상대방이 관용을 베풀 수 있도록 자신의 탓으로 돌리려면, "내가 귀가 좀 안 들리는데, 다시 한번 크게 말해 줄래?"라고 해야 한다.

⊠ 오답정리

① ㉠ 자신을 상대방에게 낮추어 겸손하게 말해야 한다.
⇒ 겸양의 격률

"아닙니다. 아직도 여러모로 부족한 부분이 많습니다."는 상대에게 칭찬을 듣고도 자신을 낮추는 표현이므로 적절하다.

② ㉡ 상대방의 처지를 고려하여 상대방이 부담을 갖지 않도록 말해야 한다.
⇒ 요령의 격률

미안하다고 하는 상대방의 처지를 고려하여 "괜찮아요. 쇼핑하면서 기다리니 시간 가는 줄 몰랐어요."라고 말함으로써 상대의 부담을 줄여주고 있다.

④ ㉣ 상대방의 의견에서 동의하는 부분을 찾아 인정해 준 다음에 자신의 의견을 말해야 한다.
⇒ 동의의 격률

"그거 좋은 생각이네."라고 동의를 해 준 후에 자신의 의견을 말하고 있다.

10

◇ 막판 동형에서 여러 번 다루었던 사례 적용 문제입니다.

답 ④ 이 글은 미디어가 점차 상업화되면서 공공 영역이 침식되고 현대 사회에서의 민주적 토론이 퇴보되고 있다는 하버마스의 주장을 전달하고 있는 글이다. 여기서 "공공 영역"과 대응하는 말은 "민주적 토론"이라고 읽어낼 수 있어야 한다. 이와 관련된 사례는 ④이다. 미디어 플랫폼과 콘텐츠의 목적이 수익 창출로 가게 되자 공공 영역이 축소된, 즉 민주적 토론이 감소된 결과가 나타나게 된 것이다.

> **⊞ 오답정리**
> ① 1문단 마지막 문장을 보면 살롱 문화에서는 각각의 참석자들에게 동등한 자격을 부여했다. 따라서 살롱 문화에서 특정 사회 계층에 대한 비판적인 토론은 허용되지 않았다는 ①은 옳지 않다.
> ② 2문단에서 "대중매체와 대중오락의 보급은 공공 영역이 공허해지는 원인으로 작용했다."라고 언급되어 있다. 미디어가 발달될수록 공공 영역이 공허해진다는 것이다. 따라서 인터넷의 발달과 보급은 상업적 광고뿐만 아니라 공익 광고도 증가시켰다는 ②는 알 수 없다.
> ③ 2문단에서 "대중매체와 대중오락의 보급은 공공 영역이 공허해지는 원인으로 작용했다."라고 언급되어 있다. 따라서 글로벌 미디어가 발달하면, 특히 수익 창출을 위한 것으로 발달되면 공공 영역은 공허해질 수 있는 가능성이 있으므로 ③은 옳지 않다.

11

◇ ㉠~㉤의 전개 순서를 묻는 문제도 매주 훈련하였습니다.

답 ③ 이 글은 폭설의 개념과 문제점에 대해 설명한 글이다. 처음에 폭설에 대해 정의를 내리고 있으므로 대설의 기준을 구체적으로 알려주는 ㉣이 처음에 와야 한다. ㉠은 '그런데'로 시작하여 눈의 위력에 대해 설명하므로 처음에 오기에는 부담이 되는 선택지이다.

그럼 ㉣ 뒤에 ㉠ 또는 ㉡이 올 수 있다. 아까 ㉠을 봤으니 ㉡을 살펴 보자. ㉡에서는 경보는 24시간 신적설(=새로 쌓인 눈)이 20cm 이상될 때 내려진다고 한다. ㉣의 '새로 쌓인 눈'이 또 '신적설'이라는 이름으로 언급되어 있고 계속 폭설(=대설)의 개념을 설명하고 있으므로 ㉣ 다음에는 ㉡이 와야 한다. 또, ㉡의 말을 받아 조건부로 이와 반대되는 말을 할 때에 그 말머리에 쓰는 접속 부사인 '다만'이 뒤에 와서 산지의 경우에는 어떠한지 설명해줘야 하므로 ㉢이 와야 한다. ㉢ 뒤에는 자연스럽게 폭설(=대설)의 문제점을 설명해 주는 ㉠과 ㉤이 차례대로 나오면 된다. ㉤에 '이뿐만 아니라'는 표지가 있으므로 반드시 ㉠ 뒤에 ㉤이 와야 한다.

> **⊞ 오답정리**
> 매력적인 오답 ④를 많이 골랐을 것이다. 절대 글자로 글을 읽지 말라고 강조를 하였건만 "5cm"에 꽂히신 분들은 ㉣ 뒤에 "5cm"가 언급된 ㉠을 고르셨을 것이다. 안 된다.
> ㉣ 뒤에 문제점을 설명하는 ㉠이 오게 되면 마찬가지로 문제점을 설명하는 ㉤이 와야 한다. 그러면 ④의 배열에서처럼 '㉢-㉡'으로 이어져야 하는데 그 배열은 매우 어색하다. ㉢에 ㉡의 말을 받음을 보여주는 '다만'이 있기 때문에 ㉡ 뒤에 ㉢이 와야 한다. 사실 ㉡ 뒤에 ㉢이 와야 한다는 사실만 알았더라도 ④를 고르지는 않았을 것이다.

12

◇ 사례 추론 문제의 유형은 동형에서 자주 훈련한 유형입니다.

답 ③ 이 글의 중심 내용은 "언어와 사고가 서로 깊은 관계를 맺고 있다"는 것이다. 즉, 언어가 사고에 영향을 미치든, 사고가 언어에 영향을 미치든, 두 요인이 서로 영향을 미친다는 것이다. 하지만 ③에서 개념이 머릿속에서 맴돎에도 언어로 떠올리지 못하는 것은 언어와 사고가 관련이 '적다'는 것을 뒷받침해주는 사례이다.

> **⊞ 오답정리**
> ① 영어는 쌀과 관련된 개념이 없으므로 언어로도 'rice'만 있다. 우리나라는 쌀 문화가 발달되어 '모', '벼', '쌀', '밥' 등이 있다. 이는 사고가 언어에 영향을 미친 것을 보여주는 사례이다.
> ② '파랗다'라는 언어 안에 '산의 푸름, 물의 푸름, 보행 신호의 푸름'이 모두 포함되어 있다. 이렇게 언어를 사용하다 보니 우리는 이들 모두 한 가지 색깔로 파랗다고 생각하게 된다. 따라서 이 사례는 언어가 사고에 영향을 미치는 예이다.
> ④ 우리나라는 수박이라고 하기에 개념도 '박'으로 인식하므로 언어가 사고에 영향을 미치는 예이다.

13

◇ '비유' 또는 '유추' 단독 문제를 시험 직전 동형모의고사
에서 출제하였습니다.

답 ③ 사람이 글을 쓰는 것을 나무에 꽃이 피는 것에 비유하
고 있다. 따라서 ③이 답이다.

> ⊞ 오답정리
> ① '서사'란 시간의 흐름에 따라 사건의 진행 과정을 서술하는 것
> 이다. 이 글은 변지의의 말이 주된 것이므로 시간의 흐름에
> 따라 사건의 진행 과정을 서술한다고 보기 어렵다.
> ② '분류'란, 하위 항목을 상위 항목으로 묶어 가는 것이다. 예를 들면,
> 사과, 배, 딸기, 참외는 과일에 속한다. 이 글에는 나오지 않는다.
> ④ '대조'란 두 대상의 차이점을 서술하는 것이다. 이 글에는 나
> 오지 않는다.

14

◇ 내용 일치 문제 유형은 동형에서 자주 훈련한 유형
입니다.

답 ① ①에서 알파벳 언어의 철자 읽기는 "각 소리가 지닌
특성"이 철자 읽기의 명료성을 판단하는 기준이 된다고 한
다. 이 말을 쉽게 풀어보면, "각 소리가 지닌 특성"에 따라 철
자 읽기의 명료성 수준을 판단할 수 있다는 말이다. 그런데
제시문의 1문단 2번째 문장을 보면 알파벳 언어는 "표기 체
계"에 따라 철자 읽기의 명료성 수준이 달라진다고 한다. 즉,
철자 읽기의 명료성 수준을 판단하는 것은 "각 소리가 지닌
특성"이 아니라 "표기 체계"이므로 이 선택지는 옳지 않다.
알파벳 언어는 이탈리아어와 스페인어와는 달리 표기와 소
리의 대응이 1:1로 대응되지도 않는다. 즉, 알파벳 언어의 경
우는 철자 읽기의 명료성이 낮은 언어이므로 "각 소리가 지
닌 특성"으로 명료성을 판단하기 어렵다.

> ⊞ 오답정리
> ② 2문단에 "영어와 이탈리아어를 읽는 사람은 동일하게 좌반구
> 의 읽기 네트워크를 사용한다. 하지만 무의미한 단어를 읽을
> 때 영어를 읽는 사람은 암기된 단어의 인출과 연관된 뇌 부위
> 에 더 의존하는 반면~"으로 언급되어 있다.
> ③ 1문단에서 이탈리아어는 소리와 글자의 대응이 1:1로 규칙적
> 이어서 이 언어의 사용자는 새로운 단어를 발견하더라도 정확한
> 발음을 할 수 있다고 나와 있다. 여기에서 정확한 발음이라는
> 것은 철자 읽기의 명료성이 높다는 말과 같기 때문에 ③은 옳다.
> ④ 1문단 끝 문장을 보면 영어는 발음이 아예 나지 않는 묵음과
> 같은 예외도 많은 편이고 글자에 대응하는 소리도 매우 다양
> 하다고 한다. 즉, 영어는 음운 처리 규칙에 적용되지 않는 예
> 외들이 많은 것이다. 그래서 영어를 읽는 사람은 발음을 암기
> 해 둔, 수많은 단어를 떠올려야 한다고 한다. 이를 통해 스페
> 인어에 비해 영어는 소리와 글자의 대응이 덜 규칙적임을 알
> 수 있다.

15

◇ 막판 동형에서 시조 (나), (다) 적중하였습니다.

답 ④ (라)는 자연을 즐기는 풍취를 드러내는 시조이다. '인사
(人事)=인간 세상의 일'와 '산천(=자연)'을 대조하고 있는 것은
맞다. 하지만 노년의 무력함을 표현하고 있지는 않다. '노안'
이 밝아질 정도로 자연을 보고자 하는 마음이 큰 것이다.

> ⊞ 오답정리
> ① 중국 육적의 회귤 고사(懷橘故事)를 인용하여 부모님에 대한
> 그리움을 표현하고 있다. 중국 삼국 시대에 '육적'이 원술이
> 준 유자 세 개를 몰래 품 속에 넣고 나오려 하였으나 하직 인
> 사를 할 때 그만 발각되었다. 어머니가 유자를 좋아하셔서 가
> 져 가려고 했다고 하자 사람들이 그의 효심(孝心)에 감탄하였
> 다. 육적의 회귤 고사(懷橘故事)는 부모에 대한 지극한 효성을
> 말할 때 흔히 인용하곤 한다.
> ② 의태적 심상인 '서리서리'를 사용하여 임에 대한 기다림을 표
> 현하고 있다. '서리서리'는 모양을 흉내내는 음성 상징어로서
> 임이 없는 날 동짓달 긴 밤을 이불에 서리서리 넣어 임을
> 기다리겠다는 것이다.
> ③ 초장과 중장에 '~는 ~이오 / ~는 ~로다'와 같이 비슷한 어
> 구가 짝지어져 반복되는 대구법이 드러난다. 늙어가는 이 와
> 중에 자연으로 귀의하려는 의지를 표현하고 있다.

✦ 작품정리   ① 박인로, 〈반중(盤中) 조홍(早紅)감이〉

이 작품은 사랑하는 이를 향한 그리움을 노래한 시조이다. 이제
는 곁에 계시지 않는 부모님을 그리는 마음을 노래하여 마음을
주고받는 사람을 향한 그리움을 표현하였다.
• 갈래: 평시조, 서정시
• 성격: 교훈적
• 제재: 조홍감(홍시)
• 주제: 돌아가신 부모님에 대한 그리움, 풍수지탄(風樹之嘆)
• 특징: 중국 육적의 회귤 고사(懷橘故事)를 인용하여 부모님에
  대한 그리움을 표현함
• 해설: 소반 위의 홍시가 고와도 보이는구나
유자(고사)가 아니라도 품어 갈 만하지만
품어 가 반길 이 안 계시므로 그로 인해 서러워하노라.
• 연대: 조선
• 출전: 선조"노계집"

✦ 작품정리   ② 황진이, 〈동짓둘 기나긴 밤을〉

이 작품은 남녀 간의 사랑과 이별을 소재로 하여 임을 그리워하
는 애절한 마음을 형상화한 시조로, 기녀가 작가인 까닭에 여성
의 섬세한 정감이 두드러진다.
• 갈래: 평시조, 서정시
• 성격: 감상적, 낭만적, 연정가
• 제재: 연모의 정, 동짓달 기나긴 밤
• 주제: 임을 기다리는 애타는 마음
• 특징:
  ① 추상적 개념을 구체적 사물로 표현하였고, 우리말의 우수성
  을 잘 살려 냄.

② 음성 상징어를 사용하여 표현 효과를 높임.
• 해설 :
동짓달 긴긴 밤의 한가운데를 베어 내어.
봄바람처럼 따뜻한 이불 속에 서리서리 넣어 두었다가.
정든 임이 오신 밤이면 굽이굽이 펼쳐 내어 그 밤이 오래오래
새게 이으리라.
• 연대 : 조선 중종 ∼ 선조
• 출전 : "청구영언"

◆ 작품정리 ③ 성혼, 〈말 업슨 청산(靑山)이오〉

이 작품은 세속적 명리(名利)를 초탈한 전원생활에서의 여유와
멋을 노래한 시조이다. 넉넉한 자연, 욕심 없는 삶의 태도 등을
중심으로 한가로운 전원생활 속에서 느끼는 한정(閑情)과 풍류가
표현되어 있다.
• 갈래 : 평시조, 서정시
• 성격 : 풍류적, 전원적, 달관적, 한정가
• 제재 : 자연
• 주제 : 자연과 더불어 사는 즐거운 삶
• 특징 : 대구의 묘미를 살려 주제를 드러내고, 시어의 반복을 통
해 운율적 효과를 높임.
• 해설 : 아무 말이 없이 묵묵히 솟아 있는 청산이요, 일정한 모양
을 짓지 않고 흐르는 물이로다.
값 없는 맑은 바람이요, 임자가 없이 아무나 가질 수 없는 명월
이다.
이 대자연 가운데에 병 없이 지내는 이 몸이 아무 걱정 없이
늙어 가리라.
• 연대 : 조선 선조
• 출전 : "화원악보"

◆ 작품정리 ④ 이현보, 〈농암애 올라보니〉

이 작품은 벼슬을 그만두고 귀향한 작가가 고향 산천을 바라보는
감회를 노래한 작품이다.
• 갈래 : 평시조, 서정시
• 성격 : 자연 귀의적, 한정적, 농암가
• 제재 : 농암에서 바라보는 고향의 경치
• 주제 : 고향에 돌아온 기쁨과 변함없는 자연 예찬
• 특징 : 인간사의 유한함과 자연의 무한함을 대조적으로 나타냄.
• 해설 : 농암(고향에 있는 바위의 이름)에 올라오니 늙은 눈이 오
히려 밝게 보인다.
인간 세상은 변하지만 산천은 변하겠는가?
바위 앞에 펼쳐진 물과 언덕이 어제 본 듯하구나.
• 연대 : 조선 중종
• 출전 : "농암집"

16

◇ 제시문의 서술상의 특징을 묻는 문제 유형을 동형에서
매번 다루었습니다.

답 ① 암소의 행위를 보며 글쓴이는 소가 어떻게 생각하였을
지 추측한다. 하지만 그것은 소의 생각이 아니라, 사실 글쓴이
의 심리이므로 "투사"되는 것이라고 볼 수 있다. '투사(投射)'
란 어떤 자극에 대해 심리 상태나 성격이 반영되는 일이다.

• 사색(思索) : 사물의 이치를 따져 깊이 생각함.
• 반추(反芻) : 어떤 일을 되풀이하여 음미하고 생각함.

⊞ 오답정리

② 과거의 삶을 회상하지 않고 있다. 글쓴이의 처지를 후회한다
기보다는 "세균같이 사소한 고독"이라며 자조한다. 그러면서
도 사색의 반추가 가능할지 생각해보고 있다. 자조란 스스로
비웃는 일을 의미한다.
③ 공간의 이동이 드러나지 않는다. 계속 소를 관찰하고 있을 뿐이다.
④ 현실에 대한 글쓴이의 불만이 전적으로 나타나지는 않는다.
또한 그 불만이 반성적인 어조로 표출되고 있지도 않다.

17

답 ② 황거칠씨가 애써 만든 산수도를 포기해야 하며 '마삿
등'도 물 없는 지대로 돌아갔으므로 이와 관련 있는 사자성
어는 '속수무책(束手無策)'이다.

속수무책(束手無策 : 束 묶을 속, 手 손 수, 無 없을 무, 策
꾀 책) : 손을 묶인 듯이 어찌 할 방책(方策)이 없어 꼼짝
못하게 된다는 뜻으로, 뻔히 보면서 어찌할 바를 모르고
꼼짝 못한다는 뜻

⊞ 오답정리

① 동병상련(同病相憐 : 同 한가지 동, 病 병 병, 相 서로 상, 憐
불쌍히 여길 련) : 같은 병자(病者)끼리 가엾게 여긴다는 뜻으
로, 어려운 처지(處地)에 있는 사람끼리 서로 불쌍히 여겨 동
정(同情)하고 서로 도움
③ 자가당착(自家撞着 : 自 스스로 자, 家 집 가, 撞 칠 당, 着 붙을
착) : 자기(自己)의 언행(言行)이 전후(前後) 모순(矛盾)되어 일
치(一致)하지 않음
④ 전전반측(輾轉反側 : 輾 돌아누울 전, 轉 구를 전, 反 돌이킬
반/돌아올 반, 側 곁 측) : 걱정거리로 마음이 괴로워 잠을 이
루지 못함을 이르는 말

◆ 작품정리 김정한, 〈산거족〉

이 작품은 정의를 위해 분투하는 황거칠 씨를 통해, 서민들의 생
존권을 위협하는 지배 세력과 가진 자의 횡포를 고발하고 있다.
• 갈래 : 단편 소설
• 성격 : 현실 고발적, 저항적

• 배경 : ① 시간 – 1960년대
      ② 공간 – 부산 낙동강 인근의 마샛등
• 시점 : 전지적 작가 시점
[발단] 식수 문제를 해결하기 위해 황거칠과 마을 주민들은 수도를 팜.
[전개] 호동팔이 나타나 자신의 형의 소유권을 주장하며 산 수도를 강제 철거함.
[위기] 황거칠과 주민들은 다른 산에 새 수도를 연결하지만 다른 소유권자가 나타남.
[절정] 황거칠은 신문에 호소하고 탄원서까지 제출하며 사태에 맞섬.
[결말] 총선이 겹치자 재판은 중단되고, 시청 직원이 황거칠에게 그의 할아버지, 아버지의 공로에 대한 감사장을 전달하러 옴. 황거칠은 더욱 마음을 다잡아 투쟁할 것을 다짐함.
• 주제 : 소외당한 사람들의 생존 문제와 부조리한 현실에 대한 저항
• 특징 :
① 방언을 사용하여 생생한 현장감을 줌.
② 정의를 추구하는 개인의 의지가 보편적 집단 의지로 승화됨.
• 연대 : 1971
• 출전 : "월간중앙"

18

◇ 시험 직전 동형에서 "설의적 표현"을 단독으로 다루었습니다.

답 ④ 설의적 표현이란 쉽게 판단할 수 있는 사실을 의문의 형식으로 표현하여 강조하는 수사법이다. 설의법은 답변이 표면에 드러나지 않는다. 상대방이 답변을 쉽게 알 수 있기 때문이다. 이 시에서는 "살아가노라면 가슴 아픈 일 한두 가지겠는가"에서 설의적 표현을 확인할 수 있다. 즉, 살아가노라면 가슴 아픈 일이 한두 가지가 아니라는 삶의 깨달음을 설의적 표현을 통해 강조하고 있는 것이다.

⊞ **오답정리**
① 문답법은 질문과 함께 답변도 있어야 하는데 이 시에는 답변이 나오지 않는다. 질문과 답변이 함께 나오는 문답법이 아니라 답변이 나오지 않는 설의법이 쓰인 것이기 때문이다. 과거의 삶을 반추(=어떤 일을 되풀이하여 음미하고 생각함)하고 있지도 않다. 과거의 삶이 구체적으로 나오고 있지도 않기 때문이다.
② 반어적 표현이란 속의 의도와 겉으로 드러나는 언어적 표현이 반대가 되는 수시법이다. 이 시에는 반어법이 쓰이지 않았다. 또한 슬픔의 정서보다는 담담한 정서로 삶의 깨달음을 전달하고 있다.
③ 제목 '나무의 철학'에서 의인화를 찾을 수 있다. 인간이 아닌 '나무'를 '철학'이 있는 인간처럼 표현했기 때문이다. 하지만 현실을 목가적으로 보여 주고 있지는 않다. 목가적이란 농촌처럼 소박하고 평화로우며 서정적인 것을 의미하는데 '나무'에 농촌의 분위기가 있다고 보기는 힘들기 때문이다. '나무'는 자연물이지만 도시에도 존재한다.

19

◇ 빈칸 추론 문제 유형을 동형에서 매번 다루었습니다.

답 ④ 제시문에서는 국보 문화재는 곧 민족 전체의 것이고 민족을 결속하는 정신적 유대이며 민족의 힘의 원천이라고 한다. 즉, 이 제시문은 국보 문화재의 소중함을 드러내고 있다. ④의 셰익스피어는 영국이 낳은 최고의 극작가로 영국의 대표적인 국보 문화재라고 볼 수 있다. 따라서 그 무엇을 내놓는다고 해도 셰익스피어와는 바꾸지 않는다는 ④가 ㉠에 들어가는 것이 적절하다.

⊞ **오답정리**
① 구르는 돌에는 이끼가 끼지 않는다 : 부지런히 노력하는 사람은 뒤처지지 않고 계속 발전한다는 말이다.
② 지식은 나눌 수 있지만 지혜는 나눌 수 없다 : 지식은 배움을 통해서 얻을 수 있으나 지혜는 스스로 깨달아야 얻을 수 있다는 뜻이다.
③ 사람은 겪어 보아야 알고 물은 건너 보아야 안다 : 사람의 마음이란 겉으로 언뜻 보아서는 알 수 없으며 함께 오랫동안 지내보아야 알 수 있음을 이르는 말이다.

20

◇ 사실 추론 문제 유형을 동형에서 매번 다루었습니다.

답 ① "어린이들이 맨 처음에 배우는 단어인 '사과', '개', '나무' 같은 것 역시 분류 개념인데, 하위 개념으로 분류할수록 그 대상에 대한 정보가 더 많이 전달된다."라고 언급되어 있다. 하위 개념으로 분류할수록 대상에 대한 정보가 더 많이 전달되므로 ①에서 '호랑나비'는 나비에 비해 정보량이 적다고 추론한 것은 적절하지 않다. 호랑나비는 나비의 하위 개념으로 정보가 더 많기 때문이다.

⊞ **오답정리**
② 현실 세계에 없는 유니콘이 '분류 개념'으로 인정되는 것처럼, 현실 세계에 없는 용도 '분류 개념'으로 인정될 것이라고 추론할 수 있다.
③ 논리적 관계를 따라야 하는 것은 '비교 개념'이다. 하지만 '꽃'이나 '고양이'는 분명한 경계를 가지는 '분류 개념'이므로 논리적 관계를 따라야 하는 것은 아니기 때문에 비교 개념에 포함되지 않는다고 추론할 수 있다.
④ '정량 개념'은 자연의 사실로부터 파악할 수 있는 물리량을 측정함으로써 만들어진다. 이러한 정량 개념이 과학 발전의 기초가 되었다고 한다. 따라서 물리량의 측정 단위(cm, kg)를 정하는 규칙이 있기 때문에 자연현상에 수를 적용할 수 있게 해 주었다고 추론할 수 있다.

2021년 지방직 9급 국어 기출문제 정답 및 해설

☑ 2021년 지방직 9급 국어 정답

01	②	**02**	③	**03**	모두 정답	**04**	②	**05**	④
06	③	**07**	③	**08**	③	**09**	①	**10**	④
11	④	**12**	②	**13**	②	**14**	③	**15**	①
16	①	**17**	④	**18**	③	**19**	④	**20**	④

01

◇ 역대급 기출 + 동형 쌍끌이 8주차 동형 1 "몇 일" 적중!

답 ② '몇 일'이라고 쓰이는 경우는 아예 없다. '며칠'만 표준어임을 기억해야 한다. '며칠'은 하나의 단어로서 명사로 쓰인다.

⊞ **오답정리**

① '웬일'이란 '어떻게 된 일'이라는 뜻으로 쓰이는 명사이므로 옳다.
('왠일'이라는 표현은 옳지 않음을 주의해야 한다.)
  • 웬 = 어떠한. 어찌 된.

   웬일, 웬만큼, 웬만치, 웬만하다, 웬간하다('웬만하다'의 잘못된 표현. '엔간하다'라는 말은 존재한다.) 등으로 쓰인다.

  • 왠지 = '왜 그런지 모르게'의 준말
③ '굳은살이 박이다'는 옳은 표현이다. '박이다'란 '손바닥, 발바닥 따위에 굳은살이 생기다.'를 의미한다.
('굳은살이 박히다, 배기다'라는 표현은 옳지 않음을 주의해야 한다.)
  • '박히다' = 박음을 당하다.

   벽에 박힌 못. 그 인상이 강하게 뇌리에 박혔다. 물방울 무늬가 점점이 박혀 있다.

  • '배기다 01' = 몸에 단단한 것이 받치는 힘을 느끼게 되다.

   엉덩이가 배기다.

  • '배기다 02' = 참기 어려운 일을 잘 참고 견디다.

   그 등쌀에 배겨 낼 수가 없소.

④ '으레'는 옳은 표현이다. '표준어 규정 제10항 다음 단어는 모음이 단순화한 형태를 표준어로 삼는다'라는 조항에 의해 '으례'가 아닌 '으레'를 표준어로 삼는다. '으레'는 '두말할 것 없이, 당연히'를 의미한다.

02

◇ 문법 쌍끌이 형태론 〈보조사〉 '로서', '로써' 적중!

답 ③ '로서'는 지위나 신분 또는 자격을 나타내는 격 조사이다. '로써'는 어떤 일의 수단이나 도구를 나타내는 격 조사이면서, 시간을 셈할 때 셈에 넣는 한계를 나타내거나 어떤 일의 기준이 되는 시간임을 나타내는 격 조사이다. ③의 '오늘로써'의 '로써'는 '시간을 셈할 때 셈에 넣는 한계를 나타내거나 어떤 일의 기준이 되는 시간임을 나타내는 격 조사'이므로 문맥에 적절한 표현이다.

• '로써'

  「1」 어떤 물건의 재료나 원료를 나타내는 격 조사 '로'보다 뜻이 분명하다.

   예 쌀로써 떡을 만든다.

  「2」 어떤 일의 수단이나 도구를 나타내는 격 조사 '로'보다 뜻이 분명하다.

   예 말로써 천 냥 빚을 갚는다고 한다.
   꿀로써 단맛을 낸다.
   대화로써 갈등을 풀 수 있을까?

  「3」 시간을 셈할 때 셈에 넣는 한계를 나타내거나 어떤 일의 기준이 되는 시간임을 나타내는 격 조사 '로'보다 뜻이 분명하다.

   예 고향을 떠난 지 올해로써 20년이 된다.
   시험을 치는 것이 이로써 일곱 번째가 됩니다.
   드디어 오늘로써 그 일을 끝내고야 말았다.

• '로서'

  「1」 지위나 신분 또는 자격을 나타내는 격 조사

   예 그것은 교사로서 할 일이 아니다.
   그는 친구로서는 좋으나, 남편감으로서는 부족한 점이 많다.
   언니는 아버지의 딸로서 부족함이 없다고 생각했었다.

  「2」 (예스러운 표현으로) 어떤 동작이 일어나거나 시작되는 곳을 나타내는 격 조사

   예 이 문제는 너로서 시작되었다.

⊞ 오답정리

① 언니는 아버지의 딸의 자격으로서 부족함이 없다는 것이므로 '딸로서'가 옳다.

② '대화를 수단으로 하여 서로의 갈등을 풀 수 있을까'라는 의미이므로 '대화로써'가 옳다.

④ '이로써'로 고쳐야 한다. 여기에서 '로써'는 '시간을 셈할 때 셈에 넣는 한계를 나타내거나 어떤 일의 기준이 되는 시간임을 나타내는 격 조사'이기 때문이다. 셈을 했을 때 이것으로써 세 번째가 된다는 뜻이기 때문이다.

03

답 정답 없음.

이 문제는 인사혁신처가 '정답 없음'으로 인정한 문제이다. '반나절'은 '한나절의 반.'이라는 뜻이므로 '① 하루 낮의 반'은 옳지 않은 뜻풀이라고 하여 처음 공개한 정답은 ①이었다. 하지만 '반나절'의 두 번째 의미로 '하루 낮의 반'이 있었기 때문에 ①도 단어의 뜻풀이가 옳은 것으로 인정되어 정답 없음으로 처리되었다.

⊞ 오답정리

모두 옳다.

04

◇ 역대급 기출 + 국가직, 지방직 동형 유형 훈련 적중

답 ② 관용구 문제는 맥락으로도 풀 수 있고, 관용구 자체의 의미로 풀 수도 있다. 하지만 이 문제는 맥락으로 잡고 해당 관용구를 넣는 형태로는 풀기가 어렵다. 치환하여 넣어보면 또 문맥상 적절하기 때문이다. 따라서 관용구 자체의 의미에 주목하여 풀어야 한다. '호흡을 맞추다'란 '일을 할 때 서로의 행동이나 의향을 잘 알고 처리하여 나가다.'를 의미하므로 '연결해 주어'와 바꿔쓰기에 적절하지 않은 관용 표현이다.

⊞ 오답정리

① '가랑이가 찢어지다'란 '(사람이) 몹시 가난하여 살림살이가 궁색하다.'를 의미하므로 '몹시 가난한'과 바꿔쓰기에 적절한 관용 표현이다. 참고로 '가랑이가 찢어지다'란 '자신이 해내기에 벅찬 일을 욕심내서 하다가 손해를 보다.'를 의미하기도 한다. 다만 이 문맥에서는 '가난하다'의 의미로 쓰인 것이다.

③ '코웃음을 치다'는 '남을 깔보고 비웃다.'를 의미하므로 '깔보며 비웃었다'와 바꿔쓰기에 적절한 관용 표현이다.

④ '바가지를 쓰다'는 '요금이나 물건값을 실제 가격보다 비싸게 지불하여 억울한 손해를 보다'를 의미하므로 '실제보다 비싸게'와 바꿔쓰기에 적절한 관용 표현이다. 참고로 '바가지를 쓰다'는 '어떤 일에 대한 부당한 책임을 억울하게 지게 되다.'를 의미하기도 한다.

05

◇ 역대급 기출 + 국가직, 지방직 동형 적중 "음성상징어, 편집자적 논평, 설의법"

답 ④ 선택지를 분석적으로 보는 안목이 필요하다.

보통 선택지는 "A를 통해 B를 알 수 있다"로 구성이 되는 경우가 많은데 이 경우에는 A와 B가 옳은 것인지 차분히 각각 따져봐야 한다. 이런 훈련을 해야 문학, 비문학 독해에서 고득점을 얻을 수 있다.

㉣은 A는 옳지만 B가 틀려서 답이 된 경우이다.

서술자의 편집자적 논평이란, 서술자가 주관적으로 인물의 감정 상태를 분석하거나 외적인 행동이나 내면적인 심리를 서술자의 판단으로 해석하는 것을 의미한다. ㉣에서는 춘향이가 그네를 타는 외적인 모습에 대해서 "그 형용은 세상 인물이 아니로다."라며 감탄하고 있다. 이는 외적 모습에 대한 주관적인 판단이므로 서술자의 편집자적 논평이라고 볼 수 있다. 하지만 춘향이의 내면적 아름다움이 아니라 외면적인 아름다움을 서술하고 있기 때문에 옳지 않다.

⊞ 오답정리

① "천중절을 모를쏘냐."는 "천중절을 모르겠느냐"라는 의미로, 설의적 표현이 쓰였음을 알 수 있다. 또한 이는 천중절을 당연히 안다는 것을 표현하기 위한 설의법이므로 춘향이도 천중절을 당연히 알 것이라는 점을 서술하고 있음을 알 수 있다.

② "황금 같은 꾀꼬리"라는 부분에서 비유법을 사용하고 있음을 알 수 있다. 또한 "녹음방초(푸르게 우거진 나무와 향기로운 풀), 금잔디" 등을 통해 음양이 조화를 이룬 아름다운 봄날의 풍경을 서술하고 있음을 알 수 있다. "음양의 조화"는 암컷, 수컷 꾀꼬리가 조화롭게 날아드는 부분에서 확인할 수 있다.

③ 음성상징어란 '의성어와 의태어'를 가리킨다. 여기에서는 "펄펄, 흔들흔들"이라는 의태어를 사용하여 춘향이가 그네 타는 모습을 시각적으로 서술하고 있다.

※ 출제자들은 의태어는 음성상징어가 아니라고 생각하는 여러분들의 착각을 이용하여 함정을 팝니다. 여러분은 '의태어'도 음성상징어임을 반드시 기억해야 합니다!

06

◇ 역대급 기출 + 동형 쌍끌이 7주차 "비언어적 표현" 적중!

[답] ③ 화법에서 의사소통 방식에 대한 훈련은 동형 모의고사에서 수도 없이 반복하였다.

이러한 문제는 대화 참여자가 각각 어떤 식으로 대화를 하는지 정확하게 초점을 맞춰서 읽어야 한다. 정확한 근거를 잡고 풀어야 하는 문제이다.

B는 고객이 제안서에 "동일한 사업적 효과가 있을지 궁금하다"며 의문을 제기한 내용을 근거로 고객의 답변이 완곡한 거절이려고 판단하고 있으므로 이 선택지는 옳다.

오답정리

① A는 "해당 사업에 관하여 제 제안서를 승낙했다는 답변이잖아요."를 보면 고객의 답변에 대해 승낙이라는 의미로 이해하고 있음을 알 수 있다. 하지만 B는 "보통 그런 상황에서는 완곡하게 거절하는 의사 표현이라 볼 수 있어요."를 보면 고객의 답변에 대해 거절의 의미로 이해하고 있다. 따라서 A와 B는 고객의 답변에 대해 제안서 승낙이라는 의미로 다르게 이해하고 있음을 알 수 있다.

② B는 요즘 같은 코로나 시기에는 이전과 동일한 사업적 효과가 있을지 궁금하다고 말한 것은 완곡하게 거절하는 표현이라고 하고 있다. 하지만 A는 "하지만 궁금하다고 말한 것이지 사업을 수용하지 않는다는 것은 아니지 않나요? 답변을 할 때도 굉장히 표정도 좋고 박수도 쳤는데 말이죠. 목소리도 부드러웠고요."를 보면, 동일한 사업적 효과가 있을지 궁금하다는 표현을 긍정적인 평가라고 보고 있음을 알 수 있다.

④ "표정도 좋고 박수도 쳤는데 말이죠."에 비언어적 표현이 나오는데, A는 이러한 비언어적 표현을 바탕으로 하여 고객의 답변을 제안서에 대한 승낙으로 보고 있음을 알 수 있다.

07

◇ 역대급 기출 + 국가직, 지방직 동형 유형 훈련 적중

[답] ③ 현대 산문의 경우에는 이 제시문 뿐만 아니라 새로운 인물이 나올 때마다 ○를 치고, 인물들 간의 관계를 지어가면서 읽어야 한다.

선택지를 읽고 들어가게 되면 "편견"이 생성된 채로 글을 읽게 되어 오히려 틀리게 될 수 있으므로 제시문의 인물 관계에 주목하여 읽는 것을 추천한다. "내가 그를 아버지라고 부르기 어려운 것은 거의 그런 말을 발음해 본 적이 없는 습관의 탓이 크다."를 통해서 내가 '무슈 리'를 아버지로 부르는 것에 거부감을 갖는 이유는 아버지라는 말을 발음해 본 적이 별로 없기 때문임을 알 수 있다. 따라서 '나'는 '현규'에 대한 감정 때문에 '무슈 리'를 아버지로 부르는 것에 거부감을 갖고 있다는 ③은 옳지 않다.

오답정리

① " 나는 또 물론 그도 나와 마찬가지로 같은 일을 생각하고 있기를 바란다. 같은 일을 – 같은 즐거움일 수는 없으나 같은 이 괴로움을."을 통해 '나'는 '현규'도 '나'와 같은 감정을 갖고 있기를 기대하고 있음을 알 수 있다. '나'와 '현규'는 오누이지만, '나'는 '현규'에 대해 이성적 호감을 갖고 있다.

② '현규'는 '무슈 리'의 아들로, '나'의 엄마가 '무슈 리'와 결혼했기 때문에 법률상의 '오누이'이기는 하지만 각각 혈연적으로는 아무런 관계가 없는 타인이다.

④ "그리고 우리를 비끄러매는 형식이 결코 '오누이'라는 것이어서는 안 될 것을 알고 있다. 나는 또 물론 그도 나와 마찬가지로 같은 일을 생각하고 있기를 바란다. 같은 일을 ─ 같은 즐거움일 수는 없으나 같은 이 괴로움을."을 통해 판단할 수 있다. 즉, '나'는 법적으로 정해진 '오누이'라는 사회적 인습이나 도덕률보다는 '현규'도 '나'와 같은 마음이기를 바라며 '나'의 감정에 더 충실해지고 싶어함을 알 수 있다.

08

◇ 역대급 기출 + 국가직, 지방직 동형 유형 훈련 적중

[답] ③ 제시문의 내용과 적합한 사례를 찾는 문제이다. 이러한 문제는 반드시 제시문 내용의 핵심 조건을 명확하게 잡아야 풀 수 있다.

글쓴이는 정중하고 단호하게 행동하는 대응을 긍정적으로 보고 있다. "그러나 단호한 반응은 공격적인 반응과 다르다. 단호한 반응은 다른 사람의 권리를 침해하지 않으면서 자신의 권리를 존중하고 지키겠다는 것이다. 이것은 상대방을 배려하는 태도를 보여 준다. 상대방을 존중하면서도 얼마든지 자신의 의견을 내세울 수 있다."를 보면 조건을 찾을 수 있다. '1. 다른 사람과 나의 권리를 모두 존중한다. 2. 상대를 배려한다. 3. 나의 의견을 내세운다.'로 조건을 정리할 수 있다. 이와 관련된 선택지는 ③이다. 안 피우면 좋겠다면서 나의 의견을 내세우면서도 담배를 피우는 상대의 권리를 존중하고 배려하고 있다. 그러면서 동시에 상대방이 차 밖에서 담배를 피우게 함으로써 나의 권리도 함께 지키고 있다.

오답정리

① 상대의 권리만 지켜줄 뿐, 나의 권리를 지키지 못하고 있으므로 단호한 행동이라고 볼 수 없다.

② 나의 권리만 지킬 뿐, 담배를 피울 수 있는 상대의 권리는 지켜주지 못하고 있으므로 단호한 행동이라고 볼 수 없다.

④ 피워도 그렇고 안 피워도 그렇다는 것은 애매모호한 반응이므로 단호한 반응이라고 볼 수 없다.

09

◇ 역대급 기출 + 지방직 1주차 동형 3회 〈오매불망〉완벽하게 그대로 적중!

답 ① 최근 한자성어의 유형은 제시문의 상황에 알맞은 한자성어를 고르는 식이다. 이번 문제는 한자의 음을 주게 되면서 굉장히 난이도가 낮아졌다. 호야 할매의 말을 보면, 손주 때문에 눈물로 세월을 보냈다는 문맥상 적절한 한자 표기는 오매불망(寤寐不忘)이다.

오매불망(寤寐不忘: 寤 잠 깰 오 寐 잘 매 不 아닐 불 忘 잊을 망): 자나깨나 잊지 못함.

⊞ 오답정리

나머지는 (가)에 들어갈 한자성어로 적절하지 않다.
② 망운지정(望雲之情: 望 바랄 망 雲 구름 운 之 갈 지 情 뜻정): 「구름을 바라보며 그리워한다.」는 뜻으로, 어버이를 그리워하는 마음
③ 염화미소(拈華微笑: 拈 집을 념(염) 華 빛날 화 微 작을 미 笑 웃음 소): 「꽃을 집어 들고 웃음을 띠다.」란 뜻으로, 말로 하지 않고 마음에서 마음으로 전(傳)하는 일을 이르는 말. 불교(佛教)에서 이심전심(以心傳心)의 뜻으로 쓰이는 말.
④ 백아절현(伯牙絶絃: 伯 맏 백 牙 어금니 아 絶 끊을 절 絃 줄 현): 「백아가 거문고 줄을 끊어 버렸다.」는 뜻으로, 자기(自己)를 알아주는 절친(切親)한 벗, 즉 지기지우(知己之友)의 죽음을 슬퍼함을 이르는 말.

10

◇ 역대급 기출 + 동형 쌍끌이 7주차 "오백년 도읍지를 필마로~" 적중!

답 ④ 여러 운문이 나와서 비교, 대조하는 유형이 종종 나오고 있다. 실제로 각각 정확한 근거가 있는지 분석적으로 확인해야 한다.
(가)는 길재의 시조, (나)는 조지훈의 「봉황수」라는 작품이다. 정해진 율격과 음보에 맞춰 시상을 전개하는 것은 형식이 정해져 있음을 뜻하는 '정형시'를 의미한다. (가)는 시조이므로 4음보, 3·4(4·4)조의 율격을 따르는 정형시이다. 하지만 (나)는 현대시이므로 정형시가 될 수 없다. 대부분의 현대시는 현대시조를 빼고는 거의 자유시이기 때문이다. (나)는 산문적인 리듬을 가진 산문시이므로 정해진 율격과 음보에 맞춰 시상을 전개하고 있지 않으므로 ④는 옳지 않다.

⊞ 오답정리

① (가)의 산천은 옛 모양과 다름없되, 특히 뛰어난 인재(인걸)는 간 곳이 없다고 한다. 변하지 않는 산천과 변하는 인걸을 대비함으로써 인생의 무상함을 드러내고 있다. 인생의 무상함은 종장 "어즈버 태평연월이 꿈이런가 하노라.(아아, 태평하고 안락한 세월이 꿈인가 한다)"를 통해 확인할 수 있다.
② 사대주의란 '주체성이 없이, 세력이 강한 나라나 사람을 붙좇아 자신의 존립을 유지하려는 주의'를 의미한다. 우리나라는 중국을 좇아 자신의 존립을 유지하는 경향이 있었다. "큰 나라 섬기다 거미줄 친 옥좌(玉座) 위엔 여의주(如意珠) 희롱하는 쌍룡(雙龍) 대신에 두 마리 봉황(鳳凰)새를 틀어올렸다."를 보면, 큰 나라를 섬기다 거미줄을 친, 즉 망해버린 우리나라의 역사를 비판하고 있음을 알 수 있다. '쌍룡'은 주로 '중국황제'를, '봉황'은 우리나라의 임금을 상징한다. 이것을 모르더라도 쌍룡 대신에 봉황을 틀어 올렸다는 부분에서 이 둘이 대비됨을 알아차려야 한다.
아마 이 선택지가 ④번 다음으로 애매했을 것이다. 하지만 이런 경우에는 판단을 잠깐 미루고 나머지 3개의 선택지에서 더 답을 찾아야 하며, 생각보다 답이 3개 중에 나올 수 있다고 언급한 적이 있다.
③ 선경후정의 기법이란 처음에는 경치에 대한 내용이 언급되고 나중에는 화자의 정서가 언급되는 시상전개방식이다. (가)는 먼저 오백년 도읍지를 한 필의 말과 함께 돌며 산천(자연)의 경치가 옛 모습과 다르지 않다며 경치를 언급한다. 그 이후에 인생의 허무함이라는 정서를 노래하므로 선경후정의 기법을 사용하고 있음을 알 수 있다. (나)는 벌레 먹은 두레 기둥, 빛 낡은 단청, 쌍룡 대신 봉황새를 틀어올린 모습 등 경치를 묘사하고 마지막에 "봉황새야 구천(九泉)에 호곡(呼哭)하리라.(목놓아 슬피울리라)"에서 정서가 드러나므로 선경후정의 기법을 사용하고 있음을 알 수 있다.

• 선경후정 VS 선정후경

선경후정	처음에는 경치에 대한 내용이 언급되고 나중에는 화자의 정서가 언급되는 시상전개방식
선정후경	처음에는 화자의 정서에 대한 내용이 언급되고 나중에는 경치가 언급되는 시상전개방식

✦ 작품정리　길재, 〈오백년 도읍지를~〉

이 작품은 고려 충신이었던 길재가 조선이 세워진 직후에 고려 왕조를 회고하며 지은 시조이다. 이를 '회고가'라고 한다.
• 갈래 : 평시조
• 성격 : 회고적, 감상적
• 제재 : 고려의 옛 도읍지(오백 년 도읍지)
• 주제 : 망국의 한과 인생무상
• 특징
　① 비유적 표현과 대구법, 영탄법(어즈버)을 사용하여 고려 왕조 멸망의 한을 노래함.
　② 유구한 자연과 무상한 인간사를 대조하고 있음.
　③ 선경후정의 시상전개방식
• 출전 : "병와가곡집"

♦ **작품정리**   조지훈, 〈봉황수〉

퇴락한 왕궁을 소재로 하여 '봉황새'에 화자의 심리를 투영시키는
기법을 통해 망국의 비애감을 표현하고 있다.
• 갈래 : 산문시, 서정시
• 성격 : 우국적(=나랏일을 근심하고 염려함.)
• 제재 : 퇴락한 고궁
• 주제 : 망국(亡國)의 비애
• 특징
  ① 시적 화자의 정서를 봉황새에 이입시킴. (봉황새야 구천(九泉)
    에 호곡(呼哭)하리라.)
  ② 역사의 사대주의에 대한 화자의 비판 의식이 드러남.
  ③ 선경 후정(先景後情)으로 시상을 전개함.

11

◇ 역대급 기출 + 국가직, 지방직 동형 유형 훈련 적중

답 ④ 이 글의 중심화제는 '미국의 어머니와 일본의 어머니
의 교육방식'으로 서로의 차이점을 서술하고 있다. 1문단에
서 "사물의 속성 자체에 관심을 기울이도록 훈련받은 아이들
은 스스로 독립적인 행동을 하도록 교육받는다."며 미국의
교육방식에 대해 서술하고 있다.
2문단에서는 "곧 일본에서는 아이들에게 듣는 사람의 입장
에서 말할 것을 강조한다."며 일본의 교육방식에 대해 서술
하고 있다. 따라서 미국의 어머니는 자녀가 독립적인 행동을
하도록 교육하며, 일본의 어머니는 자녀가 타인의 감정을 예
측하도록 교육한다는 ④가 글의 내용과 부합한다.

⊞ **오답정리**

① 미국의 어머니는 말하는 자신의 입장을, 일본의 어머니는 듣
  는 사람의 입장을 강조하므로 이 선택지는 옳지 않다.
② 사물의 속성을 아는 것이 관계를 아는 것보다 더 중요하다고
  생각하는 것은 일본의 어머니가 아니라 미국의 어머니이다.
  1문단에서 "미국의 어머니들은 자녀와 함께 놀이를 할 때 특정
  사물에 초점을 맞추고 그 사물의 속성을 아이들에게 가르친
  다."라고 언급되어 있다. 또한 2문단에서는 "다른 사람과의 관
  계에 초점을 맞춘 훈련을 받은 아이들"이라며 일본의 교육방
  식에 대해 언급하고 있다.
③ 이면에 있는 감정을 읽어야 한다고 생각하는 것은 미국의 어
  머니가 아니라 일본의 어머니이다.

12

◇ 넷클래스 동형 모의 3회 〈인공지능〉 적중

답 ② 결론을 찾는 유형은 각 문단의 글의 흐름을 찾아 읽되,
마지막까지 읽어주어야 한다. 이 글의 중심화제는 '인공지능'
인데, 인공지능으로 인해 무뎌지는 인간의 두뇌에 대해 서술
하고 있다. 1문단에서는 인공지능의 특성을 설명하고 2문단
에서는 인공지능이 사람을 게으르게 만들 수 있다는 문제 제
기를 하고 있다. 3문단에서는 인공지능으로 인해 두뇌를 적
게 쓰는 인간의 모습이 나온 후 마지막 문단에서 결론이 나
온다. "이와 같이 기계에 의존해서 인간이 살아가는 사례는
오늘날 우리의 두뇌가 게을러진 것을 보여 주는 여러 사례
가운데 하나일 뿐이다."를 통해 인공지능(AI)으로 인해 인간
의 두뇌가 게을러지는 부작용이 발생하게 될 것이라는 결론
을 도출할 수 있다.

⊞ **오답정리**

① 인공지능이 발달되면서 인간의 인공지능(AI)에 대한 의존성이
  증가하게 되는 것이므로 독립성은 지속적으로 증가하게 될 것
  이라는 ①은 결론으로서 옳지 않다.
③ 1문단에서 "인공지능(AI)이 사람보다 똑똑해질 수 있을지도
  모른다."라고 언급되어 있기는 하나, 이것이 결론이 되기는
  어렵다.
④ 맨 마지막 문장에서 "인간을 태만하고 나태하게 만들어 뇌의
  가장 뛰어난 영역인 상상력을 활용하지 않도록 만드는 것이
  다."라고 언급되어 있으므로 인공지능(AI)은 궁극적으로 상상
  력을 가지게 될 것이라는 ②는 결론으로서 옳지 않다.

13

◇ 역대급 기출 + 국가직, 지방직 동형 유형 훈련 적중

답 ② 비문학 지문에서 적절한 것을 찾으라고 지시하는 문
제는 보통 "중심내용"을 찾으면 되는 경우가 많다. "마찬가
지 논리로 우리가 만일 한국어와 영어를 공용어로 지정한다
면 이는 한국에서는 한국어와 영어 중 어느 하나를 알기만
하면 공식 업무상 불편이 없게끔 국가에서 보장한다는 뜻이
지 모든 한국인들이 영어를 할 줄 알아야 된다는 뜻은 아니
다."를 보면, 복수 공용어는 공식 업무상 불편이 없게끔 국가
에서 보장하는 것이라는 것을 알 수 있다. 따라서 유럽연합
은 복수의 공용어를 지정하여 공무상 편의를 도모하였다는
②가 글에 대한 이해로 적절하다.

15

◇ 동형 쌍끌이 매주 지시대상 유형 훈련 적중! (수강생 전원 정답)

답 ① 지방직에서는 매년 지시 대상을 묻는 문제가 출제되므로 지방직 동형에서 이와 관련된 훈련을 많이 하였다. 문맥으로 풀되, 단서를 잡아가며 풀면 쉽게 풀 수 있는 유형이다. 구형의 과일을 "두쪽으로 가른다"는 단서로 보아 '㉠ 구형'은 수박 전체를 의미한다. '㉡빨강'은 "빨강"이라는 단서로 보아 수박 안에 있는 맛있는 빨간 살 부분을 의미한다. '㉢ 새까만 씨앗들이 별처럼 박힌 선홍색의 바다'의 경우에는 "선홍색의 바다"를 통해 수박의 빨간 살 부분임을 알 수 있다. '㉣한바탕의 완연한 아름다움의 세계'는 "먹히기를 기다리고 있다"는 단서로 보아 수박 안의 빨간 살 부분임을 알 수 있다. ㉠은 수박 전체를 지시하고 ㉡~㉣은 수박 안의 빨간 부분을 지시하므로 답은 ①이다.

16

◇ 역대급 기출 + 국가직, 지방직 동형 유형 훈련 적중

답 ① "접속 부사의 역할"과 "글의 흐름"을 파악하기만 하면 쉽게 풀 수 있는 유형이다.

기호를 기준으로 하여 앞과 뒤의 내용의 흐름이 "순류"인지 "역류"인지 "인과" 관계인지 확인하여 읽으면 정답에 다가갈 수 있다.

(가) 앞을 정리하면, '우리말로 시조나 가사를 쓴 황진이와 무명씨는 양반이 아니었으나 정철, 윤선도, 이황은 양반 중에 양반이었다.'라고 한다. (가) 뒤에서는 '그들이 우리말로 작품을 썼던 걸 보면 양반들도 한글 쓰는 것을 즐겨 했다는 것을 알 수 있다.'라고 한다. (가) 앞은 우리말로 시조나 가사를 쓴 사람들에 대해 언급하고 (가)는 초점을 바꾸어 양반들이 한글 쓰는 것을 즐겼다는 사실을 새로 언급하고 있다. 이렇게 내용의 초점을 바꿔 새로운 내용을 언급할 때 쓰는 접속 부사는 '그런데'이다.

(나)에는 정철, 윤선도, 이황에 더하여, 한글로 문학을 향유한 허균과 김만중에 대해 언급하고 있다. 즉, (나)의 앞뒤는 한글을 사용한 양반들이라는 점에서 대등한 정보를 나열하고 있으므로 '게다가 혹은 그리고 혹은 더구나(=더군다나, 이뿐만 아니라)'가 와야 한다.

(다)의 앞은 많은 양반들이 한글 쓰기를 즐겼다는 내용이다. 하지만 (다) 뒤는 이들(=한글로 문학을 향유한 양반들)이 특이한 경우로 한글을 쓴 것이라면 말이 달라진다고 하였으므로 앞의 내용을 뒤집는 내용이다. 따라서 (다)에는 앞의 내용과 반대되는 내용을 전개할 때 쓰이는 역접의 접속부사인 '그렇지만'이 와야 한다.

(라) 앞은 실학자 박지원이 한글이 아닌 한문으로 작품을 썼다는 내용이다. (라) 뒤는 박지원과 달리 양반들이 꽤 한글을

⊞ 오답정리

① 첫 번째 문장의 "국제기구인 유엔은 영어, 중국어, 러시아어, 프랑스어, 스페인어, 아랍어 등이 공용어로 사용되나 그곳에 근무하는 모든 외교관들이 이 공용어들을 전부 다 잘해야 하는 것은 아니다."를 통해 유엔에서 근무하는 외교관들은 유엔의 공용어를 다 구사하지 않아도 됨을 알 수 있다.

③ 맨 마지막 문장의 "따라서 우리가 영어를 한국어와 함께 공용어로 지정하기만 하면 모든 한국인이 영어를 잘할 수 있게 되리라는 믿음은 공용어의 개념을 제대로 이해하지 못한 데서 오는 망상에 불과하다."를 통해 한국에서 영어를 공용어로 지정한다고 해도 한국인들이 영어를 다 잘할 수 있게 되지는 못함을 알 수 있다.

④ 한국에서 머지않아 영어가 공용어로 지정될 것이라는 언급은 제시문에 아예 나오지 않는다.

14

◇ 역대급 기출 + 국가직, 지방직 동형 유형 훈련 적중

답 ③ 비문학 독해에서 내용 일치와 불일치를 물어보는 문제는 반드시 득점해야 한다. 제시문에 답이 모두 나와 있기 때문이다. 1문단의 마지막 문장에서 "아무에게도 영향력을 행사하지 못하고 자신의 삶과 환경을 통제하지도 못하면서 무력감에 시달리는 사람일수록 공격적인 발설로 자기 효능감을 느끼려 한다."라고 언급되어 있다. 즉, 자신의 삶을 잘 통제하지 못할수록 타인을 더 엄격한 잣대로 공격하는 것이다. 따라서 자신의 삶을 잘 통제하는 악플러일수록 타인을 더욱 엄격한 잣대로 비판한다는 이 선택지는 옳지 않다.

⊞ 오답정리

① "그들에게 악플의 즐거움은 무엇인가. 자신이 올린 글 한 줄에 다른 사람들이 동요하는 모습을 보면서 자기 효능감(self-efficacy)을 맛볼 수 있다."에서 악플러는 자신의 말에 타인이 동요하는 것을 보면서 자기 효능감을 느낌을 알 수 있다.

② "마구 욕을 퍼부었는데 상대방이 별로 개의치 않는다면, 계속할 마음이 사라질 것이다. 무시당했다는 생각에 오히려 자괴감에 빠질 수도 있다."를 통해 개인주의자는 악플에 무반응함으로써 악플러를 자괴감에 빠지게 할 수 있음을 알 수 있다.

④ "한국에는 그런 의미에서의 개인주의가 뿌리내리지 못했다. 남에 대해 신경을 너무 곤두세운다."를 통해 한국에서 악플이 양산되는 것은 한국인들이 타인에 대해 신경을 많이 쓰는 것과 관계가 있음을 알 수 있다. 악플러 입장에서는 자신이 쓴 악플로 사회가 동요되면 재미가 쏠쏠하고 자기 효능감을 맛볼 수 있기 때문에 악플을 더 많이 만들게 되는 것이다.

이해했을 것이라는 내용이므로 앞 뒤의 내용이 반대되는 내용이다. 따라서 (라)에는 앞의 내용과 반대되는 내용을 전개할 때 쓰이는 역접의 접속부사인 '그러나, 하지만'이 와야 한다. 모든 접속부사를 알맞게 연결한 것은 ①이다.

☒ 오답정리

(가)에서 '그리고'는 대등한 정보의 나열을 의미하는데, (가) 앞 뒤의 정보가 대등하다고 보기 힘들다.

(가)에서 '그래서'는 앞은 원인, 뒤는 결과일 때 나오는 접속부사이다. (가)의 앞 뒤는 원인과 결과라기보다는 초점이 변화되어 새로운 내용을 언급하고 있는 것이므로 적절하지 않다.

(나)에서 '그러나'는 주로 앞 뒤의 내용이 반대되거나, 앞의 내용을 뒤집는 내용일 때 사용되는 접속부사이므로 적절하지 않다. (나)의 앞뒤는 한글을 사용한 양반들이라는 점에서 대등한 정보를 나열하고 있기 때문이다.

(다)에서 '또는'은 '그리고, 게다가, 더구나, 이뿐만 아니라'와 같이 대등한 정보를 죽 나열할 때 쓰이는 접속부사이므로 (다)에는 적절하지 않다.

(다)에서 '즉'은 앞의 내용을 다시 쉽게 설명해줄 때 쓰는 접속부사이므로 앞 뒤의 내용이 유사해야 하므로 (다)에는 적절하지 않다.

17

◇ 역대급 기출 + 국가직, 지방직 동형 유형 훈련 적중!
   (빠짐없이 매주 이 유형으로 훈련함.)

답 ④ 고쳐쓰기 문제는 매년 나오는 단골 유형이므로 반드시 완벽하게 정복해야 하는 유형이다. 문제를 보는 순서는 "제시된 문장→선택지" 순으로 하나하나 참, 거짓을 판별해 내면 된다. '납부'란 '세금·공과금 따위를 냄.'을 의미하는 것이므로 이 문맥에 잘 어울리는 단어이다. 따라서 금융 기관이 돈이나 물품 따위를 받아 거두어들인다는 '수납'으로 고치면 오히려 어색한 문장이 된다.

☒ 오답정리

① '현재'라는 부사어를 통해, 시제가 현재임을 알 수 있다. 서술어 '있었다'는 과거형이므로 적절하지 않다. 따라서 '있었다'는 문맥상 시제 표현이 적절하지 않으므로 현재형 '있다'로 고쳐 쓰는 것은 옳다.

② '지양'은 어떤 행위를 하지 않는 것이고 '지향'은 어떤 행위를 추구하는 것이므로 두 단어의 의미가 상반된다. '지양(止揚)'이란 '더 높은 단계로 오르기 위하여 어떤 것을 하지 않음.'을 의미한다. 하지만 문맥으로 보면, '누구나 행복한 ○○시'는 우리 시청이 추구하는 가치이므로 어떤 목표로 뜻이 쏠리어 향한다는 의미인 '지향(志向)'으로 고쳐 쓰는 것이 옳다.

③ 수식어의 경우에는 반드시 그 수식어가 무엇을 수식하는지를

확인해야 한다. '지난달 수해로 인한'이 뒤에 있는 '준비 기간'을 수식하면 문장이 어색해진다. 따라서 '지난달 수해로 인하여'로 고쳐야 한다. 그렇게 되면 '지난달 수해로 인하여 준비 기간이 짧았다'라는 자연스러운 문장이 만들어 질 수 있다.

18

◇ 소설의 내용 일치 유형 적중! (빠짐없이 매주 이 유형으로 훈련함.)

답 ③ 대화의 내용을 통해서 내용이 일치하는지 불일치하는지 판단하는 문제였다. 현대산문의 경우에는 인물을 중심으로 읽되, 인물들간의 관계를 중심으로 읽으면 글이 잘 읽힌다. 서연이의 대사에서 "자네(=동연)가 본뜨려는 부처님 형상은 누가 언제 그렸는지 몰라도 흔히 있는 것을 베껴 놓은 걸세."를 통해 동연은 부처님 형상을 독창적으로 제작하는 인물은 아니라는 것을 알 수 있다. 마지막 동연의 대사를 통해 동연은 기존에 있는 불상들을 하나하나 자세하게 관찰하여 만든다는 것을 알 수 있다.

☒ 오답정리

① 동연은 기존 불상에 대해 의심이 없는 상태로 불상을 제작하지만, 서연은 기존 불상을 의심하며 불상을 제작하므로 입장이 다르다고 볼 수 있다. 동연은 기존 불상에 대한 의심이 없어, 기존의 불상을 자세하게 관찰하여 본뜨려고 한다. 반면, 서연은 기존 불상에 대해 의심을 가지면서 불상 안에 있는 진짜 부처님 마음을 알고 싶어한다.

② 서연은 동연에게 왜 기존 불상에 대해 의심하지 않는지 의아해 한다. 또한 동연의 마지막 대사 "자네처럼 게으른 자들은 공부는 안 하고, 아무 의미 없다 의심만 하지!"를 통해 서연은 전해지는 부처님 형상을 의심하는 인물임을 알 수 있다.

④ 예술에 있어서 형식과 내용의 논쟁이란 "예술을 겉으로 보이는 형식이 중요하다고 보는 입장과 안에 들어있는 내용이 중요하다고 보는 입장"간의 논쟁을 의미한다. 동연은 기존 불상의 겉모습(형식)을 중시하지만 서연은 불상 안에 깃든 부처의 마음(내용)을 중시하고 있으므로 이는 예술에 있어서 형식과 내용의 논쟁을 연상시킨다고 볼 수 있다.

19

◇ 빈칸 추론 유형 적중! (빠짐없이 매주 이 유형으로 훈련함.)

답 ④ 통일성이란 글의 각 부분들이 서로 긴밀하게 연결되는 것을 의미한다. 최근에 통일성을 고려하여 빈칸의 내용을 추론하는 문제 유형이 자주 출제되고 있다. 이러한 문제를 풀기 위해서는 "빈칸의 앞 뒤 내용"에 초점을 맞추는 것이 중요하다. 하지만 이 문제는 맨 끝의 문장이 빈칸으로 되어 있으므로 앞 문장이 무엇인지 파악하는 것이 중요하다.

이 문제는 온돌을 통한 우리의 전통적인 난방 방식과 벽난로를 통한 서양식의 난방 방식을 대조한 글이다. 이 글을 정리해 보면 다음과 같다.

온돌을 통한 난방 방식	벽난로를 통한 서양식의 난방 방식
① 방바닥 돌의 열기로 인해 돌이 뜨거워짐. ② 뜨거워진 돌의 열기로 방바닥이 뜨거워져 복사열이 전달됨. ③ 방바닥의 차가운 공기가 온돌로 데워져, 데워진 공기가 위로 올라감. ④ 위로 올라간 공기가 다시 식으면 아래로 내려오고 다시 데워져 올라감. ③, ④가 대류 현상을 의미한다.	① 복사열을 이용하여 상체와 위쪽 공기를 데움. ② 대류 현상으로 인해 바닥 위 공기는 따뜻해지지 않음. 그 이유는 _____(가)_____.

(가)의 앞 문장은 서양의 난방방식을 언급하며, 상체와 위쪽 공기를 데우면 대류 현상으로 인해 바닥 위 공기까지는 따뜻해지지 않는다고 한다. 따라서 (가)는 대류 현상으로 인해 바닥 위 공기까지는 따뜻해지지 않는 이유를 묻고 있는 것이다. 그렇다면 대류 현상이 무엇인지를 파악하면 된다. 네 번째 문장에서 온돌을 통한 난방 방식에 대해 설명하면서 대류 현상을 언급하고 있다. 네 번째 문장을 보면, 대류 현상이란 데워진 공기는 위로 올라가고 식은 공기(=차가운 공기)는 아래로 내려가는 것으로 공기가 순환되는 현상이다. 이를 통해 상체와 위쪽 공기를 데우면 바닥 위 공기까지는 따뜻해지지 않는 이유는 데워진 공기가 위에 올라가 있기 때문임을 알 수 있다. 이것과 통하는 문장은 상체와 위쪽의 따뜻한 공기는 차가운 바닥으로 내려오지 않기 때문이라는 ④이다. 따뜻한 공기는 위에 있다는 의미와 같기 때문이다.

오답정리
① (가)의 앞 문장에서 벽난로를 통한 서양식의 난방 방식은 복사열을 이용하여 상체의 공기를 데우는 방식인데, ①에서는 방바닥의 따뜻한 공기를 전제하고 있다. 서양식의 난방 방식은 복사열을 통해 위쪽의 공기만 데우는 것이므로 방바닥의 따뜻한 공기가 위로 올라갈 수 없다.
② 벽난로에 의한 난방이 복사열에 의한 난방은 이루어지만 바닥의 공기를 따뜻하게 할 수는 없으므로 대류 현상이 일어나지 않으므로 이 선택지는 옳지 않다.
③ 대류 현상을 통한 난방 방식이 상체와 위쪽의 공기만 따뜻하게 하는 것은 아니므로 옳지 않다. 온돌을 통한 난방 방식의 경우 대류 현상을 통한 난방 방식으로 인해 상체와 위쪽의 공기가 아래로 내려올 때도 있기 때문이다. 그러한 경우에는 대류 현상을 통해 상체와 위쪽이 아니라 바닥의 공기가 따뜻해지게 된다.

20

◇ 역대급 기출 + 국가직, 지방직 동형 유형 훈련 적중

답 ④ 추론적 독해의 유형은 매년 2문제 정도는 꼭 나오고 있는 유형이다. 추론적 독해 문제는 내용을 정확하게 읽어내는 사실적인 독해가 잘 이루어졌다면 생각보다 쉽게 풀린다. 맨 마지막 문단에서 "우리는 포도주는 오래될수록 좋아진다고 믿는 경향이 있지만, 대부분의 백포도주 혹은 중급 이하 적포도주는 시간이 지날수록 오히려 품질이 떨어진다."라고 언급하고 있다. 이는 고급 백포도주에 코르크를 끼우든 끼우지 않든 시간이 지나면 품질이 떨어지게 된다는 것을 의미한다. 따라서 병에 담겨 코르크 마개를 끼운 고급 백포도주는 보관 기간에 비례하여 품질이 개선되지는 않을 것이라는 ④의 추론이 가장 옳다.

오답정리
① 가장 매력적인 오답이었다. 많은 수험생들이 조급한 마음에 나머지 선택지는 보지 않은 채 ①을 찍고 다른 과목 시험을 치른 경우가 많았다.
하지만 ①은 옳지 않다. 고급 포도주는 "모두" 너무 덥지도 춥지도 않은 곳에서 재배된 포도로 만들어졌다는 것은 성급한 일반화이기 때문이다. 3문단을 보면 "그러므로 고급 포도주 주요 생산지는 보르도나 부르고뉴처럼 너무 덥지도 않고 너무 춥지도 않은 곳이다. 다만 달콤한 백포도주의 경우는 샤토 디켐처럼 뜨거운 여름 날씨가 지속하는 곳에서 명품이 만들어진다."라고 나온다. 즉, 고급 포도주는 너무 덥지도 않고 너무 춥지도 않은 곳에서 만들어지기는 하지만, 고급 백포도주의 경우에는 뜨거운 여름 날씨에 명품이 만들어진다고 하고 있다. 따라서 예외가 있기 때문에 모든 고급 포도주가 모두 너무 덥지도 춥지도 않은 곳에서 재배된 포도로 만들어졌다는 것은 옳지 않다.
② 2문단의 맨 끝 문장에서 "대체로 대서양의 루아르강 하구로부터 크림반도와 조지아를 잇는 선이 상업적으로 포도를 재배할 수 있는 북방한계선이다."라고 언급되어 있으므로 루아르강 하구로부터 크림반도와 조지아를 잇는 선은 이탈리아보다 남쪽에 있을 것이라고 장담할 수 없다. 중세 유럽에서 수도원마다 온갖 노력을 기울인 결과 포도 재배가 이탈리아보다 더 북쪽까지 올라갔다고 언급이 되어 있기도 하다.
③ 1문단에서 "이런 용도로 일상적으로 마시는 식사용 포도주로는 당연히 고급 포도주와는 다른 저렴한 포도주가 쓰이며, 술이 약한 사람들은 여기에 물을 섞어서 마시기도 한다."라고 언급되어 있다. 유럽에서 일상적으로 마시는 식사용 포도주는 고급 포도주와는 다른 저렴한 포도주가 쓰이므로 이 선택지는 옳지 않다.

Memo

박혜선 교수

약력

고려대학교 국어국문학과 수석 졸업
고려대학교 국어국문학과 심화 전공
정교사 2급 자격증
前 산에듀 국어영역 대표강사
現 박문각공무원 온라인 오프라인 강사

출간 책

박혜선 역공국어 NEW 문법 쌍끌이(박문각출판)
박혜선 역공국어 NEW 문학 쌍끌이(박문각출판)
박혜선 역공국어 NEW 비문학 쌍끌이(박문각출판)
박혜선 혜선국어 NETclass 동형모의고사(박문각출판)

네이버 카페

https://cafe.naver.com/yeokkonghyesun

NETclass 동형모의고사

합격기준 박문각공무원

혜선 국어 해설편 #2

초판 인쇄 2021년 10월 20일 | **초판 발행** 2021년 10월 25일
편저 박혜선 | **발행인** 박 용 | **발행처** (주)박문각출판
등록 2015년 4월 29일 제2015-000104호
주소 06654 서울시 서초구 효령로 283 서경 B/D 4층
팩스 (02)584-2927 | **전화** 교재 주문 (02)6466-7202

저자와의
협의하에
인지생략

이 책의 무단 전재 또는 복제 행위는 금합니다.

정가 15,000원

ISBN 979-11-6704-307-8
ISBN 979-11-6704-305-4(세트)

Memo